Н. А. БОНК
И. И. ЛЕВИНА
И. А. БОНК

АНГЛИЙСКИЙ
ШАГ ЗА ШАГОМ

Рекомендован Министерством образования РФ
в качестве учебника для студентов
неязыковых вузов

1

МОСКВА
РОСМЭН
2009

УДК 811.111
ББК 81.2 Англ
    Б81

- Современный фундаментальный курс английского языка для начинающих и тех, кто хочет упорядочить свои знания.
- Ясные, доходчивые объяснения с многочисленными примерами.
- Легко запоминающиеся диалоги, характерные для современной жизни.
- Удобное как для ученика, так и для преподавателя расположение материала по принципу «шаг за шагом»: новая информация — упражнения для закрепления.
- Аудиозаписи, выполненные дикторами из Великобритании, — новые слова, диалоги, тексты, упражнения (3 кассеты — 4,5 часа звучания).

Наш адрес в Интернете: www.rosman.ru

Содержание

УРОК-КОМПЛЕКС 5
ЗВУКИ И БУКВЫ

ГРАММАТИКА

Предисловие

Учебник «Английский язык за шагом» в двух томах предназначен для тех, кто хочет активно овладеть английским языком во всех видах речевой деятельности (говорение, слушание, чтение и письмо), с тем чтобы свободно пользоваться этим языком как в повседневном общении, так и в своей профессиональной деятельности. Эти книги не ориентированы на какую-либо определенную профессию. Их задача — создание прочной общеязыковой подготовки, которая позволит без особых затруднений перейти к языку узкой специальности.

Первая часть учебника рассчитана на 180—200 часов аудиторной работы и примерно столько же часов домашней работы для тех, кто не знает языка совсем, и на более короткий срок для так называемых false beginners, т. е. тех, кто когда-то начинал учить язык, но основательно его забыл.

Основная задача первой книги — обеспечить максимально целесообразное, эффективное и экономное начало обучения, ибо качество обучения на начальном этапе является определяющим фактором во всем последующем процессе овладения иностранным языком. Именно от качества начала обучения будет зависеть, сможет ли обучающийся последовательно и эффективно пополнять свои знания и совершенствовать навыки или ему придется постоянно переучиваться из-за того, что многое было не до конца понято, усвоено лишь приблизительно, в результате чего создались весьма устойчивые неправильные навыки, от которых так же трудно избавиться, как от любой вредной привычки.

В этом учебнике сделана попытка максимально облегчить задачу усвоения обильного языкового материла так, чтобы уверенно использовать его в речи с минимальным количеством погрешностей. Дозированное введение материала с немедленным закреплением, обеспеченным фонозаписью, сделанной естественными носителями английского языка, поможет справиться с этой задачей тем, кто готов регулярно заниматься под руководством преподавателя или самостоятельно.

Основная особенность предлагаемого варианта начала обучения состоит в том, что вводный курс в обычном понимании этого термина в нем отсутствует. Фонетика является одним из компонентов каждого урока-комплекса, составляя с лексическим и грамматическим материалом единое целое. Каждый введенный звук закрепляется на базе обильной активной лексики, а каждая грамматическая структура служит базой для овладения соответствующим интонационным контуром. Такая организация материала обеспечивает одновременно становление навыков речевого общения и овладение адекватными произносительными нормами.

Учитывая особые организационно-методические трудности начального этапа, вызванные неизбежной мозаичностью комплексного начального курса, авторы расположили материал линейно, т. е. исходя из того, что он будет проходить в той последовательности, которую предлагает учебник. Линейное расположение материала облегчает планирование занятий. Каждый «шаг» внутри комплекса является сценарием занятий, что дает возможность преподавателю сосредоточиться на исполнении урока, его психологической и артистической стороне и вести занятия с высокой интенсивностью, без временны́х потерь.

Как введение, так и закрепление материала подчинены принципу аудиовизуальной наглядности. Введению нового звука предпосылается задание: «Произнесите, подражая образцу». Это — рекомендация преподавателю начинать введение звука с показа артикуляции, а не с ее описания, которое должно лишь подкрепить показ, помочь правильно услышать и воспроизвести новые звуки. Предполагается, что преподаватель владеет приемами показа и коррекции артикуляций, описания которых учебник не содержит. В классе при работе над произношением рекомендуется широко использовать приемы хоровой работы, а также соответствующие фонозаписи.

Все упражнения, имеющиеся в фонозаписи, помечены знаком 🔲. Систематическая работа с фонозаписью с самого первого урока-комплекса заложена в систему упражнений как ее органическая часть.

Грамматический материал объясняется как способ решения средствами английского языка определенной речемыслительной задачи, причем каждая макротема распределяется на столько макротем и, следовательно, «шагов» внутри учебного параграфа, сколько речевых задач потенциально решает данное явление. Так, например, утвердительная, вопросительная и отрицательная формы глагольного времени выделяются в отдельные последовательные «шаги», ибо каждая форма решает свою задачу и имеет свои фонетикоинтонационные особенности. В данном курсе авторы намеренно отказались от выделения грамматики в специальный раздел. Грамматический материал вводится небольшими порциями, равномерно перемежаясь с фонетическим и лексическим. Как показал опыт, такая гибкая система является более удобной и эффективной, чем жесткое деление материала на специальные разделы.

Новый лексико-грамматический материал накапливается на базе уже введенных *звуков*, однако в отдельных случаях даются слова, содержащие еще не введенные *буквы* (например, yes с. 13, please с. 14, busy с. 33). Такое орфоэпическое опережение не наносит ущерба произносительным навыкам и диктуется необходимостью ускорить введение слов, без которых невозможно естественное общение.

Каждая доза информации, как лексической, так и грамматической, немедленно закрепляется системой упражнений, которая всегда начинается с обильных примеров, показывающих, как именно изучаемый языковой материал реализуется в естественном речевом контексте, каковы границы его употребления, в какой ситуации его уместно использовать.

От языковых упражнений обучающийся последовательно переходит к предречевым и речевым, в числе которых имеется много разнообразных видов работы с микродиалогами, диалогами и связными текстами. Следует особо подчеркнуть, что при высокой коммуникативной направленности упражнений развитие речевых навыков на этом этапе носит управляемый характер — обучающиеся привыкают выражать свои мысли только теми языковыми средствами, в которых они уверены. Такой стиль тренировки приучает к ответственности за адекватность высказывания, вырабатывает правильные речевые навыки и не только не сковывает речь, а, наоборот, стимулирует ее благодаря тому чувству уверенности, которое появляется по мере накопления языкового «репертуара». Из этого следует, однако, что преподаватель должен в своей речи ограничиваться лексико-грамматическим минимумом своих учеников и не может включать в учебный процесс аутентичные материалы, соответствующие этому этапу обучения, особенно аудио- и видеоматериалы.

Упражнения, рекомендуемые для письменных домашних заданий, помечены знаком ✎. Дома их рекомендуется выполнять после упражнений с текстом и фонозаписью. Целесообразный порядок домашней тренировки имеет не меньшее значение, чем методически оправданная последовательность классной работы. Обучающийся вскоре сам убеждается в том, что рекомендуемая очередность выполнения домашнего задания наиболее эффективна, и привыкает систематически работать дома с фонозаписью и книгой до выполнения письменных видов домашнего задания.

Книга завершается небольшим разделом речевых упражнений, предназначенных для предэкзаменационного периода и служащих своеобразным «мостиком», связывающим первую часть курса со второй.

Весь языковой материал обеих частей курса выдержан в рамках нейтрально-разговорного стиля повседневного общения. Поэтому особое внимание уделяется таким присущим естественной разговорной речи особенностям, как редуцированные формы служебных слов, различные формы кратких переспросов, присоединенный вопрос как способ поддержания беседы и т.п. Однако авторы намеренно воздерживались от излишней фамильярности стиля, злоупотребления сугубо разговорной идиоматикой, естественной в речи носителя языка, но вряд ли уместной, а порой и карикатурной в устах иностранца.

В книге частично использован материал учебника Н. А. Бонк и И. И. Левиной «English. Coursebook for beginners» (М.: Высшая школа, 1986). Предлагаемый вариант учебника разработан и подготовлен к изданию Н. А. Бонк и И. А. Бонк.

Авторы выражают надежду, что желающие приступить к изучению английского языка получат удобный и эффективный курс, отвечающий современным требованиям.

Авторы выражают глубокую благодарность В. И. Кокнаеву за неоценимую помощь в подготовке издания.

Н. Бонк

АНГЛИЙСКИЙ АЛФАВИТ

Печатный шрифт	Рукописный шрифт	Название букв	Печатный шрифт	Рукописный шрифт	Название букв
A a	A a	[eɪ]	N n	N n	[en]
B b	B b	[bi:]	O o	O o	[əu]
C c	C c	[si:]	P p	P p	[pi:]
D d	D d	[di:]	Q q	Q q	[kju:]
E e	E e	[i:]	R r	R r	[ɑ:]
F f	F f	[ef]	S s	S s	[es]
G g	G g	[dʒi:]	T t	T t	[ti:]
H h	H h	[eɪtʃ]	U u	U u	[ju:]
I i	I i	[aɪ]	V v	V v	[vi:]
J j	J j	[dʒeɪ]	W w	W w	['dʌblju:]
K k	K k	[keɪ]	X x	X x	[eks]
L l	L l	[el]	Y y	Y y	[waɪ]
M m	M m	[em]	Z z	Z z	[zed]

В странах английского языка наряду с обычным рукописным начертанием букв принято особое печатное начертание заглавных букв, применяющееся при заполнении бланков, анкет, написании от руки общепринятых сокращений и в ряде других случаев:

A B C D E F G H I J K L M
N O P Q R S T U V W X Y Z

Урок-комплекс 1

Послушайте, как звучат английские слова и фразы, с которыми вы познакомитесь в этом уроке:

Seven, ten.
Test ten. Set seven. Seven steps.
"Let me see set seven!"
"Seven? Let me see."
"Tea?" "Yes, please."

ЗВУКИ И БУКВЫ

1. Долгий гласный звук [i:]. Нисходящий и восходящий тоны.

Произнесите, подражая образцу. Следите за интонацией.

[↗i: ↘i: ↗i: ↘i:]

Звук [i:] был произнесен попеременно с подъемом и падением голоса, т.е. восходящим и нисходящим тоном. Английский восходящий тон напоминает русский восходящий тон при перечислении: *раз, два, три, четыре...* Английский обычный нисходящий тон напоминает русский категоричный нисходящий тон приказа, команды: *Стой! Марш!*

Звук [i:] передается на письме буквой **E, e** [i:].

2. Звонкий согласный звук [d] передается на письме буквой **D, d** [di:].

Звонкий согласный звук [d], как и другие английские согласные, никогда не смягчается. (*Ср. русск.*: дыня — Дима.)

Урок-комплекс 1

Произнесите, подражая образцу. Не допускайте смягчения согласного звука.

[d d d ↗di: ↘di: ↗di: ↘di:]

3. <u>Глухой согласный звук [t] передаётся на письме буквой T, t [ti:].</u>

Звук [t] в положении перед ударным гласным произносится с придыханием.

Произнесите, подражая образцу. Не допускайте смягчения согласного звука.

[t t t ↗ti: ↘ti: ↗ti: ↘ti:]

4. <u>Звонкий согласный звук [b] передаётся на письме буквой B, b [bi:].</u>

Произнесите, подражая образцу. Не допускайте смягчения согласного звука.

[b b b ↗bi: ↘bi: ↗bi: ↘bi:]

5. <u>Глухой согласный звук [p] передаётся на письме буквой P, p [pi:].</u>

Звук [p] в положении перед ударными гласными произносится с придыханием.

Произнесите, подражая образцу. Не допускайте смягчения согласного звука.

[p p p ↗pi: ↘pi: ↗pi: ↘pi:]

6. <u>Звонкий согласный звук [v] передаётся на письме буквой V, v [vi:].</u>

Произнесите, подражая образцу. Не оглушайте звук [v] в конце слова.

[v v v vvv vvv ↗vi: ↘vi: ↗vi: ↘i:v]

Произнесите названия букв:

E, e; D, d; T, t; B, b; P, p; V, v.

7. Способы передачи звука [i:] на письме в односложных словах. Алфавитный тип чтения гласных букв.

Звук [i:] передается на письме буквой **е** в следующих положениях:

1) на конце слова, если она является в нем единственной гласной буквой: **be** — *быть;*

2) перед одной согласной буквой, за которой следует гласная. Конечная буква **е** в таком положении не читается («немая» буква **е**): **Eve** (*женское имя*), **Pete** (*уменьш. мужск. имя*).

В этих двух случаях гласная буква читается так, как она называется в алфавите, поэтому такой тип чтения гласных букв мы будем называть *алфавитным*, или *первым*. Такой тип слога называется *открытым*.

Звук [i:] передается также буквосочетаниями **ее** и **еа***: **bee** — *пчела*, **tea** — *чай; чайный*, **eat** — *есть, кушать*.

Прочитайте вслух самостоятельно.

be, bee, beet, Eve, Pete, tea, eat

Новые слова 📼

be	быть
bee	пчела
tea	чай; чайный
eat	есть, кушать
p	*сокр.* пенс, пенсы (*употребляется после числительных*)

8. Чтение звонких согласных в конечном положении.

В английском языке звонкие согласные звуки в конечном положении н е о г л у ш а ю т с я.

---

* Подробно буква **а** [eɪ] дана в уроке 3.

Урок-комплекс 1

Оглушение конечного согласного может исказить значение слова. Например: **beat** [bi:t] — *бить*, **bead** [bi:d] — *бусина*. Глухие согласные в конечном положении произносятся более отчетливо, чем в русском языке.

9. <u>Позиционная долгота гласных звуков.</u>

Послушайте, обращая внимание на долготу звука [i:] в различных положениях в слове:

be — Eve — Pete

Вы услышали, что звук [i:] произносится с различной долготой в зависимости от положения в слове. Как и все английские гласные под ударением, звук [i:] в конечном положении имеет наибольшую долготу, перед звонким согласным произносится несколько короче, а перед глухим — еще короче.

Произнесите, подражая образцу. Не оглушайте конечных согласных.

протяжно	короче	еще короче
⌐be	⌐Bede	⌐beet
⌐Dee	⌐deed	⌐deep
⌐bee	⌐Eve	⌐eat

10. <u>Краткий гласный звук [e]. Краткий, или второй, тип чтения гласных букв.</u>

Звук [e] передается на письме буквой **E, e** [i:], если за ней идет согласная буква без последующей гласной. Такой тип слога называется *закрытым*. Этот тип чтения гласных букв, в отличие от алфавитного, называется *кратким*, или *вторым*.

Произнесите, подражая образцу.

⌐pep — ⌐Deb, ⌐pet — ⌐bed, ⌐vet — ⌐Ted

Прочитайте вслух самостоятельно. Следите за интонацией. Не оглушайте конечных согласных.

⌐bed, ⌐bet, ⌐pet, ⌐Ted, ⌐pep, ⌐Deb, ⌐vet, ⌐bev

Урок-комплекс 1

Новые слова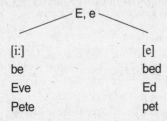

pet	любимое домашнее живот-ное
bed	кровать, постель
Ted, Ed	(уменьш. мужск. имена)

Алфавитное и краткое чтение буквы **e**

E, e

[i:]	[e]
be	bed
Eve	Ed
Pete	pet

Прочитайте вслух а) подражая образцу, б) самостоятельно.

˅be ˅beet, ˅bet ˄peep, ˅Bede ˄bed, ˅tea ˅deed, ˅Ted ˄Eve, ˅eat ˄pet

11. Чтение или произнесение слова по буквам.

Иногда для того, чтобы уточнить написание или про-изношение слова, например имени, фамилии или гео-графического названия, приходится называть все со-ставляющие его буквы по порядку.

Произнесите, подражая образцу.

˅b˅e — ˄be, ˅E˅v˅e — ˄Eve, ˅P˅e˅t˅e — ˄Pete

Назовите по порядку буквы в каждом из следующих слов.

bed, pet, Ed, Eve, Pete, Ted

12. Звонкий носовой согласный звук [n] передаётся буквой **N, n** [en].

Произнесите, подражая образцу.

˅Ben ˄pen, ˅Ned ˄net, ˅tend ˄tent, ˅need ˄neat

Прочитайте вслух самостоятельно. Не оглушайте конечные звонкие согласные.

˅need — ˄Ned, ˅end — ˄tent, ˅tend — ˄Dent, ˅pet — ˄bed

Урок-комплекс 1

Новые слова 👓

ten	десять
pen	ручка *(для письма)*
tent	палатка
Ben, Ned	*(уменьш. мужск. имена)*

Назовите по порядку буквы в каждом из этих слов.

13. Звонкий носовой согласный звук [m] передаётся на письме буквой **M, m** [em].

Произнесите, подражая образцу.

> me, meet, meat, team, men, mend, Em

Прочитайте вслух самостоятельно.

> me, made, team, met, mend, meat

Новые слова 👓

me	мне, меня
meet	встречать, знакомиться
mend	чинить, ремонтировать
team	команда, бригада
meat	мясо
Em	*(уменьш. женск. имя)*

Назовите по порядку буквы в следующих словах.

> meet, mend, me, Em, Pete

14. Звонкий согласный звук [l] передаётся на письме буквой **L, l** [el].

В конце слова после краткой гласной обычно пишется удвоенная буква **l: bell** [bel] — *колокол, колокольчик, звонок.*

> **Запомните:**
>
> Удвоенные согласные буквы в пределах одного слова
> читаются как один звук: **tell, bell** [tel], [bel].

1. В конце слова и перед согласными звук [l] имеет «темный» оттенок.

Произнесите, подражая образцу.

eel, peel, tell, bell, Nell, belt

Прочитайте вслух самостоятельно.

tell, bell, Nell, eel, melt, dell, peel, deal

2. Перед гласными у звука [l] «светлый» оттенок.

Произнесите, подражая образцу.

let, led, lend, lent, Len, blend, lee, leave

Прочитайте вслух самостоятельно.

lend, lent, lead, leet, let, leave

Новые слова 👀

tell	сказать, рассказать
Nell	(уменьш. женск. имя)
lend	давать на время, одалживать
Len	(уменьш. мужск. имя)

15. Глухой согласный звук [f] передается на письме буквой **F, f** [ef].

Произнесите, подражая образцу.

fee, feel, feet, feed, beef, leaf

Назовите по порядку буквы в этих словах.

Урок-комплекс 1

Новое слово 🔘🔘

beef   говядина

16. Глухой согласный звук [s] обычно передается буквой **S, s** [es].

Произнесите, подражая образцу.

set, send, sense, else, mess, less, see, test

ПРИМЕЧАНИЯ.

1. В сочетаниях [fl, pl, sl] звук [l] имеет глухое начало.

fleet, fled, sleep, sleeve, plead

2. После звука [s] звуки [p] и [t] произносятся без придыхания.

Произнесите, подражая образцу.

Steve, steel, step, spell, spelt, spend, speed, sleep

Новые слова 🔘🔘

spend	тратить, проводить (*о времени*)
send	посылать
see	видеть; повидать, повидаться; смотреть что-л.
seat	место, сиденье в театре, кино, транспорте и т.д.
set	комплект, набор
TV set	телевизор
test (*сущ.*)	испытание, тест, проверка, контрольная работа
test (*глаг.*)	тестировать, проверять, испытывать
best	самый лучший
spell	сказать *или* прочитать по буквам

sleep	спать
steel	сталь; стальной
step	шаг, ступень, ступенька
Steve	(*уменьш. мужск. имя*)

Произнесите по буквам следующие слова.

see, set, spell, steel, step, spend, send, Steve

17. Словообразование способом конверсии.

В английском языке одна часть речи может быть образована от другой без изменения в произношении и написании. Например, **test** (*сущ.*) — *испытание, проверка*, **test** (*глаг.*) — *испытывать, проверять*.

sleep (*глаг.*) спать	**sleep** (*сущ.*) сон (состояние сна)
steel (*сущ.*) сталь	**steel** (*прил.*) стальной
tea (*сущ.*) чай	**tea** (*прил.*) чайный

Значение таких слов определяется их местом и функцией в предложении.

18. Словесное ударение и согласные звуки [n] и [l] как слогообразующие.

Послушайте, как произносятся некоторые двусложные слова:

seven ['sevn], even ['i:vn], vessel ['vesl], lesson* ['lesn]

В услышанных вами словах второй безударный слог образован согласными звуками [n] и [l]. Эти звуки способны быть слогообразующими, так как по своей звучности они приближаются к гласным. Звуки [n] и [l] образуют слог, когда они стоят в конце слова сразу же после другого согласного звука, причем между этими согласными звуками нет гласного призвука. В транскрипции ударение обозначается знаком ['] перед ударным слогом, например, **seven** ['sevn].

---

* Подробно буква **o** дана в уроке 2.

Урок-комплекс 1

Произнесите, подражая образцу.

seven, even, fennel, vessel, lesson, Fennell

Новые слова

seven ['sevn]   семь

even ['i:vn]   даже

lesson ['lesn]   урок

19. Звонкий согласный звук [z] может передаваться буквой **Z, z**, которая имеет название [zed] (*брит.*) или [zi:] (*ам.*).

Произнесите а) подражая образцу, б) самостоятельно, не оглушая конечный звонкий согласный звук.

Ↄzed, ↄfez, Ↄzest, ↄsez, Ↄzee, ↄsneeze

20. Множественное число существительных.

Большинство существительных образуют форму множественного числа прибавлением к своей основе буквы **s**, которая произносится [z] после звонких звуков и [s] после глухих.

[z]	[s]
Ↄbee — ↄbees	Ↄset — ↄsets
pen — pens	pet — pets
bell — bells	step — steps
bed — beds	test — tests

УПРАЖНЕНИЯ

1

Прочитайте вслух, подражая образцу.

1) bees, seas, speeds, needs, bends, teams
2) teens, tests, bells, steps, bees, lessons

2

Образуйте и произнесите форму множественного числа следующих существительных.

seat, pet, pen, set, bell, bee, step, test, bed, tent, team, lesson

3

Прочитайте вслух следующие словосочетания и скажите, что они означают.

ten pens, ten pets, seven steps, seven tents, ten teams, ten sets, 10 p, seven TV sets, seven beds, ten lessons, seven teams, ten seats, seven steel pens, even ten sets, even seven tests

4

Напишите по-английски следующие слова и словосочетания и прочитайте их вслух.

опыт (испытание), комплект, ручка, шаг (ступень), место, урок, команда, домашнее животное, палатка, кровать, пчела, чай, мясо

десять шагов, десять пенсов, семь опытов, десять уроков, десять палаток, семь ручек, десять телевизоров, семь комплектов, десять команд, даже стальные комплекты, десять мест

быть, встречать (знакомиться), чинить, давать взаймы (одалживать), тратить, посылать, видеть (повидаться), спать, говорить по буквам, проверять (испытывать)

21. Некоторые особенности произношения смежных согласных звуков внутри слов и на стыке слов.

21.1. Послушайте и посмотрите:

set_ten, test_T, Deb_Benn

Вы увидели и услышали, как произносятся на стыке слов два одинаковых согласных звука, образованных путем быстрого размыкания сомкнутых органов речи (так называемые смычные, или взрывные, согласные). Они произносятся как один звук, но дольше обычного.

Урок-комплекс 1

Подобное явление есть и в русском языке на стыке двух одинаковых смычных согласных звуков:
*вот*_так, *так*_как.

Послушайте и повторите, подражая образцу:

seat↘ten, set↘ten, test↘ten, Ned↘Dent, Deb↘Benn, best↘teams, best↘tea

---

Запомните:

ten sets	десять комплектов
set ten	комплект (номер) десять

21.2. В английском языке размыкание первого согласного пропадает и на стыке двух смычных согласных звуков разного места образования.

Послушайте, посмотрите и произнесите, подражая образцу:

set↘P, test↘P, Ned↘Benn, best↘met, Ted↘Best

21.3. Если один из рядом стоящих звуков глухой, а другой — звонкий, надо следить за тем, чтобы при слитном произнесении оба звука сохранили свое качество: глухой звук не должен озвончаться, а звонкий — оглушаться.

Послушайте и произнесите, подражая образцу:

test_B, set_D, set_Z, seat_B, seat_D, Eve_Fenn, Deb_Penn, Ted_Peel, Steve_Fennell

22. Основные элементы интонации.

На каком бы языке мы ни говорили, мы обязательно используем звуковые средства языка, которые фонетически организуют речь, делают ее понятной. Совокупность этих средств называется и н т о н а ц и е й. Основные элементы интонации: изменение высоты тона — *мелодия*, сила произнесения слов или слогов — *ударение* и чередование ударных и неударных элементов — *ритм*.

23. <u>Мелодия.</u>

Вы уже познакомились с двумя основными тонами английской речи — нисходящим и восходящим.

Послушайте. Одновременно смотрите на графическое изображение каждого интонационного рисунка. Штрих обозначает ударный слог, а точка — неударный.

Нисходящий тон	**Восходящий тон**
Ten.	Ten?
Seven.	Seven?
Ten steps.	Ten steps?
Seven teams.	Seven teams?
Even seven.	Even seven?

Как видно из приведенных примеров, первый ударный слог произносится самым высоким тоном, после чего тон постепенно понижается. Основное изменение мелодии (подъем или падение голоса) происходит в конце предложения.

Произнесите, подражая образцу. Следите за интонацией.

1. "ᴗTen?" "ᴖTen." "Ten ᴗteams?" "Ten ᴖteams."
2. "ᴗSeven?" "ᴖSeven." "Seven ᴗsets?" "Seven ᴖsets." "Seven steel ᴗsets?" "Seven steel ᴖsets."*

24. <u>Согласный звук [j]. Интонация слова **yes** [jes] — *да*.</u>

Произнесите, подражая образцу.

[ᴗjes ᴖjes ᴗjet ᴖjet ᴗjen ᴖjen]

Звук [j] передается на письме буквой **y** [waɪ] в начале слова перед гласными: **yes** — *да*, **yen** — *йена*.

Слово **yes** подобно русскому слову *да* меняет свое значение в зависимости от интонации:

---

* Кавычки в английском языке пишутся на уровне заглавных букв.

Урок-комплекс 1

⌒Yes.   Да. (*ответ на вопрос*)

"Seat seven?"

"Yes, seven."

⌒Yes?   Да? (*Я вас слушаю — отклик на обращение.*)

"Steve!"

"Yes?"

25. Слово **please** [pli:z] — *пожалуйста* для выражения просьбы в конце неполных повелительных предложений.

1. "Tea?" ⌐ ╱ ¬   Чаю?

"Yes, please." ⌐ ╲ . ¬   Да, пожалуйста. (Да, налейте, пожалуйста.)

2. "Steve Dent, please." ⌐ ╱ ╲ . ¬   Стива Дента, пожалуйста.

Внимание!

В подобных предложениях слово **please** произносится с м и н и м а л ь н ы м ударением.

УПРАЖНЕНИЯ

1

Инсценируйте диалоги, заменяя выделенные слова словами, данными в скобках.

1

В магазине

Продавец: Yes?
Покупатель: Seven **pens**, please.
Продавец: Seven?
Покупатель: Yes, seven. Even ten, please.

(sets)

Урок-комплекс 1

2

В конторе

T. Nell!
N. Yes?
T. **Set ten,** please!
N. **Ten**?
T. Yes, **ten**.

(set 7, set 7-B, ten sets)

3

Вызов нужного сотрудника

Секретарь: Yes?
Менеджер: **Ben Dent,** please!
Секретарь: **Ben Dent**?
Менеджер: Yes, **Ben Dent**.

(Ted Dene, Em Mell, Steve Fennell, Ned Peel)

4

За столом

Em: **Tea**?
Ted: Yes, please.

(meat, beef)

2

Скажите по буквам следующие фамилии.

Дано: Dene
Требуется: ᴐDᴊeᴊnᴊe — ᴖDene

Snell, Best, Dent, Mede, Eden, Fennell

Урок-комплекс 1

3

Переведите на английский язык.

1. комплект 10, комплект 7, место 10-Б, тест 7-Т, урок 10.

2. десять мест, семь команд, десять шагов, семь уроков, десять комплектов.

3. — Да? (Слушаю вас?) — Комплект 10, пожалуйста. — Десятый? — Да, десятый, пожалуйста.

4. — Да? — Семь мест, пожалуйста. — Семь? — Да, даже десять.

ГРАММАТИКА

26. Притяжательная форма существительных.

Существительные, обозначающие одушевленные предметы, имеют притяжательную форму, выражающую п р и н а д л е ж н о с т ь и отвечающую на вопрос *чей*? На письме эта форма передается путем прибавления к существительному знака апострофа и буквы **s**. Звуковые варианты притяжательной формы совпадают со звуковыми вариантами множественного числа существительных: [z] — после звонких согласных и гласных звуков и [s] — после глухих согласных, например, **Ben's** [benz], **Pete's** [pi:ts].

Существительное в притяжательной форме ставится п е р е д определяемым существительным и другими определениями этого существительного.

Ben's TV set	телевизор Бена
Pete's best test	лучший опыт Пита
Nell's ten pets	десять домашних животных Нелли

При указании имени и фамилии 's ставится после фамилии.

Ben Fennell's set	комплект Бена Феннелла
Pete Dent's tests	опыты Пита Дента
Nell Dene's pets	домашние животные Нелли Дин

УПРАЖНЕНИЯ

1

Прочитайте вслух и переведите подписи под картинками.

Steve

Steve's best test

Ted

Ted's team.

Em

Em's tea set

Ben Dent

Ben Dent's best meat

2

Придумайте свои подписи к рисункам.

Ted

Nell

Урок-комплекс 1

Ed Eden

Eve

3

Расположите слова так, чтобы выразить принадлежность.

Дано: tent, Ed
Требуется: Ed's tent

seat, Steve	ten sets, Ted Dent
seven pets, Nell	TV set, Pete Fenn
best test, Pete	'tea set, Em
lesson, Bella	team, Ben

4

Переведите на английский язык.

1. Команда Теда. Палатка Пита. Ручка Эда. Чайный сервиз Эммы.
2. Контрольная Бена. Лучшая контрольная Бена. Десять лучших опытов Теда.
3. Лучшие комплекты Бена Дента.
4. Десять домашних животных Нелли.

ГРАММАТИКА

27. <u>Побудительные предложения.</u>

Побудительные предложения — приказание, просьба, приглашение к действию и т.д. произносятся нисходящим тоном.

27.1. <u>Повелительное наклонение (утвердительная форма).</u>

Просьба или приказание, обращенные к собеседнику, т.е. ко 2-му лицу, передаются повелительным наклонением, которое совпадает с инфинитивом глагола.

Meet Nell. [⁄ ⌣]   Знакомьтесь, Нелли. (По-
знакомьтесь с Нелли.)

See test ten. [⁄ ‒ ⟍]   Смотри тест 10.

ПРИМЕЧАНИЕ. Личные местоимения произносятся без
фразового ударения: ⟍Meet me. ⟍Tell me.

27.2. Слово **please** в значении *пожалуйста, прошу вас* в начале повелительного предложения придает высказы-
ванию оттенок просьбы, приглашения, а в конце —
смягчает приказание.

'Please 'see 'Ed ⟍Fenn.   Пожалуйста, повидайтесь (поговорите) с Эдом Фенном.

'Test 'set ⟍D, please.   Проверьте комплект "D", пожалуйста.

'Please ⟍meet me.   Пожалуйста, встретьте меня.

В начале предложения слово **please** произносится с
ударением и не отделяется запятой. В конце предложения оно почти безударно и отделяется запятой.

27.3. Просьба или приказание могут содержать слово обращения. Как и в русском языке, оно может стоять в
начале или в конце предложения. Обратите внимание
на интонацию:

⟍Steve, 'meet ⟍Nell.   Стив, познакомься с Нелли.

⟍See me, Ben.   Повидайся со мной, Бен.

УПРАЖНЕНИЯ

[1] ⊙⊙

Прочитайте вслух примеры из правила, подражая образцу.

[2]

Повторите, употребляя подсказанные слова.

Дано: Please test **set B.**
• Ben's TV set •
Требуется: Please test Ben's TV set.

Урок-комплекс 1

1. Please meet **Ted**.
   - Eve • Ed • Ben Dent • Ted Best •
2. Please **meet** me.
   - see • tell • test •
3. See test **ten**, please.
   - 7 • 7-D •
4. Please lend me **10 p**.
   - seven pens • set 10 •
5. Please send me **set 10**.
   - set 7 • 10 sets •

3

Попросите друг друга сказать по буквам данные слова.

Дано: pet
Требуется: *A.* Please spell "pet".
B. ⏝P⏝e⏝t — ⏝pet.

bed, pen, tent, test, set, step, mend, lend, send, spend, even

4

Переведите на английский язык.

1. Знакомьтесь — Эмма.
2. Пожалуйста, встретьте меня.
3. Пожалуйста, скажите Теду.
4. Скажите мне.
5. Повидайтесь с Эммой Делл.
6. Смотри урок 10.
7. Пожалуйста, пришлите мне комплект 7.
8. Пришлите мне 7 комплектов. Пришлите мне даже десять.
9. Пожалуйста, одолжи мне десять пенсов.

ГРАММАТИКА

28. Сочетание **Let's + инфинитив**.

Для того чтобы предложить совершить действие совместно, употребляется сочетание **Let's** с инфинитивом нужного по смыслу глагола.

Let's meet.   Давайте (давай) встретимся.

Let's meet Ted.   Давай (давайте) встретим Теда.

Урок-комплекс 1

Let's see Ben Dent.   Давай (давайте) повидаемся с
                         Беном Дентом.

Если собеседник согласен с предложением, он может
ответить ꜛYes или ꜛYes, ꜜlet's.

УПРАЖНЕНИЯ

1

Прочитайте, подражая образцу. Следите за интонацией.

1. "Let's see Ben."   "Yes, let's."
   "Let's tell Steve."   "Yes, let's."
2. "Let's see Nell's tests."   "Yes, let's."
   "Let's mend Eve's tent."   "Yes, let's."
3. "Let's send Pete ten sets."   "Yes, let's."

2

Повторите, употребляя подсказанные слова.

1. Let's **meet Eve**.
   • see Ben • tell Ted • meet Nell •
2. Let's send Steve **set ten**.
   • set seven • set B • ten sets • seven sets •
3. Let's mend **Ben's tent**.
   • Eve's set • Nell's tent • Deb Benn's TV set •

3

**Инсценируйте диалог, как показано в образце. Используйте
слова, данные в скобках.**

T. Steve!
S. Yes?
T. Let's **see Nell**.
S. See Nell? Yes, let's.

    (see Ben's tests; mend Nell's tent;
    meet Eve; send Ted seven best sets)

4

Переведите на английский язык.

1. Давайте посмотрим опыты Стива.
2. — Давай встретим Нелли. — Да, давай.

Урок-комплекс 1

3. — Давайте пошлем Бену Денту семь комплектов. — Да, даже десять.

4. Посмотрим тест 7.

5. Давай починим палатку Нелли.

6. Давайте повидаемся (поговорим) с Тедом.

7. Давайте посмотрим лучшие опыты Неда.

8. Давай проверим телевизор Эммы.

9. Давай одолжим Стиву комплект 7.

ГРАММАТИКА

29. <u>Сочетание **Let me** + инфинитив.</u>

Для того чтобы предложить себя в качестве исполнителя, надо употребить сочетание **Let me** (дословно: *разрешите мне, позвольте мне...*) с инфинитивом нужного по смыслу глагола.

Let me meet Ben.	Давайте (давай) я встречу Бена.
Let me see Nell Dene.	Разрешите мне повидаться с Нелли Дин.

Запомните:

Let me see.	Дайте подумать. Разрешите подумать.

УПРАЖНЕНИЯ

1

Произнесите, подражая образцу. Следите за интонацией.

Let me ꜛsee.

Let me see ꜛNell.

Let me see Ned ꜛDent.

Let me lend Ben ten ꜛsets.

Let me send Bess seven ꜛtests.

2

Повторите, употребляя подсказанные слова.

1. Let me see **Bess Dell**.
   • Ben Dent • Steve Fenn •
2. Let me meet **Em Dent**.
   • Nell Dene • Ted Best •
3. Let me see **Ted's set**.
   • Ted Fennell • lesson ten • lesson seven •
4. Let me send Ben **set seven**.
   • Nell's tests • test D •

3

Инсценируйте диалог, как показано в образце. Используйте слова, данные в скобках.

T. Nell!
N. Yes, Ted?
T. Let me see **test 7**.
N. **Test 7?**
T. Yes, seven, please.

(lesson 10; set seven;
Steve Fennell's test)

4

Переведите на английский язык.

1. Давайте я встречу Неда.
2. Разрешите мне посмотреть комплект 10.
3. Давай я повидаюсь с Тедом.
4. Пожалуйста, посмотрите седьмой урок. Давайте посмотрим седьмой урок. Давайте я посмотрю седьмой урок.
5. Пожалуйста, проверьте телевизор Бена. Давайте проверим телевизор Бена. Давайте я проверю телевизор Бена.

ГРАММАТИКА

30. Сочетание **Let + существительное + инфинитив.**

Это словосочетание употребляется, если в качестве исполнителя действия предлагается третье лицо.

Урок-комплекс 1

Let Ned see me.	Пусть (пускай) Нед повидается (переговорит) со мной.
Let Ben mend Em's TV set.	Пусть Бен починит телевизор Эммы.

УПРАЖНЕНИЯ

Прочитайте вслух, подражая образцу, и переведите.

'Let 'Pete ⌐sleep.

'Let 'Eve ⌐tell me.

'Let 'Ed 'test 'Steve's ⌐set.

2

Повторите, употребляя подсказанные слова.

Let Ben **meet me.**

• see me • tell me • test me • see lesson ten • send me set
seven • lend me seven sets •

3

Инсценируйте диалог, заменяя выделенные слова словами, данными в скобках.

N. Ben!
B. Yes, Nell?
N. Please **mend Eve's** ⌐tent.
B. **Mend Eve's** ⌐tent? Let ⌐Ted **mend Eve's tent!**

(test Steve's TV set; lend Eve ten sets)

4

Проверьте себя. Переведите на английский язык.

1. Знакомьтесь — Бен Дент!
— Чаю? — Да, пожалуйста.
Пожалуйста, встретьте меня.
Пожалуйста, расскажите мне.
Пришлите мне семь комплектов, даже десять.
Одолжите мне комплект 7-В, пожалуйста.

2. — Давайте повидаемся (переговорим) с Тедом. — Да, давайте.
    — Давай встретим Эмму. — Да, давай.
    — Давайте пошлем Стиву комплект 10. — Да, давайте.
    — Посмотрим тесты Нелли. — Да, давай.
3. Дайте мне посмотреть седьмой урок.
    Давайте я повидаюсь с Бесс Делл.
    Давайте я встречу Нелли.
    Дайте подумать.
4. Пусть Тед проверит телевизор Эммы.
    Пусть Бен повидается со мной.

Урок-комплекс 2

ЗВУКИ И БУКВЫ

1. <u>Дифтонг [aɪ].</u>

Произнесите, подражая образцу:

[ˈaɪ ˈaɪ ˈmaɪ ˈaɪm]

1.1. <u>Звук [aɪ] передается на письме буквой I, i [aɪ]</u>

1. по первому (алфавитному) типу чтения: **I, five, tie, ties**;

2. в односложных словах перед буквосочетанием **nd**: **find, mind**.

Произнесите, подражая образцу:

протяжно	короче	еще короче
I	mind	mite
pie	pile	pipe
fie	five	life

Прочитайте вслух самостоятельно:

lie, tine, die, dies, dine, dines, sides, sites, find, bind, life, lives, mind, blind, blinds

Скажите по буквам:

tie, size, file, slide, nine, five, times

Новые слова

I	я (всегда пишется с большой буквы)
five	пять
nine	девять

Урок-комплекс 2

size	размер, величина
size nine	девятый размер
line	строка, линия, телефонная линия
five lines	пять строк
file (*сущ.*)	папка с подшитыми бумагами, подшивка, файл в компьютере
file (*глаг.*)	подшить к делу, вложить в папку.
Please file Len's tests.	
time	1. время 2. раз
five times	пять раз
slide	слайд
life	жизнь
(*мн.ч.*) **lives**	
find	найти, находить, разыскивать
fine	1. превосходный 2. ясный (*о погоде*)
Fine!	Хорошо! Прекрасно! (*ответная реплика*)

1.2. Звук [aɪ] может также передаваться на письме буквой **Y, y** [waɪ] в тех же положениях, что и буква **i**.

Сравните:

I — my, tie — stye, dine — dyne, pie — bye, stile — style, bite — byte

Прочитайте самостоятельно:

fly, file, by, bye, spy, slide, lie, sly, die, dye

Новые слова

my (*притяж. мест.*)	мой, свой (*о 1-м лице ед.ч.; во фразе произносится без ударения*)
See my ˋfile.	

Урок-комплекс 2

type (*сущ.*)	тип, модель
type ten	тип 10
type Z	тип Z
type (*глаг.*)	печатать на машинке
Please type test five.	
eye	глаз
buy [baɪ]*	покупать
Антоним **sell**	продавать
Bye!	Пока!
Bye-bye!	Всего хорошего! До свидания!

УПРАЖНЕНИЯ

1

Прочитайте вслух следующие словосочетания и предложения и переведите их. Следите за интонацией.

'Ben's ⌐file   'type ⌐five — 'five ⌐types

'Ted's ⌐time   'file ⌐nine — 'nine ⌐files

'Nell's ⌐eyes   'slide ⌐nine — 'nine ⌐slides

'Ned's ⌐life   'line ⌐seven — 'seven ⌐lines

my ⌐size   'See my ⌐file.

my ⌐life   'See my ⌐slides.

my ⌐time   'See my ⌐tests.

'Let me 'see 'size ⌐five.   'Let me 'find my ⌐file.

'Let me 'type 'five ⌐lines.   'Let me 'test my ⌐eyes.

---

* Подробно буква **u** [ju:] дана в уроке 5.

Урок-комплекс 2

'Let me 'buy 'set ⌐nine.

'Please lend me 'ten ⌐files.

'Please 'send me 'nine ⌐slides.

2

Повторите, употребляя подсказанные слова.

1. Please find **size ten**.
   • slide nine • file seven • file nine • type five • seat nine •
2. Let me find **my file**.
   • my seat • my slides • my size •
3. Let's buy **set nine**.
   • size nine • type seven • five sets • size five •

3 ◉◉

Продиктуйте друг другу номера телефонов, как показано в образце.

А. (диктует): five, seven, ⌐nine, seven, nine, five, ⌐nine.
В. (записывает и повторяет): five, seven, ⌐nine. . .?
А. (продолжает диктовать): seven, nine, five, ⌐nine.
В. (записывает и повторяет): seven, nine, five, ⌐nine.

(975 9757, 575 7975, 795 7595)

4 ◉◉

Инсценируйте диалоги, употребляя слова, данные в скобках.

1

В обувном магазине

Продавец: ⌐Yes?
Покупатель: Size ⌐**five**, please.
Продавец: ⌐Five?
Покупатель: ⌐Yes, ⌐**five**, size ⌐**five**.

(seven, nine, ten)

Урок-комплекс 2

2

В гостинице

(надо получить ключ от своего номера)

Портье: ⏐Yes?
Гость: **Five, seven, five**, please.
Портье: **Five, seven, five?**
Гость: ⏐Yes, please.

(979, 595, 759, 597, 959, 579)

3

T. Nell!
N. Yes, Ted?
T. Please find **file 10**.
N. **File 10?**
T. Yes, **file 10**, please.

(file 7, set 5, test 9, type D)

4

T. Let's see **Ben's slides**.
N. Yes, let's.
T. Fine!

(my best slides, my best sets, Steve's best test)

5

Переведите на английский язык.

1. Пожалуйста, напечатайте тест 5.
2. Разрешите мне напечатать пять строчек.
3. Найдите папку девять.
4. Давайте посмотрим мои лучшие слайды. — Хорошо.
5. Дайте мне посмотреть девятый размер.
6. Пожалуйста, пришлите мне комплект 5.
7. Пусть Бен посмотрит модель (тип) девять.
8. Разрешите, я посмотрю свою подшивку (папку).
9. Пожалуйста, найдите мой размер.
10. — Давайте купим пять комплектов. — Хорошо.

2. <u>Краткий гласный звук [ɪ].</u>

Произнесите, подражая образцу:

[ꞁɪ ꞁɪ ꞁɪn ꞁɪt ꞁtɪn ꞁbɪt]

Звук [ɪ] передается на письме следующими способами:

1. буквой **i** и реже буквой **y** по второму (краткому) типу чтения, т.е. в закрытом слоге: **in, film, Syd**;

2. буквой **y** в безударном положении в конце двухслож- ных и многосложных слов и буквосочетаниями **ie, ey** в том же положении: **fifty, seventy, penny, Nelly, Sydney, Leslie** ['lezlɪ];

3. буквой **i** в безударном положении: **tennis** ['tenɪs], **visit** ['vɪzɪt];

4. буквой **e** перед ударным слогом: **event** [ɪ'vent], **eleven** [ɪ'levn].

Произнесите, подражая образцу:

tin — in	visit	Billy	eleven
bit — it	fifty	Betty	event
Liz — is [ɪz]	Timmy	Nelly	defend

Прочитайте вслух самостоятельно:

list, slim, fill, bill, Billy, Tim, Timmy, Liz, Lizzy, Syd, Sydney, empty, silly, belly

<u>Алфавитное и краткое чтение букв i и y</u>

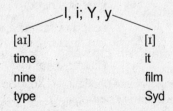

I, i; Y, y	
[aɪ]	[ɪ]
time	it
nine	film
type	Syd

Прочитайте вслух самостоятельно:

bite, bit, by, my, Syd, sit, Di, mile, mill, lime, Nile, limp, ditty, dine, sin, tint, tiny, bin, smile, style, belly, Betty, Nelly, seedy, Bennett

Урок-комплекс 2

3. Сравнение звуков [i: — ı] и [ı — e].

Произнесите, подражая образцу:

[i: — ı]   been — bin, deed — did, seen — sin, feel — fill,
Pete — pit, steel — still, eat — it

[ı — e]   bin — Ben, bill — bell, sill — sell, fill — fell,
tin — ten

Прочитайте вслух самостоятельно:

sit, seem, bit, beet, still, list, lest, feed, fed, mid, nest, side,
petty, Betty, Billy, Timmy, Lizzy

Новые слова 📼

it (*личн. мест.*)	**1.** он, она, оно (*заменяет существительные, обозначающие неодушевленные предметы и животных; во фразе произносится без ударения*)
'Please ⌐find it.	Пожалуйста, найдите ее (папку, контрольную и т. п.).
'Let's ⌐buy it.	Давай купим его (телевизор, сервиз и т. п.).
it	**2.** это
Let me type it.	Давайте, я это отпечатаю.
in (*предлог*)	в, во (*во фразе произносится без ударения*)
in my ⌐file	у меня в папке
in ⌐time	вовремя, своевременно, без опоздания
'Please 'be in ⌐time!	Пожалуйста, будьте вовремя.
'Send it in ⌐time, please.	Отошлите это вовремя, пожалуйста.
till (*предлог времени*)	до, вплоть до (*во фразе произносится без ударения*)

till `ten	до десяти (*часов*)
Let me type till seven.	Разрешите мне печатать до семи.
film (*сущ.*)	фильм, фото- или кинопленка
film (*глаг.*)	снимать (*на кинопленку*)
"Let's film it!" "Yes, let's."	
bill	счет, подлежащий оплате
Let me see my bill.	Разрешите посмотреть мой счет.
list	список
Let me see list five, please.	
visit ['vɪzɪt] (*сущ.*)	визит, посещение
visit (*глаг.*)	посещать, навещать
"Let's visit Tim." "Yes, let's."	
tennis	теннис
telly	телевизор (*разг.*)
tin	(*консервная*) банка
minute ['mɪnɪt]	минута
five minutes, ten minutes	
in ten minutes	через 10 минут
busy ['bɪzɪ]	занятый
easy ['iːzɪ]	легкий, нетрудный
five easy tests	
Ben's easy life	
empty ['emptɪ]	пустой
ten empty files	
event [ɪ'vent]	1. событие 2. отдельный вид в программе спортивных соревнований
eleven [ɪ'levn]	одиннадцать
eleven events	
eleven bills	

Урок-комплекс 2

ИНТОНАЦИЯ

4. <u>Фразовое ударение и ритм.</u>

4.1. В английской фразе, как и в русской, не все слова произносятся с одинаковым усилием.

Послушайте и посмотрите:

1. 'Please 'send it in ⟩time.
2. 'Please 'find it in my ⟩files.
3. 'Let me 'type my lists till ⟩seven.
4. 'Let me 'type it till ⟩seven.

В обычной неэмоциональной фразе с ударением произносятся *знаменательные* слова: *существительные, прилагательные, смысловые глаголы, числительные* и некоторые другие. Неударными бывают *служебные* и *вспомогательные* слова: *предлоги, личные* и *притяжательные местоимения, вспомогательные глаголы* и т.п. Фразовое ударение тесно связано с ритмом, т. е. с равномерностью чередования ударных и неударных слогов.

Ударные слоги в отрезке речи произносятся через более или менее равные промежутки времени. Поэтому скорость произнесения неударных слогов зависит от того, сколько их приходится на каждый ударный слог в отрезке речи: *чем больше неударных слогов, тем быстрее они произносятся.*

Послушайте и посмотрите:

five minutes	**seven minutes**	**in eleven minutes**
(2 ударных слога,	*(2 ударных слога,*	*(2 ударных слога,*
1 неударный)	*2 неударных)*	*4 неударных)*

Эти словосочетания произносятся за примерно одинаковое время, несмотря на то, что в каждом из них разное количество неударных слогов.

Соблюдение законов фразового ударения и ритма важно не только для собственной речи, но и для понимания английской речи нормального темпа.

Внимание! Запомните слова, употребляющиеся с последующей фамилией и не имеющие фразового ударения:

Miss	мисс, госпожа *(перед фамилией незамужней женщины любого возраста, если она и прежде не была замужем). Всегда пишется с большой буквы.*
Miss Dene	
Mrs ['mısız]	миссис, госпожа *(перед фамилией замужней женщины)*
Mrs Fennell	
Ms	*в современном языке часто употребляется вместо **Mrs** и **Miss** перед фамилией как замужней, так и незамужней женщины*
Ms Bennett [mız 'benıt]	

4.2. Если высказывание начинается с неударных слов или слогов, они произносятся постепенно повышающимся тоном, а самым высоким тоном произносится первый ударный слог.

Послушайте и произнесите, подражая образцу:

Нисходящий тон.

my ⟍list	my ⟍telly	in my ⟍file
my ⟍bill	my ⟍tennis	in my ⟍tent
my ⟍film	my ⟍visit	in my ⟍test

Восходящий тон.

Miss 'Fennell's ⟋file?
Miss 'Bennett's ⟋bill?

УПРАЖНЕНИЯ

1 ⊙⊙

Прочитайте вслух, подражая образцу, и переведите.

1. list nine — nine lists, list eleven — eleven lists
2. five events, seven events, eleven events

Урок-комплекс 2

3. in five minutes, in ten minutes, in eleven minutes

4. ten easy tests, Ben's easy test, eleven easy lessons

5. "Let's sell it." "Yes, let's."
   "Let me file it." "Yes."
   "Let's buy it." "Fine!"

6. Please type it. Please type it in time.
   Please send it. Please send it in time.

7. Please be in time. Let Miss Flynn be in time.

8. Let me see my bill, please.
   "Let me see Ms Dene's list." "Ms Dene's list?" "Yes, let me file it."

9. Please find me ten empty files, even eleven.

10. Please find it in my files. Let me find it in my files.

2

Повторите, употребляя подсказанные слова.

1. Let me find **my slides**.
   • see my bill • find my list • find my file • file my lists •
   • file my bills •

2. Please **send** it in time.
   • mend • test • find • buy • sell • type •

3. Let Miss Dene find me **nine** empty files.
   • five • ten • eleven • seven •

4. Let me type it till **ten**.
   • five • seven • eleven •

3

Прочитайте диалоги вслух и инсценируйте их, заменяя выделенные слова словами, данными в скобках.

1

A. Let me see **list five**, Miss Ellis.
B. **List five?** Let me find it in my file.

   (list 7, list 11, test 11)

2

N. Bill!
B. Yes, Nell?
N. Let's **see Syd's slides**.
B. **Syd's slides?** Yes, let's.
N. Fine!

(see Ted's film, film Mrs Fennell's pets)

3

A. Let's **visit Bill**.
B. **Visit Bill?** Fine!

(meet Nell, find Syd, see Syd's film, see Bill's best slides)

4

Переведите на английский язык.

1. Разрешите мне посмотреть мой счет.
2. Разрешите мне посмотреть счет мисс Дин.
3. Пожалуйста, отпечатайте список Билла вовремя.
4. Пусть миссис Феннел разыщет папку 9.
5. Пусть мисс Снелл найдет мне пять легких тестов.
6. Одолжите мне одиннадцать пустых папок.
7. — Давайте навестим Сида. — Прекрасно.

5. Притяжательная форма существительных, оканчивающихся в единственном числе на шипящие звуки.

Послушайте и посмотрите:

Liz's bills. Dennis's list. Miss Ellis's file.

Вы услышали, что притяжательная форма существительных, оканчивающихся на шипящие звуки, произносится [ɪz]. Образуется она по общему правилу, прибавлением **'s**.

Урок-комплекс 2

6. <u>Слова, содержащие слогообразующие согласные звуки [l] и [n].</u>

На стыке смычных согласных и звуков [l] и [n] не должно быть гласного призвука.

Послушайте и произнесите, подражая образцу.

settle	simple	middle	isn't
little	dimple	needle	didn't

Новые слова

little ['lɪtl]   маленький

  little Billy

settle   урегулировать

  Please settle it.   Пожалуйста, урегули-
                   руйте это.

  Let me settle my bill.   Разрешите мне распла-
                   титься по счету.

simple ['sɪmpl]   простой, несложный

  eleven simple tests

people ['piːpl] (*мн.ч.*)   люди, народ

  busy people   занятые люди

listen ['lɪsn]   слушать

УПРАЖНЕНИЯ

1

Прочитайте вслух и переведите.

1. little Nelly, little Billy, little pets, little tins
  "Let's buy five little tins." "Fine, let's."
2. ten simple tests, eleven simple tests, eleven simple lessons

3. busy people, even busy people
   "Let's visit Ben's people." "Yes, let's."
4. Eve, let's listen. Let's listen, Ben.
5. "Listen, Bill! Let's settle it." "Yes, Mrs Flynn. Let's settle it in time."
6. "Let me settle it." "Fine."
7. Let me settle my bill, Ms Dene.

2

Прочитайте диалог вслух и разыграйте его.

F. Miss Ellis!
E. Yes, Mrs Flynn?
F. Please find my bill. Let me settle it.
E. Yes, Mrs Flynn.

3

Переведите на английский язык.

1. — Послушай, Тед. Давай навестим Билла. — Хорошо!
2. — Послушайте! Давайте посмотрим слайды Сида. — Да, давайте.
3. — Послушайте, мисс Эллис. Давайте урегулируем это вовремя. — Да, давайте.
4. — Послушай, Нелли. Пожалуйста, купи мне пять маленьких баночек. — Пять маленьких баночек? — Да, даже семь.

7. <u>Количественные числительные.</u>

5 five [faɪv]

50 fifty ['fɪftɪ]

55 fifty-five ['fɪftɪ ˈfaɪv]

57 fifty-seven ['fɪftɪ ˈsevn]

59 fifty-nine ['fɪftɪ ˈnaɪn]

Урок-комплекс 2

7 seven [ˋsevn]

70 seventy [ˈsevntɪ]

77 seventy-seven [ˈsevntɪˋsevn]

9 nine [naɪn]

90 ninety [ˈnaɪntɪ]

95 ninety-five [ˈnaɪntɪˋfaɪv]

99 ninety-nine [ˈnaɪntɪˋnaɪn]

УПРАЖНЕНИЯ

1

Скажите по-английски.

5, 50, 7, 70, 9, 90, 11, 75, 77, 79, 95, 97, 99

2

Назовите:

а) денежные суммы в пенсах
Дано: 50p
Требуется: fifty p [ˈfɪftɪˋpi:]

55p, 57p, 59p, 70p, 75p, 77p, 79p, 95p, 97p, 99p, 90p

б) количество

70 seats, 50 times, 9 steps, 90 little tins, 10 teams,
11 simple lessons, 75 people

в) номера и буквенные обозначения (шифр)

type 55, type 77-B, file 79, set 95, set 97-F, list 11, seat 57,
seat 77-D

8. Ударение в числительных, оканчивающихся на -teen.

fifteen [ˌfɪfˈti:n]   15

seventeen [ˌsevnˈti:n]   17

Урок-комплекс 2

nineteen [ˌnaɪn'tiːn] 19

Числительные, оканчивающиеся на **-teen**, *не имеют постоянного словесного ударения.*

Когда их произносят о т д е л ь н о и в положении п о с л е существительного, они имеют два ударения:

fifteen [ˌfɪf'tiːn]   **size fifteen** ['saɪz fɪf'tiːn]

seventeen [ˌsevn'tiːn]   **lesson seventeen** ['lesn sevn'tiːn]

nineteen [ˌnaɪn'tiːn]   **seat nineteen** ['siːt naɪn'tiːn]

В положении п е р е д существительным они имеют ударение только на *первом* слоге:

seventeen lessons   семнадцать уроков
['sevntiːn 'lesnz]

fifteen empty files   пятнадцать пустых папок
['fɪftiːn 'emtɪ 'faɪlz]

Внимание!

Звук [iː] в конечном слоге **-teen** даже в безударном положении *произносится отчетливо*, что необходимо для того, *чтобы не спутать* числительные 15, 17 и т.д. с числительными 50, 70 и т.д., которые оканчиваются на звук [ɪ].

УПРАЖНЕНИЯ

Произнесите, подражая образцу.

a) 15 teams — 50 teams   15 times — 50 times

17 films — 70 films   17 steps — 70 steps

19 tins — 90 tins   19p — 90p

Урок-комплекс 2

б) list 15 — 15 lists   slide 15 — 15 slides

    type 17 — 17 types   line 17 — 17 lines

    seat 19 — 19 seats   test 19 — 19 tests

2

Прочитайте вслух, подражая образцу, и переведите.

1. Please send me 15 sets. — Please send me set 15.
2. Type 17 lists, Nell. — Type list 17.
3. Please lend me 19 empty files. — Let me see file 19.

ЗВУКИ И БУКВЫ

9. <u>Дифтонг [əu].</u>

Послушайте и повторите.

[↗əu ↘əu ↗səu ↘nəu]

9.1. <u>Звук [əu] передается на письме буквой **O, o** [əu]</u>

1. по *первому* (алфавитному) типу чтения: **so, open, note**;

2. перед сочетанием **ld: old**.

Произнесите, подражая образцу:

протяжно	короче	еще короче
toe	tone	tope
Po	pole	Pope
no	nose	note

Прочитайте вслух самостоятельно.

so, lo, sloe, toe, tone, note, pony, Tony, bold, told, fold, sold

Новые слова

no   нет (*отриц. частица*)

"Fifteen?"   — Пятнадцать?

"No, seventeen."   — Нет, семнадцать.

so   так, такой (*перед прилагательными и наречиями*)

   so simple   такой простой, так просто

note   запись; записка; примечание

   note five

notes   записи, конспект

old   старый (*ставится после других качественных прилагательных*)

   Fine old films.

   Little old TV sets.

open ['əupn] (*глаг.*)   открывать

   Let me open it.

open (*прил.*)   открытый, раскрытый

   open eyes, open tins

post [pəust] (*сущ.*)   почта

by post   почтой

   Let's send it by post.   Давайте отправим это почтой.

post (*глаг.*)   отправить (*о письме*)

   Please post it.

9.2.   <u>Звук [əu] также передается буквосочетанием **oa**.</u>

soap   мыло

toast   **1.** тост (*поджаренный хлеб*)

       2. тост (*в честь кого-л. или чего-л.*)

boat   лодка; судно, пароход

   by boat   пароходом

Урок-комплекс 2

0h [əu]* *(междометие)*   О!

Oh, ⌐yes!

Oh, ⌐no!

⌐Oh?   Да? Разве?

Oh, I see.   А, понятно!

9.3. В телефонных и других номерах «**ноль**» произносится [əu]: **507 0509** ['faɪv 'əu⌐sevn 'əu 'faɪv 'əu⌐naɪn].

УПРАЖНЕНИЯ

1 ⊙⊙

Прочитайте вслух, подражая образцу, и переведите.

1. open tins, open eyes, open sets
2. So old! So little! So simple! So fine! So easy!
3. simple old tests, empty old tins, Syd's old films, my old notes, my old lists
4. old boats, best soap, Ted's fine toast
5. "Please open my tins, Ben." "Fine."
   "Let's open set fifteen." "Oh, yes, let's."
   Let me open it.
6. Let's send it by post. Please send me my old notes by post.
   Let me post it.
7. See note fifteen in lesson 10.
   Let me find note seventeen.
   "Let's see my old notes." "Oh, yes, let's."
8. "Fifty teams?" "No, fifteen." "Oh, I see."
   "Seat seventeen?" "Oh, no, seventy."
   "Ms Fennell?" "No, Ms ⌐ Bennett."

---

*   Здесь буква **h** [eɪtʃ] не читается. Подробно буква **h** дана на с. 51.

Урок-комплекс 2

2

Продиктуйте друг другу номера телефонов.

905 7090; 709 5095; 907 9075; 590 9707

10. Краткий гласный звук [ɔ].

Произнесите, подражая образцу.

[ɔn ɔn mɛt ɔnɔt]

Звук [ɔ] передаётся на письме буквой **o** по *второму* (*краткому*) типу чтения: **on, Tom, stop.**

Произнесите, подражая образцу.

on, odd, Tommy, Bobby, top, pot, lot, lots, fond, Bob, Bond, Dobbs, Dombey

Алфавитное и краткое чтение буквы **o**

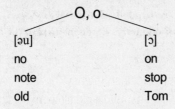

O, o
[əu]	[ɔ]
no	on
note	stop
old	Tom

Прочитайте вслух самостоятельно.

tone, top, sole, lots, vote, spot, nod, stone, dope, dot, pot, fold, told, boss

Новые слова

model ['mɔdl]   модель, образец

   model 75-B

bottle ['bɔtl]   бутылка

stop   останавливать(*ся*), прекращать(*ся*)

   Stop!   Стой(*те*)! Постой(*те*)!

   Stop it!   Перестань(*те*)! Прекрати(*те*) это!

Урок-комплекс 2

on (*предлог места*)   на

on my tent

in my tent

Внимание!

on my bill   в моем счете, у меня в счете
on my list   в моем списке, у меня в списке

Сравните:

on time   вовремя (*точно в назначенное время*)
in time   вовремя (*не позже назначенного срока*)

Запомните!

no   **нет**
not   **не**

"Size ten?"   Десятый размер?
"No, not ten, eleven."   **Нет, не** десятый, а одиннадцатый.

---

11. <u>Множественное число существительных, оканчивающихся на шипящие звуки.</u>

Послушайте и посмотрите.

> **size** — **sizes** [ˈsaɪzɪz]
>
> **nose** (нос) — **noses** [ˈnəʊzɪz]
>
> **boss** (босс, хозяин) — **bosses** [ˈbɒsɪz]

Вы услышали, что окончание множественного числа существительных, оканчивающихся на шипящие звуки, произносится [ɪz]. Если такое существительное на письме не оканчивается на немую букву **e**, к его основе добавляется не просто **s**, а **es**.

Урок-комплекс 2

УПРАЖНЕНИЯ

1 🎧

Прочитайте вслух и переведите примеры на новые слова.

1. on my bill, on my list, on my tent, in my tent
2. model fifteen — fifteen models, model seventy — seventeen old models
3. Let me see model fifty-nine.
4. five empty bottles, fifty little bottles, fifteen old bottles

2 🎧

Инсценируйте диалоги, заменяя выделенные слова словами, данными в скобках.

1

A. Let me see **model** 17.
B. **Model** 70?
A. No, not 70, — 17, please.
B. Oh, yes.

     (set, test, list, slide)

2

A. Let's buy 15 **bottles**.
B. 50 **bottles**?
A. No, not 50, — only 15.
B. Oh, I see.

     (tins, sets)

3

A. Miss Ellis!
B. Yes?
A. Please file list **19**.
B. List **90**?

Урок-комплекс 2

A. No, not **90**, — **19**.
B. Oh, yes.

   (15 — 50, 17 — 70)

3

Переведите на английский язык.

1. — Давайте я отправлю это по почте. — Хорошо!
2. — Пожалуйста, проверьте модель пятнадцать.
   — Модель пятьдесят? — Нет, не пятьдесят, — пятнадцать.
3. — Давайте откроем комплект семнадцать. — Комплект пятнадцать? — Нет, не пятнадцатый, а семнадцатый.
   — Понятно.
4. Пожалуйста, найдите это в моих старых записях.
5. Давай я открою пять маленьких баночек.

ГРАММАТИКА

12. Отрицательная форма повелительного наклонения и побудительных предложений.

12.1. Отрицательная форма повелительного наклонения
образуется при помощи **don't** [dəunt] (краткой отрицательной формы вспомогательного глагола **do**
[du:]).

Don't open it.	Не открывайте это.
Please **don't** type it.	Пожалуйста, не печатайте этого.
"Please **don't** tell Syd."	Пожалуйста, не говорите Сиду.

Сравните:

"Please tell Syd."	Пожалуйста, скажите Сиду.

Урок-комплекс 2

12.2. Отрицательная форма побудительных предложений образуется по такому же принципу.

"**Don't let's** film it."	Давайте не снимать этого.

Эта форма в основном употребляется в Великобритании. Наряду с ней существует форма **let's not + инфинитив**, которая употребляется как в Великобритании, так и в других англоязычных странах.

Let's not spend it.   Давайте не тратить этого.

= **Don't let's** spend it.

12.3. Краткие ответные реплики на высказывания, начинающиеся с **Let me.**

	Yes.	Да.
Let me file it.	No, don't.	Не надо.
	No, please don't.	Не надо, пожалуйста.

УПРАЖНЕНИЯ

1 🔘🔘

Прочитайте вслух, подражая образцу, и переведите.

1. Don't mend model 15. Don't even open it.
   Don't file my list, Miss Ellis.
   Don't buy old sets.
2. Let's not spend it.
   Let's not film it.
   Let's not open it.
3. "Let me send it by post." "No, don't."
   "Let me test model 79." "No, please don't."

2

Инсценируйте следующие микродиалоги.

а) Попросите вашего собеседника не совершать действия.

Урок-комплекс 2

Дано:	Требуется:
Mend it.	Please don't mend it.

Post it.	Test model 57.	File my old notes.
Film it.	Buy old models.	Send it by post.

б) Предложите вашему собеседнику не совершать како-го-либо совместного действия.

Дано:	Требуется:
Let's open it.	Let's not **open it.**

Let's buy it.	Let's spend it.	Let's sell it.	Let's listen.

3

Инсценируйте микродиалоги, заменяя выделенные слова словами, данными в скобках.

A. Let me **test it.**
B. No, please don't.

(open it, stop it, tell Mrs Fennell, find Ms Dent, meet Bill, file my old lists)

4

Переведите на английский язык.

1. Не покупайте старые модели.
2. Не подшивайте к делу список 19. Давайте я посмотрю его.
3. Пожалуйста, не посылайте это по почте.
4. Не проверяйте комплект 79. Даже не открывайте его.
5. Послушай, Билл. Давай не тратить этого.
6. Давайте не останавливаться.
7. — Давайте я разыщу мисс Дент. — Нет, пожалуйста, не надо.
8. — Давайте я открою комплект 50. — Нет, пожалуйста, не надо.

Урок-комплекс 2

ЗВУКИ И БУКВЫ

13. Глухой согласный звук [h].

Послушайте, посмотрите, произнесите на выдохе.

[hhh hhh hhh ↗hǝu ↘haɪ ↗hi: ↘hɪz]

13.1. Звук [h] передается на письме согласной буквой **H, h** [eɪtʃ].

Произнесите, подражая образцу.

e — he, eye — hi, Em — hem, eel — heel, o — hoe, odd — hod

Прочитайте вслух самостоятельно.

he, heel, hill, help, hem, him, home, hole, hop, hope, hide, hind, holy, Holly

Новые слова 👀

he [hi:, hi] *(личн. мест.)*	он *(заменяет сущ., обозна-чающие лиц мужск. пола)*
him [hɪm]	ему, его *(косв. падеж от мест.* **he***)*
Please meet him.	Пожалуйста, встретьте его.
Let him see me.	Пусть он повидается со мной.
his [hɪz] *(притяжат. мест.)*	его, свой, *(о 3-м лице муж-ского пола)*
his life, his people	
help	помогать, помочь
Let me help him.	
hotel [hǝu'tel]	отель, гостиница
hotel lobby	вестибюль гостиницы

Урок-комплекс 2

hot	горячий, жаркий
hold [həuld]	держать (*в руках*)
Please hold on!	Пожалуйста, не кладите трубку! (*телеф.*) (**on** *произносится с ударением*)
Hello! [hə'ləu]	**1.** Привет! Здравствуй(*те*) (*неофициальное приветствие, произносится с понижением тона*) **2.** Алло! (*ответ на телефонный звонок, произносится с повышением тона*)

Hello! Miss Dene, please.

Hi!	(*ам.*) фамильярное приветствие

13.2. <u>Буквосочетание **ph** читается как звук [f]: **Philip** ['fɪlɪp], **Phyllis** ['fɪlɪs].</u>

Новые слова

photo ['fəutəu]*	фотография
(*мн.ч.*) **photos**	
in his photo	на его фотографии
phone (*сокр. от* **telephone** ['telɪfəun]) (*сущ.*)	телефон
phone (*глаг.*)	звонить по телефону
Please phone him in 15 minutes.	Пожалуйста, позвоните ему через 15 минут.
Phone me on 557 0907.	Позвони мне по телефону 557 0907.

---

* Конечная буква **o** всегда произносится [əu] даже в безударном слоге.

УПРАЖНЕНИЯ

1 ⊙⊙

Прочитайте вслух и переведите примеры на новые слова.

1. his life, his simple life, his people, his photos, his hotel, his hotel bill, his hobby, his hot tea

2. Please see his boss. Please phone his people.

   "Let's find his old notes." "Yes, let's."

3. Please phone him in fifteen minutes. Let him phone me in ten minutes.

   Let him send me his photos.

   "Let him see his hotel bill." "Yes, let him settle it in time."

4. "Please help me, Bob. Hold my files." "Oh, yes."

5. "Hello!" "Oh, hello!" "Hi, Bill!" "Hi, Nell!"

6. "Hello! Miss Dobbs, please." "Miss Dobbs? Please hold on."

2 ⊙⊙

Прочитайте диалоги вслух и инсценируйте их.

1

Телефонный разговор

Bob: 997 0905.*
Nell: Hello, Bob!
B. Oh, hello, Nell!
N. Listen, Bob! Let's visit Philip Lloyd in his hotel.
B. Fine, let's.
N. Let me phone him.
B. Yes, phone him.
N. Yes. Bye!
B. Bye!

---

* В англоязычных странах тот, кто отвечает на звонок, часто называет номер своего телефона.

Урок-комплекс 2

2

Неожиданная встреча

Betty. Hi, Ted!
Ted. Betty! Hello! Let's meet.
B. Yes, visit me, Ted. Holly Hotel, 509.
T. Fine!
B. Please phone me, 907 7509.
T. (*повторяет*) 907 9509.
B. No, not nine five — seven five.
T. Oh, I see. Fine. Bye, Betty!
B. Bye, Ted.

3 ✎

Заполните пропуски словами *him* или *his*, прочитайте вслух и переведите.

1. Let _____ see my best slides.
2. Don't file _____ old lists.
3. Let's not phone _____. Let's phone _____ boss.
4. Let _____ help me. Let _____ find Mrs Flynn.
5. Let _____ phone _____ boss. Let _____ settle it in time.
6. Let me see _____ list. Let _____ find it in _____ file.
7. Don't test _____ old model.

4 ✎

Переведите на английский язык.

1. Пусть он найдет свой телефонный счет.
2. Пусть он найдет свои фотографии.
3. Давайте я позвоню ему через 10 минут.
4. Давайте я подержу его папки!
5. Давайте не звонить ему. Давайте навестим его в его гостинице.
6. Пусть он мне позвонит через 15 минут.
7. — Здравствуйте! Попросите мисс Дент, пожалуйста.
   — Мисс Дент? Пожалуйста, не кладите трубку.

14. Дифтонг [ɔɪ].

Послушайте, посмотрите, произнесите:

[ʃɔɪ ʔtɔɪ ʔɔɪl ʔnɔɪzɪ]

Дифтонг [ɔɪ] передается на письме буквосочетанием **oi**, а также **oy** в конце слова и в некоторых именах собственных: **oil, boy, Lloyd** [lɔɪd].

Произнесите, подражая образцу, затем прочитайте вслух самостоятельно.

toy, boy, Lloyd, Foyle's, boil, foil, noisy, soil

Новые слова 🔘

boy	мальчик
toy	игрушка
noise [nɔɪz]	шум
noisy ['nɔɪzɪ]	шумный

15. Множественное число существительных, оканчивающихся на букву **y**.

Послушайте и посмотрите:

telly — tellies; hobby — hobbies; boy — boys

Вы увидели, что у существительных, оканчивающихся на букву **y** с предшествующей с о г л а с н о й буквой, при образовании множественного числа конечная **y** меняется на **i** и добавляется **es**, а у существительных, оканчивающихся на **y** с предшествующей г л а с н о й, такого изменения не происходит, добавляется одна буква **s**.

Эти особенности орфографии не влияют на произношение гласного звука перед окончанием множественного числа: ['telɪ — 'telɪz; 'hɔbɪ — 'hɔbɪz].

УПРАЖНЕНИЯ

1 🔘

Прочитайте вслух и переведите.

noisy boys, little boys, noisy little boys, Mrs Lloyd's little boy, Mrs Lloyd's little boy's toys, his noisy hobby

Урок-комплекс 2

2

Напишите следующие существительные в форме множественного числа и прочитайте вслух.

hobby, lobby, telly, boy, toy, penny

16. Притяжательная форма существительных во множественном числе.

Послушайте и посмотрите:

Betty.   Betty's little boys.   Betty's boys' toys.

Old Len Lloyd.   Len Lloyd's bosses.   His bosses' hotel.

Форма притяжательного падежа существительных во множественном числе на слух не отличается от соответствующей формы в единственном числе. На письме эта форма образуется путем прибавления к существительному знака апострофа:

his bosses' shop [hɪz ˈzɪsɛz ˈʃɒp]

ПРИМЕЧАНИЕ.

Это правило не распространяется на небольшую группу существительных с нестандартной формой множественного числа, например **people: old people's lives**.

> **Запомните:**
>
> in ten minutes' time = in ten minutes   через 10 минут

17. <u>Глухой согласный звук</u> [ʃ].

Послушайте, посмотрите, произнесите:

[ʃʃʃ ˌʃi: ˋʃɪp ˌfɪʃ ˋdɪʃ]

Звук [ʃ] передается на письме буквосочетанием **sh**: dish, fish, ship, sheep.

Произнесите, подражая образцу, затем прочитайте вслух самостоятельно.

she, shell, shy, fish, dish, finish, sheet, ship, sheep, shine

Новые слова

she [ʃi:, ʃi] (*личн. мест.*)   она (*обозначает лицо женского пола*)

finish ['fɪnɪʃ]   кончать, заканчивать покончить (*доесть, дочитать, дописать и т.п.*)

shop   магазин, мастерская, цех

fish   рыба

shelf   полка

     (*мн.ч.*) **shelves** [ʃelvz]

ship   пароход, корабль

     (*син.*) boat

Sheffield ['ʃefi:ld]   Шеффилд (*город в Англии*)

Finnish   финский, финский язык

Урок-комплекс 2

18. Словосочетания типа «существительное + существительное».

В английском языке часто встречаются сочетания «**существительное + существительное**». В сочетаниях такого типа *определяемым* является *второе слово*, а *первое слово* выполняет функцию *определения*: **TV model** — образец телевизора; **model TV** — образцовый телевизор.

Сочетания типа «**существительное + существительное**» иногда настолько сливаются, что образуют *составные существительные*. В орфографии таких существительных нет единообразия: некоторые из них пишутся слитно, некоторые — через дефис, а некоторые — раздельно. Они обычно произносятся с единым ударением на первом компоненте:

'**tennis lessons** — уроки тенниса,

'**bellboy** — посыльный (в гостинице),

'**fish shop** — рыбный магазин,

'**telly films** — телевизионные фильмы.

УПРАЖНЕНИЯ

1

Прочитайте вслух и переведите примеры на новые слова.

1. little old shops, fine Finnish shops, toy shops, fish shops, pet shops, old Ben's fish shop, shops in hotel lobbies
2. Let me finish my list. Let him finish his tea. Let him finish his tests. Let me finish my toast! Let him finish his lessons in fifteen minutes.

2

Заполните пропуски словами *my* или *his*, прочитайте вслух и переведите.

1. Let me finish _____ tea.
2. Let him finish _____ list in ten minutes.

3. Let Ted finish _____ test.
4. Let me finish _____ lessons.
5. Let him finish _____ notes.

ГРАММАТИКА

19. Личные местоимения единственного числа.

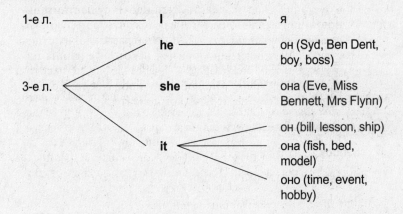

1-е л. ———————— **I** ———————— я

he ———————— он (Syd, Ben Dent, boy, boss)

3-е л. **she** ———————— она (Eve, Miss Bennett, Mrs Flynn)

он (bill, lesson, ship)

it она (fish, bed, model)

оно (time, event, hobby)

20. Глагол **be** в 3-м лице ед. числа настоящего времени. Утвердительная форма **is**.

Послушайте и посмотрите.

Miss Ellis **is** busy.

(She**'s** busy.)

Мисс Эллис занята.

Bess **is** slim. (She**'s** slim.)

Бесс изящна (стройна).

Урок-комплекс 2

Little Bobby's noisy.

(He's noisy.)

Маленький Бобби шумит.

His file's empty.

(It's empty.)

Его папка пустая.

В предложениях с именным составным сказуемым обязательно употребляется глагол **be** (*русский глагол* **быть** *в настоящем времени за редким исключением опускается*). Глагол **be** (в 3-м л. ед.ч. — **is**) в утвердительных предложениях *безударен*, поэтому в разговорной речи нормального темпа он сокращается до [z] после гласных и звонких согласных и [s] после глухих согласных. После шипящих согласных он звучит в своей полной форме [ız].

ПРИМЕЧАНИЕ.

Обратите внимание на разницу в произношении слов **he's** и **his**: He's [hız] **hot**. — *Ему жарко*. His [hız] **photo**. — *Его фотография*.

21. <u>Обозначение возраста.</u> 🔘

Послушайте и посмотрите, как по-английски можно назвать возраст.

Nelly's five.   Billy's seven.   Tom's eleven.

Bob's seventeen.
Spot's five.

Miss Dene's fifty-five.

Mrs Flynn's fifty.

УПРАЖНЕНИЕ

Сколько лет этим людям?

О б р а з е ц: He's fifteen. She's nineteen.

9

11

17

19

50

55

Урок-комплекс 2

70   75

22. Предложения, начинающиеся с местоимения it.

Послушайте и посмотрите, как можно ответить на вопрос «Который час?».

It's nine.   **It's five.**   **It's eleven.**

В законченном английском предложении должно быть подлежащее и сказуемое. В приведенных выше примерах функцию подлежащего выполняет местоимение **it,** которое на русский язык н е п е р е в о д и т с я.

Запомните!

It's time!	Пора!
It's fine!	Хорошая (ясная) погода!
It's so hot!	Так жарко!
It's noisy!	Шумно!
It's simple!	Это просто!
It's so silly!	Это так глупо!

УПРАЖНЕНИЯ

Повторите, употребляя подсказанные слова.

1. It's **five**.
   • seven • nine • ten • ten fifteen • eleven fifteen •
2. It's **fine**.
   • hot • noisy • easy • simple •
3. It's so **simple**!
   • silly • easy • hot • noisy •

Переведите на английский язык.

1. Семь часов. Хорошая погода (ясно).
2. Одиннадцать часов. Жарко!
3. Пожалуйста, проверьте модель (№) 90. Это просто.
4. Так шумно! Давайте не слушать.
5. Пора. Пожалуйста, позвоните ему.

23. Порядок слов английского предложения.

23.1. Члены английского предложения стоят в строгом порядке: в утвердительном предложении сначала стоит подлежащее (группа подлежащего), а затем сказуемое (группа сказуемого).

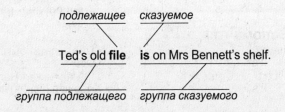

23.2. В группе сказуемого сначала идет обстоятельство места *(где?)*, а потом обстоятельство времени *(когда?)*.

где?   *когда?*

He's **in his hotel** **till eleven.**

Урок-комплекс 2

23.3. Некоторые слова имеют фиксированное место в предложении.

Запомните место слова **still** — *все еще, до сих пор.*

She's still in Sheffield.	Она все еще в Шеффилде.
His shop's still open.	Его магазин (все) еще открыт.
My tea's still hot.	Мой чай еще горячий.

Запомните место слова **only** — *только.*

He's only eleven.	Ему только 11 лет.
It's only nine.	(Еще) только 9 часов.
She's only busy till five.	Она занята только до 5 часов.
His shop's only open till seven.	Его магазин открыт только до семи.

Если слово **only** относится к подлежащему, оно стоит перед ним.

Only Tom's busy.	Занят только Том.

23.4. Запомните следующие словосочетания с глаголом **be**:

be·in*

быть на месте, у себя (*дома, в кабинете и т.п.*)

She's only **in** till five.	Она на месте только до пяти.

be ill

болеть, быть больным

He's ill in bed.	Он болен и лежит в постели.

be sleepy

хотеть спать, быть сонным

Little Nelly's sleepy.	Маленькая Нелли хочет спать.

be pleased [pli:zd]

быть довольным

He's so pleased!	Он так доволен!

---

* **in** — *зд.* наречие места. Во фразе произносится **с ударением**: She's ⟩ in. — *Она на месте.*

be idle ['aɪdl]

бездельничать, сидеть без дела

Only Bob's idle.

Бездельничает только Боб.

УПРАЖНЕНИЯ

Прочитайте вслух подписи к картинкам, подражая образцу и самостоятельно. Переведите их на русский язык.

It's nine. Ben Dent's shop's still open. His shop's only open till nine. Eve's in Ben's shop. He's pleased.

See Ted's fine photo. He's seventeen. Tennis is his hobby.

It's eleven fifteen. Tom's still in. He's so busy!

It's only seven. Old Mrs Lloyd's still in bed. She's sleepy. Eve's pet's in Mrs Lloyd's bed. "Eve! Help! Help!" Eve's in time.

Урок-комплекс 2

Повторите эти предложения за преподавателем, заменяя полную форму *is* сокращенной формой там, где это возможно.

1. Bob is still in his hotel. He is still busy.
2. Miss Bennett is on my list.
3. Bill is in time. It is only nine.
4. Tom Lloyd is old. He is seventy-nine.
5. Ben Dent is in his shop. It is only open till seven.
   Eve is in Ben's shop.
6. Tim Dobbs is idle. His life is empty. He's so silly!
7. Little Nelly is in bed. She is still ill.

В этом рассказе пропущен глагол *be (is)*. Восстановите его (в сокращенной форме, где это возможно) и перескажите рассказ.

Bess, seventeen.

She, slim.

Bob, nineteen.

His life, simple.

Bess's photo, on Bob's shelf.

Bess, his type.

Употребите слово *still* в каждом предложении и переведите.

1. Mrs Dobbs is in.
2. Tim's in Sheffield.
3. She's in Leeds. [liːdz]*
4. He's busy.
5. Bob's in his hotel.
6. It's hot.
7. It's so noisy!

---

* Leeds — Лидс (город в Великобритании).

5

Повторите, употребляя подсказанные слова.

1. His shop's only open till **five**.
   • seven • nine • ten •
2. She's only busy till **seven**.
   • five • nine • eleven •
3. Miss Dene's only in till **five**.
   • eleven • nine • five fifteen •

6

Прочитайте диалоги вслух и инсценируйте их.

1

A. Miss Dene!
B. Yes?
A. Please phone Bob Ellis.
B. Bob Ellis? Oh, he's busy till seven.
A. No, not till seven. Only till five. Please phone him.

2

A. Listen, Ted. Let's visit Tom Flynn.
B. Yes, let's. Please phone him. He's only in till eleven.
A. Fine.

7

Переведите на английский язык.

1. Его контрольная такая простая!
2. Его фотография в моей папке. Найдите ее. Она на моей полке.
3. — Сид все еще находится в Лидсе. Давайте позвоним ему. — Прекрасно.
4. Белл все еще больна. Она в постели.
5. Бесс так изящна!
6. Миссис Эллис все еще на месте. Она занята до 5 часов.

Урок-комплекс 2

ГРАММАТИКА

24. <u>Отрицательная форма глагола **be** в 3-м л. ед. ч.
настоящего времени.</u>

Послушайте и посмотрите.

Betty Flynn **isn't** slim.
She **isn't** slim.

Tony **isn't** busy.
He **isn't** busy.

Nelly **isn't** idle.
She **isn't** idle.

Miss Ellis **isn't** in.
She **isn't** in.

Отрицательная форма глагола **be** образуется при помощи отрицания **not**, которое в разговорной речи обычно произносится *сокращенно* (без гласного) и слитно с глаголом: ['ıznt]. На письме вместо пропущенной буквы **о** ставится апостроф: **isn't**. Эта краткая отрицательная форма имеет фразовое ударение:

She **'isn't** ꜛ slim.

Весьма употребительна и другая отрицательная форма глагола **be**, при которой сокращается глагол, а отрицательная частица **not** сохраняет полную форму и фразовое ударение:

She's **'not** ꜛ slim.

Обратите внимание на особенности перевода некоторых английских отрицательных предложений с глаголом **be**:

She isn't ꜛ in.   **Ее** нет (на месте).

He isn't on my list.	**Его** нет в моем списке.
It isn't on his bill.	В его счете **этого** нет.
His file isn't on my shelf.	**Его папки** на моей полке нет.

УПРАЖНЕНИЯ

1

Прочитайте вслух и переведите.

1. Ted isn't seventeen. He's only fifteen.
2. Model B-50 isn't old. Please don't test it.
3. Bob Ellis isn't in. He's still in his hotel.
4. List seven isn't in my file. Please find it.
5. Mrs Lloyd isn't in Sheffield. She's in Leeds.
6. His hobby isn't slides. It's films.
7. Model 75 isn't on my list. It isn't even on Miss Dene's list.
8. Lesson five isn't simple.
9. It's not so simple. It's not so easy.

2

Сделайте высказывания отрицательными.

1. Tom's old. He's fifty.
2. His life's easy.
3. Miss Lloyd's in.
4. She's busy.
5. It's time.
6. It's on my bill.
7. Syd's on my list. He's on my list.
8. Ben's shop's open.
9. Model 57 is old.

3

Переведите на английский язык.

1. Модель 55 не старая. Модель 15 старая.
2. Ей нет семнадцати, ей только пятнадцать. Ему нет девятнадцати, ему только семнадцать. Ей нет пятидесяти пяти, ей только пятьдесят.

Урок-комплекс 2

3. Семь часов. Магазин мисс Ллойд не открыт. Он открыт только до пяти.
4. Он не болен. Его нет на месте.
5. Найдите список 15. Его нет в моей папке! Найдите контрольную работу Сида. Она на моей полке.
6. Маленькая Нелли не больна. Она только хочет спать.
7. Сида нет в моем списке. Его нет в моем списке. Бетти нет в моем списке. Ее нет в моем списке. Модели 19 нет в моем счете. Ее нет в моем счете.
8. Бен не занят до 5 часов. Пожалуйста, позвони ему.
9. Это не так уж просто. Это не так уж легко.

25. Общий вопрос и краткие ответы на него.

Послушайте и посмотрите.

"Is it 5?"
"Yes, it is."

"Is it 5?"
"No, it isn't."

"Is Miss Ellis busy?"
"Yes, she is."

"Is Miss Ellis still busy?"
"No, she isn't."

"Is Ben in his shop?"
"Yes, he is."

"Is he still in his shop?"
"No, he isn't."

Урок-комплекс 2

В *вопросительном предложении* глагол-связка **be** (в данном случае **is**) ставится в начале предложения (перед подлежащим) и произносится с ударением.

He **is** busy.
Is he busy?

Такие вопросы называются *общими*. Они произносятся восходящим тоном и требуют ответа «**да**» или «**нет**».

Yes или Yes, { he is. / she is. / it is.   No или No, { he isn't. / she isn't. / it isn't.

УПРАЖНЕНИЯ

1

Прочитайте вслух, подражая образцу, и переведите.

1. "Is Bob Fennell in?" "No, he isn't. He's still in his hotel."
2. "Is Miss Ellis still busy?" "Yes, she is. She's busy till five."
3. "Is Ben in Sheffield?" "No, he's in Leeds."
4. "Is it on my bill?" "Yes, it is."
5. "Is it on his list?" "No, it isn't."

2

Повторите, употребляя подсказанные слова.

1. Is it **five**?
   • nine • seven • eleven • ten •
2. Is it **easy**?
   • simple • so easy • so simple •
3. Is he only **seven**?
   • five • nine • eleven • fifteen • seventeen •
4. Is Ben still **in**?
   • ill • busy • in Leeds • in his hotel •

Урок-комплекс 2

3

Задайте вопросы и дайте на них краткие ответы, как показано в образце (+ утв.; – отриц.).

Дано:	Требуется:
Billy's only seven. (+)	"Is Billy only seven?"
	"Yes, he is."

1. Bob's still in Sheffield. (+)
2. He's still in his hotel. (–)
3. Miss Ellis is in. (+)
4. She's still busy. (–)
5. It's nine. (+)
6. Bess is in time. (+)
7. His test's simple. (–)
8. It's in his file. (+)
9. It's time. (+)
10. It's on his list. (–)
11. Ted's fifteen. (+)
12. Nelly's ill. (–)
13. Ben's still in Leeds. (+)
14. His shop's still open. (+)
15. It's easy. (–)
16. It's simple. (+)

4

Задайте общие вопросы об этих людях и дайте краткие ответы. Используйте ключевые слова.

Bess   slim Betty

Tom Lloyd old Bob

Ben Dent   busy   Eve

 5

Переведите на английский язык.

1. — Боб у себя (на месте)? — Да. — Он все еще занят?
   — Нет.
2. — Ей семнадцать лет? — Нет, ей только пятнадцать.
3. — Список № 5 у Билла в папке? — Нет, он в моей папке.
   — Разрешите мне посмотреть его.
4. — Билл все еще у себя в магазине? — Нет. Его магазин
   открыт только до семи.

ГРАММАТИКА

26. Слово **yet** в общих вопросах и отрицательных
предложениях.

В вопросительных предложениях слово **yet** соответствует русскому слову *уже:*

1. Is it time **yet**?   Уже пора?

2. Is he in **yet**?   Он *уже* у себя?

3. Is she seven **yet**?   Ей *уже* исполнилось семь лет?

В отрицательных предложениях слово **yet** соответствует русским словам *еще* и *пока (еще):*

1. It isn't nine **yet**.   *Еще нет* девяти.

2. Miss Dene isn't in **yet**.   Мисс Дин *пока (еще) нет* на
          месте.

3. He isn't fifty **yet**.   Ему *еще нет* пятидесяти.

4. Don't type it **yet**.   *Не печатайте это пока.*

Урок-комплекс 2

Как в общих вопросах, так и в отрицательных предложениях слово **yet** не имеет фразового ударения, однако в сочетании **'not ꞌyet** — *нет еще* оно произносится с ударением:

"Is Miss Dene in?"   Мисс Дин у себя?
"No, not yet."   Нет еще.
(или "Not yet.")

Внимание!

still — *все еще, до сих пор*   **yet** — *еще нет, еще не*

She's **still** in.   She isn't in **yet**.
Она *все еще* на месте.   Ее *еще нет* на месте.

His shop's **still** open.   His shop isn't open **yet**.
Его магазин *все еще* открыт.   Его магазин *еще не* открыт.

УПРАЖНЕНИЯ

1

Прочитайте вслух и переведите.

1. "Is it nine yet?"   "No, not yet!"
2. "Is it time yet?"   "No, it isn't. It isn't seven yet!"
3. "Is Ben in his shop yet?"   "Yes, he is."
4. "Is he still in his shop?"   "Yes, he is. His shop's still open."
5. Syd Dobbs isn't so old yet.   He isn't fifty yet.
6. "Is she seventeen yet?"   "No, she's only fifteen."

2

Дополните предложения словами *still* **или** *yet*, **где это возможно по смыслу.**

1. "Is he in?"   "No, he's busy in his shop."
2. "Tony's in his hotel. Let's phone him."   "Fine!"
3. Bess is ill.   She's in bed.
4. "Is Mrs Dent fifty?"   "No, she isn't fifty. She isn't old. She's slim."

Урок-комплекс 2

3

Повторите, заменяя выделенные слова.

1. Is it **time** yet?
   • 5 • 7 • 9 • 11 •
2. He isn't **in** yet.
   • old • in his hotel • in his shop •
3. Please don't **tell him** yet.
   • phone him • spend it • sell it • buy it •

4

Прочитайте диалог вслух и инсценируйте его.

A. Is Lloyd in his hotel yet?
B. Yes, he is. Let's visit him.
A. Yes. Let me phone him.
B. Fine.

5 ✎

Переведите на английский язык.

1. Еще нет пяти. Еще нет семи. Еще нет одиннадцати.
2. Уже семь? Уже пять? Уже одиннадцать?
3. Ей еще нет одиннадцати, ей только десять. Ему еще нет девятнадцати, ему только семнадцать. Ей еще нет пятидесяти пяти, ей только пятьдесят. Она еще не старая.
4. — Мисс Дин уже у себя? — Нет еще.
5. — Он все еще у себя? — Да.
6. — Билл уже у себя в гостинице? — Нет еще. Он все еще занят у себя в магазине.

6

Прочитайте рассказ вслух и перескажите его.

Hello, Dolly!

It's fine. It's hot.
It's only five.
Tony's on time.
Betty isn't.

Урок-комплекс 2

It's seven...
It's nine...
Tony's sleepy...

Bill: Hi, Tony!
Tony: Oh, Bill! Hello!
Listen, Bill. Please help
me! Let's find Betty!
Bill: Yes, let's!

Bill: Betty's tent's empty!
Tony: She isn't in my tent!

Betty's in Ted's tent!

Tony: Oh, no! Oh, my Betty!
Bill: Don't, Tony, don't! Don't be silly!
Let me phone Dolly Hobbs.

Dolly: Hello!
Bill: Hello, Dolly! It's me, Bill.
Dolly: Hi, Bill!
Bill: Listen, Dolly. It's only ten. Let's meet.
Dolly: Fine!

Bill: Is Tony still in his tent?
Dolly: Yes, he is.
Bill: Fine!

Bill : Tony, meet Dolly!
Dolly: Hi, Tony!
Tony: Oh, hello, Dolly!

It's fine. It isn't even five yet. Tony's on time...

ГРАММАТИКА

27. Общие вопросы с глаголом-сказуемым в отрицательной форме.

Общие вопросы с глаголом в отрицательной форме образуются аналогично общим вопросам с глаголом в утвердительной форме, однако отрицательная форма придает им иное значение — оттенок у д и в л е- н и я.

Урок-комплекс 2

Сравните:

Is he in yet?	**Isn't** he in yet?
Он уже на месте?	*Разве* его еще нет на месте?
Is she ten yet?	**Isn't** she ten yet?
Ей уже есть десять лет?	*Неужели* ей еще нет десяти?
Is it time yet?	**Isn't** it time yet?
Уже пора?	Как, *разве* еще не пора?

В ответах на такие вопросы слово **yes** употребляется перед сказуемым в утвердительной форме, а слово **no** — перед сказуемым в отрицательной форме.

"Isn't he busy?"	Разве он не занят?
"**No**, he **isn't**."	Нет, не занят.
"**Yes**, he **is**."	Да, занят.

Внимание! Перевод с русского:

Он занят? ⟍
           Is he busy?
Он **не** занят? ⟋

Разве он не занят?   **Isn't** he busy?

ПРИМЕЧАНИЕ.

Отрицательный вопрос почти полностью совпадает с одним из видов восклицательных предложений, отличаясь от него только интонацией.

Сравните:

Isn't it ↗hot?	Разве не жарко? (*вопрос*)
Isn't it ↘hot!	Ну и жарко же! (*восклицание*)
Isn't it ↗noisy?	Разве не шумно? (*вопрос*)
Isn't it ↘noisy!	До чего же шумно! (*восклица-ние*)

— 78 —

Урок-комплекс 2

УПРАЖНЕНИЯ

1 ◎◎

Прочитайте вслух, подражая образцу, и переведите.

1. "Isn't Miss Ellis on my list?" "Yes, she is."
2. "Isn't it model 75?" "No, it's model 77."
3. "Isn't it on my bill?" "Yes, it is."
4. "Isn't Mrs Lloyd in Leeds?" "No, she's still in Sheffield."
5. "Isn't he in yet?" "No, he isn't. He's still busy in his hotel."

2

Переделайте вопросы из упражнения 1 так, чтобы в них не было оттенка удивления.

3 ✎

Переведите на английский язык.

1. — Разве еще не пора? — Нет еще.
2. — Разве ему нет семнадцати лет? — Нет, ему только 15.
3. — Разве она еще не занята? — Нет еще.
4. — Разве папка 5 не у Бена на полке? — Нет, она на моей полке.

Урок-комплекс 3

ЗВУКИ И БУКВЫ

1. Дифтонг [eɪ].

Произнесите, подражая образцу.

[ˈeɪ ˈeɪ ˈmeɪ ˈneɪm]

Звук [eɪ] передается на письме следующими способами:

1. буквой **А, а** [eɪ] по первому (алфавитному) типу чтения: date, Amy [ˈeɪmɪ] (женск. имя), Davies [ˈdeɪvɪs] (фамилия), David [ˈdeɪvɪd] (мужск. имя, уменьшит. Dave).

2. буквосочетанием **ai** в начале и середине слова и **ay** в конце слова: aim, main, bay.

Произнесите, подражая образцу:

протяжно	короче	еще короче
may	main	mate
hay	hale	hate
lay	lame	late

Прочитайте вслух самостоятельно:

а) слова со звуком [eɪ]

same, shade, sale, sail, ail, ale, hale, hail, paint, pay, stale, fail, stay, shame, mane, haze

б) слова с различными гласными

tape, type, time, male, mile, meal, shy, find, bate, bet, bit, beat, seem, hill, hale, hail, stay, style, state

Прочитайте вслух следующие имена собственные и скажите их по буквам.

Amy, Abe, Fay, ˈSadie, ˈDavid, ˈDavies, ˈAvis

Урок-комплекс 3

Новые слова

name имя, фамилия

My name's Ben, Ben Davies. Меня зовут Бен, Бен Дейвис.

My name's Davies. Моя фамилия Дейвис.

tape (*сущ.*) магнитная лента; фоно-запись

tape fifteen

tape (*глаг.*) записывать на магнитофон

Please tape it. Пожалуйста, запишите это (на пленку).

table ['teɪbl] стол

Tape 15 is on my table.

'table tennis настольный теннис

plane самолет

by plane самолетом

play играть

Внимание: отсутствие предлога!

play tennis играть в теннис

play ↘ table tennis играть в настольный теннис

---

late поздний, опоздавший

be late опаздывать

It's late. Поздно.

He's late. Он опоздал (он опазды-вает).

He's 10 minutes late. Он на 10 минут опоздал.

Only don't be late! Только не опаздывайте!

mail почта, корреспонденция

Syn. post

My mail's late.

Урок-комплекс 3

day	день
holiday ['hɔlɪdɪ, 'hɔlɪdeɪ]	праздник; отдых, отпуск
be on holiday	быть в отпуске, быть на отдыхе
Is he still on holiday?	Он все еще в отпуске?
holidays	(*мн.ч.*) каникулы
in my holidays	во время (моих) каникул
say	сказать, говорить (произнести)
Don't say no yet.	Пока не говорите «нет».

Сравните: say — сказать, *произнести*
 tell — сказать, *сообщить*

(*что?*)
Please **say** his name.

Пожалуйста, скажите (**произнесите**) его фамилию.

(*кому?*) (*что?*)
Please **tell him** my name.

Пожалуйста, скажите (**сообщите**) ему мою фамилию.

Внимание: предлог!

Say it **in** Finnish.

Скажите это по-фински.

---

pay (*глаг.*)	платить, заплатить, оплатить
Let me pay my bill. = Let me settle my bill.	
Let me pay him.	
pay (*сущ.*)	плата, зарплата
stay	оставаться, остаться пожить; остановиться (*напр.*, в гостинице)

Урок-комплекс 3

It isn't late yet. Please stay till eleven.	Еще не поздно. Пожалуйста, останьтесь до 11.
Let's stay five days in Sheffield.	Давайте остановимся на 5 дней в Шеффилде.
leave [li:v]	**1.** уходить, уезжать, покидать
Don't leave yet!	Не уходите пока.
	2. оставлять что-л., кого-л.
Please leave it on my table.	Пожалуйста, оставьте это у меня на столе.
baby	ребенок, младенец
lady	дама
Spain	Испания
May	май
in May	в мае

УПРАЖНЕНИЯ

Прочитайте вслух и переведите примеры на новые слова. Представьте себе ситуации, в которых их можно употребить.

1. Hello! My name's David. His name's Dennis.
   "Please tell me his name." "Ben Davies."
   Please say his name.
   Say yes. Don't say no.
2. "She's ten minutes late." "No, she isn't. It's only nine."
   "Is he late?" "Yes, he is. He's five minutes late."
   "Isn't his plane late?" "No, it's on time."
   Please be in time, Bob. Don't be late.
3. "Is Mrs Bailey still on holiday?" "Yes, she's on holiday till May."
   "Isn't Dave on holiday yet?" "No, he isn't. His holiday's in May."
   "Oh, I see."
4. Let's play tennis. Let's play table tennis.
5. It isn't late yet. Stay till eleven. Don't leave yet.
   Please don't leave his mail on my table. Leave it on ⌐ his table.

— 83 —

Урок-комплекс 3

2

Повторите, употребляя подсказанные слова.

1. Is **ten** late?
   • five • nine • seven • eleven •
2. Let him **film** it.
   • tape • pay • settle • leave • say • spell •
3. Let me **pay my bill**.
   • pay in time • see my mail • stay till nine •
4. Please leave **his tapes** on my table.
   • my mail • my pay • tape 5 • his slides •
5. **David** isn't on holiday yet.
   • Amy • she • he • my boss •

3

Выберите правильное слово.

TELL или SAY?

1. Please _____ Miss Flynn. Only don't _____ Amy.
2. Oh, please _____ me.
3. Only don't _____ his name.
4. Please don't _____ it yet.
5. Please _____ him my name.
6. Don't _____ no _____ yes.

4

Выберите правильное слово.

STAY или LEAVE?

1. Please _____ it on my table.
2. Don't _____ yet. It's only ten. Please _____ till eleven.
3. Don't _____ his bill on my table. _____ it on ︶his table.
4. "Let's _____ five days in Spain." "Yes, let's."

5 ▭▭

Прочитайте диалоги вслух и инсценируйте их, заменяя выделенные слова словами, данными в скобках.

1

Отрывок из телефонного разговора

A. My boss is still in **Spain**. Please phone him. His name's Ben Hailey.
B. Bailey?

Урок-комплекс 3

A. No, Hailey. Let me spell it: H-A-I-L-E-Y.
B. Oh, I see. Hailey.

(in Leeds, in Holly Hotel, in his hotel)

2

A. Is **Dennis** late?
B. Yes, **he** is. It's ten fifteen. **He's** fifteen minutes late.

(David — he; Ms Bailey — she)

3

A. Let's see **Dave**.
B. **Dave**? **He's** in Spain.
A. Oh? Is **he** on holiday?
B. No, **on business**.

(Bob — he; Amy — she)

---

business ['bɪznɪs]   коммерческая деятель-
                                       ность; дело

be on business   находиться где-либо по
                                       делам, в командировке

He's in Spain on holiday, not on business.

Переведите на английский язык.

1. Пожалуйста, скажите это по-фински. Он финн.
2. Здравствуйте! Меня зовут Дэйв. Его зовут Алан.
3. — Он опоздал? — Нет, еще нет девяти.
4. — Его самолет опаздывает? — Нет, он прибывает вовремя.
5. Пусть мисс Лойд оставит мою почту у меня на столе.
6. Еще не поздно. Пожалуйста, не уходите. Останьтесь до
   одиннадцати!
7. Пожалуйста, скажите мне его фамилию.
8. Пожалуйста, не говорите «нет».

Урок-комплекс 3

ГРАММАТИКА

2. <u>Выражение согласия и несогласия с высказыванием в отрицательной форме.</u>

Послушайте и посмотрите.

> *(Высказывание вашего собеседника.)*
>
> Torn **isn't** on holiday yet
> Том еще **не** в отпуске.

(Вы соглашаетесь с отрицательным высказыванием.)

No, he **isn't**.

Да, он не в отпуске.
(Нет, он не в отпуске.)

(Вы не соглашаетесь с отрицательным высказыванием.)

Yes, he **is**. He's on holiday in Spain.

Нет, он в отпуске.
Он в отпуске в Испании.

Как вы увидели, в отличие от русского языка, где после слова *нет* может идти сказуемое в утвердительной форме (*Нет, он в отпуске.*), а после *да* — в отрицательной (*Да, он не в отпуске.*), в английском языке после слова **yes** может идти только высказывание с утвердительным сказуемым (**Yes,** he **is**), а после **no** — только с отрицательным (**No,** he **isn't**).

Урок-комплекс 3

УПРАЖНЕНИЯ

Согласны ли вы со следующими утверждениями? Выскажите свое мнение.

Bess isn't slim.

Betty isn't slim.

Tom isn't busy.

Tom isn't busy.

Tony isn't ill.

Tony isn't ill.

My mail isn't on my table.

My mail isn't on my table.

Прочитайте микродиалоги вслух и инсценируйте их.

1

A. David isn't on holiday yet.
B. No, he isn't. His holiday's in May.

Урок-комплекс 3

2

A. Bob isn't late.
B. Yes, he is. He's fifteen minutes late.
A. Oh?

3

A. It isn't **pay day**.
B. Yes, it is.
A. Oh, fine!

---

pay day   день зарплаты

1. Прочитайте тексты вслух.

1.
It's nine. It's late. Amy's still in bed.
Isn't she **lazy**!

---

lazy   ленивый

be lazy   лениться

2.
It's ten fifteen.
Amy's fifteen minutes late.
Amy's boss isn't late. He's in time. His mail
isn't on his table yet. He isn't pleased.
Oh, life isn't simple!

3.
It's May. It's hot.
Avis is on holiday in Spain.
She's only nineteen.
"Don't leave me, Avis. Stay in Spain!"

Урок-комплекс 3

2. Согласны ли вы со следующими высказываниями. Выскажите свое мнение.

1. Amy isn't lazy.
2. Amy's boss isn't in time.
3. Amy isn't in time.
4. Amy's late.
5. It isn't hot.
6. Avis is in Spain.
7. Avis isn't on holiday.
8. Avis is fifty-five.
9. She's pleased.

Переведите на английский язык.

1. — Мисс Дейвис еще не в отпуске. — Да нет, она в отпуске в Испании.
2. — Разве он еще не в отпуске? — Нет еще.
3. Пожалуйста, будьте вовремя. Не опаздывайте.
4. Пусть Билл посмотрит мою почту. Она на моем столе.
5. Пусть он оплатит свой счет вовремя.
6. Скажите мне его фамилию. Скажите ее по буквам.
7. Пожалуйста, запишите это на пленку.
8. Оставьте запись (пленку) № 5 у меня на столе.
9. — Эйми не опоздала. — Да нет, опоздала! Сейчас девять пятнадцать. Она опоздала на пятнадцать минут.

ГРАММАТИКА

3. Краткий переспрос как способ поддержания беседы.

Послушайте и посмотрите:

1. "Amy's ten minutes late." Эйми опоздала на 10 минут.
"Oh, **is she**?" Да? (Неужели?)
"Yes, she is." Да, опоздала.

2. "His name **isn't** on my list." Его фамилии нет у меня в списке.
"Oh, **isn't it**?" Разве?
"No, it isn't." Да, ее нет.

Урок-комплекс 3

Для того чтобы показать свой интерес к услышанному, желание поддержать разговор, собеседник может повторить в виде вопроса вспомогательную часть сказуемого услышанной фразы (здесь слово **is**) и подлежащее в форме местоимения. По-русски в таких случаях говорят: *Правда? Неужели? Да? Разве? Что вы говорите?* и т.п.

УПРАЖНЕНИЯ

1 ⊡⊡

Прочитайте вслух, подражая образцу, и переведите.

1
"His plane's late."
"Is it?"
"Yes, it is."

2
"It isn't time yet."
"Oh, isn't it?"
"No, it isn't. It's only nine."

3
"Bill's still on holiday."
"Oh, is he?"
"Yes, he is."

4
"My file isn't on my table."
"Isn't it?"
"No, it isn't. Please find it."

2 ✎

Допишите недостающие слова.

1

A. My mail isn't on my table, Miss Ellis!
B. Oh, _____ _____?
A. No, _____ _____. Please find it.

2

A. Ben's 15 minutes late.
B. Oh, _____ _____?
A. Yes, _____ _____. It's eleven fifteen.

3

A. Let me see Mrs Davies. Is she in?
B. No _____ _____. She's still on holiday.

A. Oh, _____ _____?
B. Yes, _____ _____ on holiday till May.

4

A. Let's phone Ben.
B. Ben? He's still busy.
A. Oh, _____ _____?
B. Yes, _____ _____ busy till five.

3

Придумайте аналогичные микродиалоги и разыграйте их. Используйте следующие фразы.

1. My mail's late.
2. Miss Ellis is busy.
3. His test isn't so simple!
4. It's so noisy in his hotel!
5. Ben Hailey's in Spain on business.
6. Amy's on holiday till May.
7. Bob's hobby's tennis.

ЗВУКИ И БУКВЫ

4. Краткий гласный звук [æ].

Послушайте, посмотрите, произнесите:

[ˎæ ˋæ ˎæm ˋhæm ˎæt ˋhæt]

Звук [æ] передается на письме буквой **a** по второму (краткому) типу чтения: Ann(e) (женск. имя), map.

Произнесите, подражая образцу.

am — ham — Sam   and — hand — band
at — hat — fat   add — had — bad

Прочитайте вслух самостоятельно.

lab, lad, 'lassy, 'shabby, 'sandy, 'handy, mat, damp, 'battle, 'saddle, 'handle

Урок-комплекс 3

5. Сравнение звуков [æ] и [e].

Произнесите, подражая образцу.

Внимание!

Замена одного звука другим меняет значение слова!

плохой	bad	—	bed	кровать
кастрюля	pan	—	pen	ручка
песок	sand	—	send	посылать
мужчина	man	—	men	мужчины

Прочитайте вслух самостоятельно.

> bet, bat, set, sat, mat, met, mess, mass, less, lass, ham, hem, mash, mesh, settle, saddle

Алфавитное и краткое чтение буквы **a**

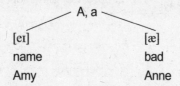

Прочитайте вслух самостоятельно

а) *слова с буквой* **a**: lame, lamp, damp, Dane, Danny, lade, lad, ladies, dame, dam, mad, made, stab, babies, fame, fan, Fanny

б) *слова с различными гласными буквами*: less, lass, bliss, peddle, paddle, dime, dim, dye, die, Sally, volley, stem, stamp, state, tile, tidy, deem, pond, band

Новые слова 🎧

man	мужчина, человек
family [ˈfæmɪlɪ]	семья
Dad (Daddy)	папа (папочка)
flat	квартира

lamp	лампа
pad	блокнот
hand	рука *(кисть)*
hat	шляпа
ham	ветчина
apple	яблоко
'apple pie	яблочный пирог
stamp	почтовая марка
lab *(сокр.)*	лаборатория
map	географическая карта
plan	план
my holiday plans	мои планы на отпуск
happy	**1.** счастливый; **2.** довольный
bad	**1.** плохой **2.** вредный для здоровья
bad apples	плохие (гнилые) яблоки
bad meat (fish)	испорченное мясо (рыба)
Not bad!	Неплохо!
Spanish ['spænɪʃ]	испанский; испанский язык
He's Spanish.	Он испанец.
She's Spanish.	Она испанка.
My Spanish lessons.	Мои уроки испанского.
Say it **in** Spanish.	Скажите это по-испански.

УПРАЖНЕНИЯ

1

Прочитайте вслух и переведите.

1. my family, my flat, my holiday plans, my table lamp, my old hat
2. in his hands, in his lab, in his flat

Урок-комплекс 3

3. happy men, happy people, happy days, happy families, happy events
4. bad shops, bad labs, bad apples, bad ham, bad beef, bad times
5. "Isn't she happy?" "Oh, yes, she is!" "Fine!"
   "He isn't happy." "Yes, he is!" "Oh, is he?"
   "It isn't so bad." "Yes, it is!" "Oh, is it?"
6. "His flat isn't bad." "No, it isn't."
   "His plan isn't bad." "Isn't it?"
7. He's Spanish. Please say it in Spanish.
   "She isn't Spanish." "Isn't she?" "No, she isn't."

2 ✎

Заполните пропуски предлогами.

1. David isn't _____ holiday. He's _____ Spain _____ business.
2. Dan Bailey's _____ Leeds. His family's still _____ Sheffield.
3. My mail isn't _____ my table yet. It's late.
4. "Let's stay five days _____ Spain!" "Yes, let's."
5. "His name isn't _____ my list" "Isn't it?" "No, it isn't even _____ Miss Ellis's list."
6. Don't leave my mail _____ his lab. Leave it _____ my table.
7. "Isn't it _____ my bill?" "Yes, it is. Please pay it _____ time."
8. "Isn't model 17 _____ Sam's lab?" "No, it's still _____ my lab."

3 ☻☻

Прочитайте диалоги вслух и инсценируйте их.

1

A. Ted's Spanish is splendid.
B. Oh, is it?
A. Yes, it is. His Dad's Spanish.
B. Oh, I see.

2

A. His hotel isn't bad.
B. Yes, it is. It's so noisy!
A. Oh, is it?
B. Yes, it is.

---

splendid   великолепный

— 94 —

3

A. My holiday plan's simple — fifteen days in Spain.
B. Fifteen days in Spain? Not bad!

4

A. Is my file still in his lab?
B. No, it's on my table.
A. Is it?
B. Yes, it is.

5

A. His name isn't Sam.
B. Yes, it is. It's Sam Bailey.

6

A. Alan's Dad isn't fifty-five yet.
B. No, he isn't. He's only fifty.

ЗВУКИ И БУКВЫ

6. <u>Буквосочетание **ea** в некоторых словах передает звук [e].</u>

Новые слова 😊

head [hed] — голова

heavy ['hevɪ] — тяжелый

pleasant ['pleznt] — приятный

УПРАЖНЕНИЕ 😊

1. heavy boats, heavy planes, heavy tables
2. My head's so heavy!
3. pleasant days, pleasant holidays, pleasant people, pleasant events

Урок-комплекс 3

7. Некоторые случаи употребления глагола **have** [hæv] — *иметь*.

Внимание!

Глагол **have** не всегда выражает владение и не всегда переводится на русский язык дословно.

---

have meals	питаться (завтракать, обедать и т.п.)
meal	прием пищи, трапеза (завтрак, обед, ужин, полдник и т.п.)
have fish, beef	есть (брать) рыбу, мясо
have tea	пить чай, полдничать
Let me have my bill.	Дайте мне мой счет!
Let me have five sets.	Дайте мне пять комплектов (*в магазине*).
Let him have my notes.	Пусть он возьмет мои записи. (= Дайте ему мои записи.)
Let me have his name, please. (= Tell me his name.)	Скажите мне его фамилию, пожалуйста.

УПРАЖНЕНИЯ

Повторите, употребляя подсказанные слова.

1. Let's have tea **in my flat.**
   • in my hotel • in his flat •
2. Let me have **model 5.**
   • set 10 • seven tins • five pads • five best seats •
3. Let me have **my mail**, please.
   • my notes • his file • list 5 • my bill • his name •
4. Let him have **my notes.**
   • my file • his bill • his hotel bill • his telephone bill •

Урок-комплекс 3

2 🔘🔘

Инсценируйте диалоги, заменяя выделенные слова словами, данными в скобках.

1

A. Let me have **my mail**, Miss Ellis. It isn't on my table.
B. Oh, it's still on my shelf.
A. Is it? So let me have it, please.

    (file 7, model 57, list 11)

---

so *зд.* тогда, в таком случае

2

A. Let's **have tea**!
B. Yes, let's.
A. Fine!

    (play tennis, play table tennis, play till ten)

ГРАММАТИКА

8. <u>Форма 1-го л. ед. ч. настоящего времени глагола **be — am ('m).**</u>

Послушайте и посмотрите:

I'm late.	Я опоздал(а).
Am I late?	Я опоздал(а)? Я не опоздал(а)?
I'm not late.	Я не опоздал(а).

1. В утвердительном предложении форма **am** произносится без ударения и обычно сокращается (редуцируется) до [m]:

[aɪm ˋleɪt]

2. В общем вопросе форма **am** имеет полное фразовое ударение и произносится [æm]:

[æm aɪ ˋleɪt]

3. В отрицательном предложении со словом **am** слово **not** имеет фразовое ударение и не сокращается, как в

Урок-комплекс 3

других лицах или с другими глагольными формами (сравните — **isn't, don't**). Сокращается форма **am**, которая произносится [m]:

I am not — I'm not [aɪm'nɔt].

УПРАЖНЕНИЯ

1

Прочитайте вслух и переведите.

1. "Hello! I'm Sam Davies." "Hi, Sam! I'm Nell Dobbs."
2. "I'm busy till seven." "I see."
   "I'm only busy till five." "Fine!"
3. I'm still in my hotel. Let him phone me.
4. "I'm not late. It isn't 9 yet." "Yes, it is." "Oh, is it?"
5. I'm not on holiday yet. Please see me in my lab.
6. "Am I late?" "No, it's only ten."
7. "Am I in time?" "Oh, yes!"

2

Прочитайте диалоги вслух и инсценируйте их, заменяя выделенные слова словами, данными в скобках.

1

A. Hello! I'm Bill Stanley. Am I late?
B. Oh, no. It isn't late yet. It's only **nine**.

(ten, eleven, five, seven)

2

A. I'm not late. It's only **nine**.
B. No, it's **nine** fifteen.
A. Oh?

(ten, eleven, five)

3

Переведите на английский язык.

1. Здравствуйте! Я Сэм Дейвис. Я не опоздал?
2. Мне еще нет девятнадцати лет. Мне только семнадцать.
3. Я еще не в отпуске. Пожалуйста, позвоните мне.

4. Я все еще у себя в гостинице. Я занят до семи часов.

5. — Я (пришел) вовремя? — Да, сейчас только 9.

ЗВУКИ И БУКВЫ

9. Краткий безударный гласный звук [ə].

Послушайте и посмотрите, как читаются следующие слова:

'madam, 'system, 'talent, 'pilot, 'album, 'businessman

Вы услышали, что в безударных слогах гласный звук произносится нечетко, ослабленно (редуцированно).

Вы увидели, что безударный гласный звук [ə] передается на письме разными гласными буквами — в указанных примерах буквами **a, e, o, u**.

Произнесите, подражая образцу, и скажите, что, по-вашему, означают эти слова (все они — существительные).

'system	album ['ælbəm]	salad ['sæləd]
'emblem	talent ['tælənt]	lemon ['lemən]
'moment	festival ['festɪvl]	lemonade [ˌleməˈneɪd]

Прочитайте вслух следующие имена.

Sheila ['ʃiːlə], Pamela ['pæmələ], Alan ['ælən], Ada ['eɪdə]

Новые слова 🔊

pilot ['paɪlət]	пилот, летчик; лоцман
seaman ['siːmən]	моряк
(мн.ч.) seamen ['siːmən]	
businessman ['bɪznɪsmən]	бизнесмен, коммерсант
(мн.ч.) businessmen ['bɪznɪsmən]	
assistant [əˈsɪstənt]	помощник
'lab assistant	лаборант
'shop assistant	продавец (в магазине)
madam ['mædəm]	вежливое обращение к женщине (без последующих имени и фамилии)
ma'am [mæm]	сокр. от madam (разг.)

Урок-комплекс 3

hospital ['hɔspɪtl]   больница, госпиталь

  be in hospital   лежать в больнице

  He's still in hospital.

hostel ['hɔstl]   общежитие

potato [pə'teɪtəu]   картофелина; картофельный

  potatoes   (мн.ч.) картофель

salad ['sæləd]   салат (блюдо)

lemon ['lemən]   лимон

  lemon tea   чай с лимоном

Italy ['ɪtəlɪ]   Италия

Italian [ɪ'tæljən]   итальянский; итальянский
                                             язык; итальянец, итальянка

  She's Italian.

  Let me say it in Italian.

Finland ['fɪnlənd]   Финляндия

10. Сильные и слабые формы служебных слов*.

Запомните новые служебные слова

at [æt, ət]   **1.** предлог места**

at my lesson   на моем уроке

at home [ət'həum]   (у себя) дома

  I'm at home.   Я дома.

  Phone me at home.   Позвоните мне домой.

---

*   В словаре учебника сначала дается транскрипция полной (сильной) формы служебного слова, а затем его редуцированных (слабых) форм, если они имеются.

**   В современном английском языке предлоги in и at иногда взаимозаменяемы в некоторых сочетаниях, отвечающих на вопрос *где?* **In** his hotel = **At** his hotel. (*Ср. русск.* на кухне — в кухне.)

2. предлог времени

at seven	в семь (часов)
at seven fifteen	в семь пятнадцать
at seven a.m. [ət'sevn 'eɪ'em]	в семь часов утра (*буквы* **a.m.** *являются сокращениями латинских слов, означающих* **до полудня**)*
at seven p.m. [ət'sevn 'piː'em]	в семь часов вечера (*буквы* **p.m.** *являются сокращениями латинских слов, означающих* **после полудня**)*
and [ænd, ənd, ən] (*союз*)	**1.** и (*обычно произносится* [ənd] *перед гласными и часто* [ən] *перед согласными*)
In Spain and Italy.	В Испании и (в) Италии.
	2. а
He's Spanish, and she's Italian.	Он испанец, а она итальянка.

Среди односложных и вспомогательных слов есть целый ряд слов, безударная форма которых обычно бывает редуцированной, слабой: у некоторых из них гласный звук редуцируется до нейтрального [ət], у других — укорачивается [ʃi], у некоторых не произносится совсем. В последнем случае на письме вместо гласной буквы ставится апостроф: **I'm busy. He's in. She isn't at home.** Есть и такие служебные слова, которые почти не редуцируются, хотя и произносятся без ударения, например, предлоги **in, on, till**.

Послушайте, как произносятся в изолированном положении под ударением известные вам служебные слова:

and [ænd], at [æt], am [æm], is [ɪz]

---

* Обозначения **a.m.** и **p.m.** употребляются, как правило, в официальной обстановке, когда речь идет о расписании и т.п.

Урок-комплекс 3

Послушайте, как те же слова звучат в естественном речевом потоке:

meat and salad ['mi:t ən(d) 'sæləd]	She's at home. [ʃiz ət 'həum]
tea and toast ['ti: ən 'təust]	Meet me at five. ['mi:t mi ət 'faɪv]
lemons and apples ['lemənz ənd 'æplz]	See me at seven. ['si: mi ət 'sevn]

УПРАЖНЕНИЯ

1

Прочитайте вслух и переведите примеры на новые слова.

1. pilots and seamen, planes and ships, hotels and hospitals
2. meat and potatoes, ham and salad
3. in Italy and Spain, in Spain and Italy, in Finland and Italy
4. "I'm in Italy, Alan's in Spain, and Pamela's in Finland." "Not bad!"
5. Please stay till five and phone him at his hostel. Please phone me at home at seven.
6. "Hello, I'm Alan Davies, Miss Benson's assistant." "Hello, Alan. I'm Sheila Stanley."
7. "Is Adam still in hospital?" "No, he's at home."
8. "Let me have my telephone bill and pay it."
   "Yes, madam."
9. "Is his plane at 9 a.m.?" "No, it's at 9 ⤵p.m."
   "Is his lesson at 5?" "No, not at 5, at 7."
10. "Isn't she Italian?" "No, she's Spanish. ⤵He's Italian."
11. Please say it in Italian.

2 〇〇

Инсценируйте диалоги, заменяя выделенные слова словами, данными в скобках.

1

В кафе

Официант: ⤴Yes, madam?
Посетитель: **Meat and potatoes**, please!

Урок-комплекс 3

Официант: ⌐Yes, madam.

(ham and salad; tea and toast; beef
and salad; fish and potatoes)

2

Из телефонного разговора

A. I'm busy at **five**. My assistant isn't. Please phone him. His name's
Alan Davies. He isn't busy at **five**.
B. I see. Fine.

(nine; seven; eleven)

3

A. Let's visit Alan at his **hostel** at ten.
B. Fine, let's.

(hotel; lab)

3

Заполните пропуски предлогами.

1. Please phone me _____ home _____ seven.
2. "Is Mrs Flynn _____ Italy?" "No, she's _____ Spain."
3. She isn't _____ holiday. She's _____ Italy _____ business.
4. Let's meet _____ five. Only don't be late.
5. "His plane's _____ 7 p.m." "No, it's _____ 7 ⌐a.m"
6. Please leave my mail _____ my table.
7. Let me have list seven. It's _____ Ben's shelf.
8. "Is my name _____ his list?" "Yes, it is."
9. It's so noisy _____ his lab!
10. "Is he _____ home yet?" "No, he's still _____ his lesson."

4

Переведите на английский язык.

1. Позвони мне, пожалуйста, домой.
2. Пожалуйста, позвони мне в пять пятнадцать.
3. Алан все еще болен? — Да, он все еще в больнице. —
   Да? Давайте навестим его. — Да, давайте!
4. Фамилия моего помощника Адамс. Позвоните ему, пожалуйста, в (его) общежитие.

Урок-комплекс 3

5. Пусть Анна останется и поможет мне.
6. Давайте останемся и урегулируем это!
7. — Она испанка? — Нет, итальянка.
8. Скажите это по-итальянски.

Проверьте себя. Что бы вы сказали в следующих ситуациях?

1. Ваш знакомый позвонил вам на работу. Скажите, что **вы все еще заняты**. Попросите **позвонить вам домой в 7 часов**.
2. У вас и ваших коллег остался один нерешенный вопрос. Предложите всем **задержаться (остаться) до семи и урегулировать его**.
3. К вам пришел посетитель, но вы заняты. Попросите его **переговорить (повидаться) с вашим помощником. Его зовут Сэм Бейли. Он на месте до пяти**.
4. Предложите вашему знакомому (знакомой) **встретиться в пять и поиграть в теннис**. Попросите его (ее) **быть вовремя и не опаздывать**.

ЗВУКИ И БУКВЫ

11. Звук [ə] также передается буквосочетаниями **er** [i:ɑ:], **ur** [ju:ɑ:] в безударном положении*.

Новые слова

Mr (mister)	мистер, господин (*употр. только с последующей фамилией, не имеет фразового ударения, пишется только сокращенно*)
Mr Bennett ['mɪstə 'benɪt]	
sister ['sɪstə]	сестра
her [hə]** *(мест.)*	1. ее
her family	ее семья

---

*   Подробно чтение буквы **r** [ɑ:] дано в уроке 6.

**   Дается наиболее часто встречающаяся слабая форма [hə]. Сильная форма [hə:], см. урок 6.

Урок-комплекс 3

2. ей, ее

Please tell her.	Пожалуйста, скажите ей.
Meet her.	Встретьте ее.
dinner ['dɪnə]	обед (*обычно в вечернее время*)
at dinner	за обедом
Saturday ['sætədɪ] ['sætədeɪ] (*сокр.* Sat.)	суббота (*названия дней недели всегда пишутся с большой буквы*)
on Saturday	в субботу
on Saturdays	по субботам
September [səp'tembə]	сентябрь
November [nəu'vembə]	ноябрь

УПРАЖНЕНИЯ

Прочитайте вслух и переведите примеры на новые слова.

1. her name, her family, her sister, her holiday
2. Please see Mr Bennett's assistant. Her name's Pamela Stanley. Let her phone Mr Bennett and settle it.
3. Let me have her file, please. It isn't on her table.
4. Anne's still at home. Please phone her.
5. "Alan! Meet my sister Bess." "Hi, Bess! Hi, Alan!"
6. "Anne's plane's at 7 p.m. on Saturday."
   "I'm not busy on Saturday. Let ⁀me meet her." "Fine!"

2

Прочитайте диалоги вслух и разыграйте их.

1

A. Is Adam in?
B. No, he's still ill.
A. Oh? Is he in hospital?

Урок-комплекс 3

B. No, at home. Let's visit him on Saturday.
A. On Saturday? Let me see ... Yes, let's. Only phone him and tell him.
B. Fine.

2

A. Listen Bob. I'm not busy on Saturday. Let's meet and play tennis, say,* at five.
B. At five? Yes, fine. Only let me phone Betty and tell her.
A. Yes. And let me phone Anne.
B. Fine!

12. Наречие частотности **often** ['ɔftən, 'ɔf(ə)n] — *часто*.

> Слово **often** относится к небольшой группе наречий, обозначающих неопределенное время или частотность (*часто, всегда* и др.). Эти наречия имеют фиксированное место в предложении. В утвердительном предложении с глаголом **be** они обычно стоят после него, а в вопросительном предложении после подлежащего.
>
> He's **often** busy.   She's **often** late.   Is he **often** so busy?

Внимание!

> Понятие *редко (нечасто)* обычно передается сочетанием **отрицательной** формы сказуемого со словом **often**.

| He **isn't often** late. | Он редко (нечасто) опаздывает. |
| He **isn't often** at home. | Она редко (нечасто) бывает дома. |

Словосочетание **not often** может служить ответом на **общий** вопрос со словом **often**.

> "Is she **often** so busy?" "No, **not often**."

---

* **say** — *зд.* скажем

Урок-комплекс 3

УПРАЖНЕНИЯ

1 🔘

Повторите, подражая образцу, и переведите.

а) 1. I'm often busy till seven.
2. Ben's often busy in his lab till nine.
3. "Anne's often late." "Oh, is she?" "Yes, she is. She's so lazy and idle!"
4. I'm often at home at five. Please phone me.
5. It's often hot in Italy in September.

б) 1. Mr Benson isn't often late.
2. Pamela isn't often idle.
3. She isn't often ill.
4. I'm not often so busy.
5. It isn't often hot in Finland.
6. "Ben's shop isn't often empty." "No, it isn't, and he's happy."

в) 1. "Is he often busy on Saturdays?" "No, not often."
2. "Is she often at home at seven?" "No, not often."

2

Добавьте слово *often*, прочитайте вслух и переведите.

1. Alan's late.
2. His shop's open till nine.
3. She's in her lab at five.
4. Is he busy on Saturdays?
5. Is it hot in Italy in September?
6. Is he in his hotel at eleven?
7. I'm not at home on Saturdays.
8. Ben isn't ill.

3 ✎

Переведите на английский язык.

1. Он часто опаздывает. Она редко опаздывает.
2. Его магазин часто бывает открыт до девяти. Ее магазин редко бывает открыт по субботам.

Урок-комплекс 3

3. В Италии часто бывает жарко в сентябре. В Финляндии редко бывает жарко в мае.

4. Я редко бываю дома в 5 часов. Пожалуйста, позвоните мне в 7.

ГРАММАТИКА

13. Неопределенный артикль **a (an)**.

13.1. Неопределенный артикль — определитель исчисляемых существительных в единственном числе*.

Послушайте и посмотрите:

a map — five maps	an apple — ten apples
a boy — seven boys	an event — five events

Служебное слово, которое стоит перед каждым из исчисляемых существительных в единственном числе — неопределенный артикль **a (an),** — показывает, что существительное обозначает *одного представителя какого-то класса* предметов или лиц:

I'm a businessman.	Я бизнесмен (а не летчик, преподаватель, моряк и т.д.).
He's a pilot.	Он летчик (а не бизнесмен и т.д.).
It's a hotel.	Это гостиница (а не театр и т.д.).

Перед русским существительным в этих случаях можно мысленно поставить одно из следующих слов: *один, какой-то, какой-нибудь (какой-либо), любой, всякий, каждый, такой*, например:

Я провел там **день** (один день).
Это новое **место** (какое-то новое место).
Мы купили **телевизор** (один из телевизоров, а не холодильник, не радиоприемник, не машину и т.д.).

---

* Существительные, обозначающие предметы или живые существа, которые можно сосчитать, называются и с ч и с л я е м ы м и.

Урок-комплекс 3

С этой работой может справиться **человек** со средним образованием (любой человек, всякий, каждый, такой человек, который имеет среднее образование).

13.2. Неопределенный артикль безударен, поэтому он произносится в своих слабых, редуцированных формах, слитно с последующим словом.

Перед словом, начинающимся с согласного звука:	Перед словом, начинающимся с гласного звука:
[ə]	[ən]
a set, a list, a file, a pen	an apple, an event, an assistant

13.3. Когда существительному предшествует определение, артикль относится ко всему сочетанию и стоит на первом месте:

a happy man — *счастливый человек* (один из счастливых людей)

an old hotel — *старая гостиница* (одна из старых гостиниц)

ПРИМЕЧАНИЯ.

1) Если перед существительным стоит притяжательное местоимение, артикль не употребляется: my family; his name; her flat.

2) В сочетаниях типа **a** seaman's life, **a** shop assistant's pay артикль относится к существительному в п р и т я ж а -т е л ь н о м падеже. Поэтому, если в притяжательном падеже стоит имя собственное, артикль в таких сочетаниях н е употребляется:

Adam's sister;
Mr Bennett's assistant.

УПРАЖНЕНИЯ

1

Произнесите, подражая образцу.

1. a lamp, a bed, a pen, a film, a shop, a hotel, an event, an apple, an assistant

Урок-комплекс 3

2. a plan, a simple plan, an easy plan, a holiday plan; a shop, an old shop, a little old shop; a film, an old film, a fine old film, an old Italian film; a photo, an old photo, an old family photo

3. on a fine day in September; in a fine little hotel; in a little pet shop

4. My name's Alan. I'm a pilot. My sister Nelly's a typist.* Tom Lloyd's a lab assistant. Mr Bennett's a businessman.

5. My plan's simple. It's a simple plan. His team's fine. It's a fine team.

6. Is it an old hotel? Is it old? Is it an empty file? Is it empty?

7. He isn't an old man. He isn't old. It isn't an easy test. It isn't easy.

8. Have an apple, Billy! Let me have an empty file, Ms Dene. Let me have a pad and a pen.

2

Заполните пропуски соответствующей формой артикля и прочитайте вслух.

A или AN?

1. ... day, ... fine day, ... film, .. silly film, ... Italian film, ... shop, ... open shop, ... hotel, ... old hotel, ... little hotel

2. on ... fine day, in ... empty tent, in ... heavy boat, on ... old plane, in ... silly old film, in ... little old shop, in ... bad old hospital, at ... fine old hotel

3

а) Прочитайте вслух тексты, объясните употребление неопределенного артикля.

1.
Bob Hobson's fifty-five. He's a seaman.
It's a fine day in May. He's at sea** in an old boat. A seaman's life isn't easy.

---

*   **typist** ['taɪpɪst] — машинистка

** **sea** — море

at sea — в море, в плавании

2.

Tom Lloyd's a lab assistant in Sheffield. He isn't in his lab. He's on holiday in Spain. It's often hot in Spain in September. Have a pleasant holiday, Tom!

3.

Miss Fennell's nineteen. She's a shop assistant in a London shop. A shop assistant's life isn't easy! Oh, no!

б) Согласны ли вы со следующими высказываниями?

1. Bob Hobson isn't a seaman. He's at home. Bob Hobson is a pilot. He's in his plane.
2. Tom Lloyd's a shop assistant in Leeds. He's on holiday in Finland. It's May. He's still in his lab.
3. Miss Fennell's fifty. She's a lab assistant in Leeds. A shop assistant's life's easy.

Перефразируйте, как показано в образце.

Дано: My file's empty.
Требуется: It's an empty file.

1. My hotel's noisy.
2. Anne's flat's little!
3. His plan's simple.

4. Ben's team's fine.
5. Her test is easy.

В некоторых из этих предложений пропущен артикль. Добавьте его там, где это необходимо, прочитайте вслух и переведите.

1. He's happy man.   He's happy.
2. It's fine day.   It's fine.
3. She's old.   She's old lady.
4. My flat's little.   It's little flat.
5. He's Spanish businessman.   He's Spanish.
6. It isn't easy test.   It isn't easy.
7. His plan isn't simple.   It isn't simple plan.

Урок-комплекс 3

ЗВУКИ И БУКВЫ

14. Краткий гласный звук [ʌ].

Послушайте, посмотрите, произнесите:

[ˈʌp ˈʌs ˈsʌn ˈfʌn]

14.1. В некоторых словах звук [ʌ] передается на письме буквой **o**: son, love.

Произнесите, подражая образцу, затем прочитайте вслух самостоятельно.

son, love, some, 'Monday, 'sometimes, lovely

Новые слова 🔘

Monday ['mʌndɪ]	понедельник
on Monday	в понедельник
on Mondays	по понедельникам
Till Monday! Bye!	До понедельника! До свидания!
son	сын
money ['mʌnɪ]	деньги

Внимание!

Слово **money** — существительное единственного числа!

His money**'s** on my table.	Его деньги у меня на столе.
It's on my table.	**Они** у меня на столе.

---

lovely ['lʌvlɪ]	1. очень красивый (*о женской красоте или о природе*); чудесный, прекрасный

lovely days (babies, apples, slides)
Isn't she lovely!

2. Прекрасно! (*восклицание, выражающее радостное согласие*)

"Let's play tennis!" "Lovely!"

Урок-комплекс 3

London ['lʌndən]   Лондон

Miss Adams is in London.

14.2. Звук [ʌ] передается также буквой **U, u** [juː] по второму (краткому) типу чтения: **Mum, Mummy, sun.**

Прочитайте вслух, подражая образцу:

fun, funny, nut, but, bunny, muddy, shut, number

Новые слова

us [ʌs, əs]   нам, нас

Please help us.

Please send us models 70 and 75.

После слова **let** местоимение us редуцируется до [s].

let's ... = let us ...

bus   автобус

(мн.ч.) buses ['bʌsɪz]

Внимание: порядок слов!

a fifteen bus   пятнадцатый автобус (автобус № 15)

---

bus stop ['bʌs stɔp]   автобусная остановка

at a bus stop   на автобусной остановке

but [bʌt, bət] (*союз*)   но (*произносится без ударения*)

It's a splendid plan, but it isn't simple.

number ['nʌmbə]   номер, число

Please let me have his phone number.   Дайте мне, пожалуйста, его телефон. (*В английском языке слово number не опускается.*)

Урок-комплекс 3

number 7	номер 7, седьмой номер (*но номер обуви, одежды и т.п.* — size)
cup	чашка
double ['dʌbl]	двойной (*часто о двойной букве, цифре в номерах телефонов, документов и т.п.*)

Phone him at 597 00 99 ['faɪv 'naɪn ʃsevn 'dʌbl 'əu'dʌbl ɔnaɪn]

Mum, Mummy	мама, мамочка
Sunday ['sʌndɪ]	воскресенье
funny	**1.** смешной, забавный
It's a silly film, but it's funny.	Это глупый фильм, но смешной
	2. странный, чудной
Isn't it funnyl	Ну не странно ли это!
such [sʌtʃ]*	такой (*употребляется при наличии существительного*)
It's such a simple test.	Это такой простой тест.

Сравните: so — such

Lesson eleven's **so** easy!	Урок 11 такой легкий!
It's **such** an easy lesson!	Это такой легкий урок!

---

15. Наречие частотности **sometimes** ['sʌmtaɪmz] — *иногда.*

Слово **sometimes** в утвердительном предложении может занимать то же место, что и слово **often**.

---

* Подробно звук [tʃ] дан в уроке 4, с.155.

Сравните:

He's **sometimes** late. He's **often** late.

Кроме того, оно может стоять в начале предложения и в конце:

Sometimes he's late. He's late **sometimes**.

ПРИМЕЧАНИЕ.

В отличие от слова **sometimes** — *иногда*, словосочетание **some time** ['sʌm 'taɪm] означает *когда-нибудь, как-нибудь* (о будущем):

Let's ⌐visit him **some time**. Давай как-нибудь навестим его.

УПРАЖНЕНИЯ

1 ◉◉

Прочитайте вслух, переведите примеры на новые слова.

1. "Her son's ten on Sunday." "Oh, isn't he eleven?" "No, only ten."
2. My son's sometimes at his lessons till seven.
3. "Is Alan at home?" "No, not yet. Please phone him at five. He's sometimes at home at five."
4. "Sometimes I'm busy at my lab till nine." "Oh, so late?" "But I'm not often so busy, only on Mondays."
5. "Let's meet and play tennis some time." "Lovely!"
6. "Let's visit Anne some time." "Fine, let's."
7. Don't leave his money on my table, please. Leave it on his table.
8. "Is Mr Benson in?" "No, he's still in London. Please phone on Monday."
9. Don't send us model 70. Please send us models 75 and 77.
10. Let him leave us his old notes.
11. It's Sunday, but he's still busy at his lab.
12. Please phone me not on Saturday, but on Sunday. Sometimes I'm not at home on Saturdays.
13. It's such a silly film, but it's so funny!
14. Little Bobby's so noisy, but he's such a lovely baby!
15. Amy's so silly, but she's lovely.

Урок-комплекс 3

2

Скажите по буквам следующие слова и прочитайте вслух номера телефонов, употребляя слово *double*.

1. sleepy, telly, tennis, lesson, hobby, lobby, settle
2. 575 00 99; 975 05 77; 957 55 09; 570 99 77

3 ✎

Выберите правильное слово.

SO или SUCH?

1. Bob's _____ a busy man! He's _____ busy!
2. Model 17 is _____ old! It's _____ an old model!
3. Lesson eleven's _____ easy! It's _____ an easy lesson!
4. Her boss is _____ a funny man! He's _____ funny.
5. His hostel's _____ noisy! It's _____ a noisy hostel!
6. It's _____ a fine day! It's _____ fine!
7. Her flat's _____ lovely! It's _____ a lovely flat!

4 ☉☉

Прочитайте диалог вслух и разыграйте его, заменяя номер телефона.

A. Sometimes I'm not ˥in on Mondays. Please phone Miss Stanley, my assistant.
B. Let me have her phone number, please.
A. **590 77 55**.

(575 00 99; 570 99 77)

5 ✎

Допишите недостающие части диалогов и разыграйте их.

1

A. _____ Anne at home yet?
B. No, not yet. _____ _____ still _____ _____ _____.
A. Is she often at her lessons so late?
B. No, not _____. Only _____ Mondays.

2

A. Mr Bennett's still busy at his hotel.
B. _____ he often so _____ on Saturdays?
A. No, not _____, only sometimes.
B. I see.

3

A. _____ _____ Spanish?
B. No, she's Italian. Her Mum's Italian.
A. Oh,_____ _____?
B. Yes, she is.

6 ✎

Переведите на английский язык.

1. — Я иногда опаздываю по понедельникам. Позвоните моему помощнику. Его зовут Бен Дейвис. — Дайте мне его номер телефона, пожалуйста.
2. Пожалуйста, повидайтесь со мной в одиннадцать пятнадцать в понедельник.
3. — Мои деньги у меня на столе? — Да.
4. — Дэйв дома? — Нет, позвоните ему в семь. Он иногда бывает дома в семь.
5. — Давай встретимся и поиграем в теннис как-нибудь. — Прекрасно.
6. Это такой глупый фильм, но он такой смешной!
7. Пусть он оставит нам свои старые записи.

ГРАММАТИКА

16. Исчисляемые существительные во множественном числе.

Поскольку неопределенный артикль сохранил значение числительного *один,* от которого он произошел, он не может стоять перед существительным во множественном числе. Перед исчисляемым существительным во множественном числе, обозначающим н е к о т о р о е ч и с л о предметов, в утвердительном предложении употребляется слово **some** в безударной

Урок-комплекс 3

(слабой) форме [s(ə)m], которое в данном случае может соответствовать русскому слову *несколько*, но может и не переводиться:

Let's see **some** slides. Давайте посмотрим слайды (*несколько слайдов*).

Исчисляемое существительное во множественном числе, обозначающее *класс, категорию* предметов, слова **some** перед собой *не* имеет:

His hobby's slides, and my Его хобби — слайды, а мое
hobby's stamps.   хобби — марки.

УПРАЖНЕНИЯ

1

Прочитайте вслух следующие предложения и объясните, почему перед некоторыми исчисляемыми существительными во множественном числе есть слово *some*, а перед некоторыми его нет.

 1. Have some apples, Amy!
 2. His hobby's old films. My hobby's old stamps.
 3. Please buy me some stamps.
 4. Let me have some tapes till Monday.
 5. Please send us some photos and slides.
 6. Let's buy some apples.
 7. Let me open some tins.
 8. My hobby isn't photos. It's films.

2

Употребите выделенные существительные во множественном числе, используя слово *some*.

 1. Let's see **an easy test**.
 2. Let me open **an old bottle**.
 3. Have **an apple**!
 4. Let me find **a map**.
 5. Please buy me **a stamp**.
 6. Please send us **a model**.
 7. Let's leave him **a tape**.

3 ✎

В некоторых из этих предложений пропущено слово *some*. Добавьте его там, где это требуется, прочитайте вслух и переведите.

1. His hobby's films.
2. Please lend me pens.
3. Let me have maps.
4. Ben's hobby's slides.
5. Let him leave me tapes.
6. Let me have slides till Monday.
7. Lovely apples!
8. Please buy me apples.

ГРАММАТИКА

17. Неисчисляемые имена существительные.

17.1. Существительные, обозначающие абстрактные понятия (*время, любовь, помощь* и т.п.) или вещества и материалы (*чай, сталь, воздух* и т.п.), которые можно измерить, но нельзя пересчитать, условно называются н е и с ч и с л я е м ы м и. Они не имеют формы множественного числа и *не* употребляются с неопределенным артиклем:

Time's money.   It's Spanish money.

Если речь идет о чем-либо неисчисляемом *в ограниченном количестве в конкретной ситуации*, то в утвердительном предложении соответствующее существительное употребляется с безударным словом **some** [s(ə)m] в значении *немного, некоторое количество*, которое чаще всего на русский язык не переводится:

Let's have some tea.   Давайте выпьем чаю.

Lend me some money.   Одолжи мне немного денег.

17.2. Слово **some** может заменять ранее употребленное исчисляемое существительное во множественном числе или неисчисляемое существительное:

Lovely apples! Let's buy some.
"Lovely salad!" "Please have some."

Урок-комплекс 3

ПРИМЕЧАНИЕ.

Следует иметь в виду, что неисчисляемость и исчисляемость не во всех случаях являются постоянными свойствами существительных, а зависят от того, какое понятие данное существительное выражает в конкретном контексте. Так слово **time** как общее понятие является неисчисляемым: **Time's money.**

Однако в значениях *период, отрезок времени; раз* оно является исчисляемым:

a happy time	счастливое время
happy times	счастливые времена
ten times	десять раз

Это относится и к некоторым другим существительным:

Let me see tapes 5 and 7.	Разрешите мне посмотреть фонозаписи № 5 и № 7 (*исчисл.*).
It's on tape.	Это (*записано*) на пленке (*неисчисл.*).
A lovely apple pie!	Замечательный пирог! (*исчисл.*)
Have some apple pie!	Попробуйте (*поешьте*) яблочного пирога! (*неисчисл.*)

УПРАЖНЕНИЯ

Прочитайте вслух следующие предложения и объясните, почему перед некоторыми неисчисляемыми существительными стоит слово *some*, а перед некоторыми его нет.

1. "Please have some beef and salad." "Lovely salad!"
2. Let me buy an apple pie and let's have tea at home.
3. Let's have some tea.
4. "Is it Italian money?" "No, it's Spanish."
5. Please lend me some money till Saturday.

2

В некоторых предложениях пропущено слово *some*. Добавьте его там, где это требуется, и прочитайте получившиеся правильные предложения вслух.

1. Please lend me money and let me pay my telephone bill.
2. Time is money.
3. Let me have hot tea.
4. "Lovely beef!" "Oh, yes."
5. Please buy fish and ham.
6. Please have toast!
7. Let me have apple pie.

ГРАММАТИКА

18. Предлог **of**.

18.1. Предлог **of** [ɔv, əv] является одним из способов выражения в английском языке тех отношений, которые в русском языке передаются при помощи родительного падежа. В основном он употребляется перед неодушевленными существительными.

a list **of** names	список фамилий
a map **of** London	карта Лондона
a cup **of** tea	чашка чая
a tin **of** beef	банка мясных консервов
a bottle **of** lemonade	бутылка лимонада
a bit **of** ham	кусочек ветчины
a little bit **of** meat	маленький кусочек мяса
models **of** planes	модели самолетов
types **of** TV sets	типы телевизоров

18.2. Предлог **of** употребляется также в значении *из* перед названием группы предметов, из которых выделяется какая-то их часть.

Сравните:

five **of** his models	пять (из) его моделей (у него больше пяти моделей)

Урок-комплекс 3

his five models   его пять моделей (у него всего пять моделей)

18.3. Слово **some** перед предлогом **of** означает *некоторые* (об исчисляемых существительных) и *некоторая часть* (о неисчисляемых) и произносится с ударением в своей сильной форме [sʌm]:

some of Fellini's films   некоторые фильмы Феллини (некоторые из его фильмов)

some of my tests   некоторые мои опыты (некоторые из моих опытов)

some of my time   (некоторая) часть моего времени

some of his money   часть его денег

ПРИМЕЧАНИЕ.

Если после предлога **of** идут однородные члены предложения, он, как и другие предлоги, обычно не повторяется:

a list **of** names and dates   список фамилий и дат

models **of** ships and planes   модели пароходов и самолетов

УПРАЖНЕНИЯ

1

Повторите, подражая образцу, и переведите. Следите за правильным произношением предлога *of*.

1. dates of events, names of films, types of tests, types of business
2. a cup of tea, a model of a plane, a list of hotels, a map of London, a plan of Leeds
3. ten of Tom's slides, seven of my bills, five of his assistants
4. some of my tests, some of his lists, some of Ben's films, some of Dave's photos, some of my time, some of her money

2

Прочитайте вслух и переведите.

1. Please type a list of names and dates.
2. Please buy me a map of London.

3. Let me have a map of Finland.
4. Let me open a tin of beef.
5. Let him leave some of his files on my table.
6. Let's see some of her best slides.
7. Let me have some of his tapes till Monday.
8. "A cup of tea?" "Yes, lovely!"

3

Повторите, употребляя подсказанные слова.

1. Let's see some of her best **tests**.
    • slides • films • photos • models •
2. Please let me have a map **of London**.
    • Leeds • Italy • Spain • Finland •
3. Let me open **a tin of ham**.
    • a tin of beef • a tin of fish • a bottle of lemonade •

4

Переведите на английский язык.

1. Дайте мне, пожалуйста, карту Лондона.
2. Давайте я оставлю ему некоторые из моих фотографий.
3. Дайте мне, пожалуйста, некоторые из его фонозаписей до понедельника.
4. Давайте посмотрим некоторые его опыты в понедельник.
5. Пусть он оставит часть своих папок на моем столе.
6. Давайте посмотрим некоторые из моих лучших слайдов.
7. Поешь ветчины!
8. Откройте, пожалуйста, бутылку лимонада.
9. — Возьмите яблочного пирога! — Замечательный пирог!

ГРАММАТИКА

19. Модальный глагол **shall** в вопросительных предложениях.

В вопросительном предложении глагол **shall** [ʃæl] означает просьбу дать распоряжение в отношении дальнейших действий:

'Shall I 'spell my ⌃name?	Сказать мою фамилию по буквам?
'Shall I ⌃help her?	Помочь ей?
'Shall I ⌃phone him?	Позвонить ему?

Урок-комплекс 3

Возможные варианты ответа на такой вопрос:

Yes, please!   Oh, no, don't!
Yes!   No, not yet.

УПРАЖНЕНИЯ

1

Повторите, употребляя подсказанные слова.

Shall I **spell it**?

• phone him • tell him • post it • stay • play some of my tapes • pay some of his bills • leave him some of my slides •

2

Спросите о том, что следует делать, используя следующие слова.

stay and listen, stay and finish my list, stay and type it, lend him my notes, lend him some money, leave him some of my tapes, buy him a map of London

3

Прочитайте диалоги вслух и инсценируйте их.

1

A. Shall I phone Mr Benson?
B. Yes, please. Phone him **at eleven on Monday**.

   (at home on Saturday;   at ten fifteen on Monday)

2

A. Shall I see Mr Bennett?
B. Oh, no. Please see his assistant. Her name's Pamela Stanley.

3

A. Shall I visit Bill?
B. Oh, no, don't. Only phone him.
A. Fine.

4

A. Shall I pay his bill?
B. No, not yet. Leave it till Monday.

Переведите на английский язык.

1. — Оставить деньги Бена на его столе? — Да, пожалуйста.
2. — Оставить ему некоторые из моих слайдов? — Нет, не надо!
3. — Оплатить мой счет за гостиницу в понедельник? — Да, пожалуйста.
4. — Позвонить ему? — Да, пожалуйста. Позвоните ему домой в воскресенье.
5. — Сказать ей? — Нет еще.

ГРАММАТИКА

20. Присоединенный вопрос (вопрос-«хвостик»).

Послушайте и посмотрите:

His name's Davies, **isn't** it?	Его фамилия Дэйвис, да?
Miss Ellis **isn't** in yet, **is** she?	Мисс Эллис ведь еще нет на месте, да?

Как вы увидели, такие вопросы бывают двух видов:

1) *утвердительное* предложение + краткий вопрос в *отрицательной* форме;

2) *отрицательное* предложение + краткий вопрос в *утвердительной* форме.

Основное предложение произносится н и с х о д я-щ и м тоном. Интонация вопросительной части имеет два варианта:

Урок-комплекс 3

1. Краткая вопросительная часть произносится *восходящим* тоном, если говорящий ждет от собеседника ответа на свой вопрос:

It's time, ⌄isn't it?

Возможные ответы:

Yes.   No, (it isn't).
Yes, it is.   No, it's only nine.

2. Краткая вопросительная часть произносится *нисходящим* тоном, если говорящий не обязательно ждет ответа от собеседника, а лишь выражает свое мнение*.

It's hot, ⌝isnt it!

Возможные ответные реплики:

Yes!   Oh, no!
Yes, it is.

ПРИМЕЧАНИЕ.

В сугубо разговорном стиле присоединенный вопрос иногда заменяется словом **eh** [eɪ].

It isn't simple, eh?   Это не просто, а?

It's funny, eh?   Это странно, да?

УПРАЖНЕНИЯ

1

Прочитайте вслух, подражая образцу, и переведите. Следите за интонацией.

а. 1. Nelly's in time, isn't she?   в. 1. Bill isn't busy, is he?
  2. Bob's late, isn't he?   2. He isn't Italian, is he?
  3. Dave's at home, isn't he?   3. It isn't hot, is it?
  4. She's a typist, isn't she?   4. I'm not late, am I?
  5. It's a lovely day, isn't it?   5. She isn't in yet, is she?
  6. It's funny, isn't it?   6. His plane isn't late, is it?

---

*   Поскольку в этом случае высказывание представляет собой не
    столько вопрос, сколько замечание или восклицание, на письме в
    конце такого предложения часто ставится восклицательный знак:
    Dolly's lovely, ⌝isn't she!

2

Дополните следующие утверждения присоединенными вопросами, прочитайте вслух и переведите.

1. It's a fine old hotel, _____ _____?
2. It's a photo of Ben's team, _____ _____?
3. She's still on holiday, _____ _____?
4. Mr Bennett's often busy, _____ _____?
5. He's a businessman, _____ _____?
6. His mail's still on his table, _____ _____?
7. Amy's often late, _____ _____?
8. His son isn't a pilot, _____ _____?
9. Mrs Flynn isn't in London yet, _____ _____?
10. She isn't a shop assistant, _____ _____?
11. Dave isn't at home yet, _____ _____?
12. I'm not late, _____ _____?

3

Выразите те же мысли при помощи присоединенного вопроса, как показано в образце.

Дано: Isn't it a lovely day!
Требуется: It's a lovely day, isn't it!

1. Isn't he a busy man!
2. Isn't it a splendid team!
3. Isn't it a silly film!
4. Isn't it funny!

4

а) Прочитайте тексты вслух и переведите.

1.
Mr Bennett's in his London flat.
It's 10 p.m., but he's still busy.
He's such a busy man!

Урок-комплекс 3

2.

Pamela Stanley's Mr Bennett's assistant. She's nineteen and she's lovely, isn't she? Pamela's a splendid assistant, but her life isn't easy.

She isn't often idle. Sometimes she's even busy on Saturdays.

3.

It's eleven on Monday.

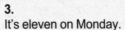

Mr Bennett: Please type a list of models and let Mr Davies see it.
Pamela: Yes, Mr Bennett.
Mr B. Let Alan test model 57. He's in, isn't he?
P. No, he's on holiday till Sunday. Shall I tell Bill?
Mr B. Yes, please. Let him test it.
P. Shall I send Mrs Flynn model 55?
Mr B. No, don't. It's an old model. Send her models 57 and 59.
P. Yes, Mr Bennett.

Pamela's life isn't easy, is it? Oh, no!

б) Ответьте на следующие вопросы. Следите за употреблением слов Yes и No.

1.

1. Mr Bennet's a seaman, isn't he?
2. He isn't a pilot, is he?
3. Mr Bennet isn't in London, is he?
4. He's in Sheffield, isn't he?
5. It isn't 10 p.m. yet, is it?
6. It's 11 a.m., isn't it?
7. Mr Bennet isn't busy, is he?

2.

1. Pamela Stanley is a shop assistant, isn't she?
2. She isn't nineteen yet, is she?
3. She's fifty, isn't she?
4. She isn't often busy, is she?
5. Her life's easy, isn't it?
6. She isn't busy on Saturdays, is she?

3.

1. It's ten fifteen on Saturday, isn't it?
2. Alan isn't on holiday yet, is he?
3. Bill isn't on holiday, is he?

в) Инсценируйте разговор г-на Беннета и мисс Стэнли.

г) Перескажите текст от лица мисс Стэнли. Вы можете начать так:

My name's Pamela Stanley. I'm Mr Bennett's assistant.

5

Проверьте себя. Что бы вы сказали в следующих ситуациях?

1. Начинается совещание. Вы не собирались на него оставаться. Спросите у своего начальника, нужно ли вам остаться и послушать.

2. Спросите, нужно ли позвонить г-ну Беннету. Спросите также, нужно ли вам повидаться с его помощником.

3. Вы регистрируетесь в гостинице. Назовите клерку свою фамилию. Спросите, не надо ли произнести ее по буквам.

4. Сообщите, что вы иногда не бываете на месте по понедельникам. Попросите позвонить вашему помощнику. Его зовут Алан.

5. Вы за столом. Попросите немного яблочного пирога.

6. Жарко. Попросите бутылку «Пепси» (Pepsi).

7. Холодно. Попросите чашку горячего чая.

Урок-комплекс 4

ЗВУКИ И БУКВЫ

1. <u>Глухой согласный звук [k].</u>

> Звук [k] — один из трех английских глухих согласных звуков [p, t, k], которые в положении перед ударным гласным произносятся с очень заметным придыханием.

Послушайте, посмотрите, произнесите:

> [ki:, keɪ, kaɪnd, əu'keɪ]

1.1. Звук [k] передается на письме несколькими способами, например, буквой **K, k** [keɪ].

Произнесите, подражая образцу:

1. с придыханием: **keep, kiss, kettle, Kitty, Kate**
2. без придыхания после звука [s]: **sky, skill, skate, skip**
3. отчетливо в конце слова: **make, take, like, smoke, speak, stake**

Новые слова

make	**1.** делать, сделать (*произвести*)
make a film	снять (*сделать*) фильм
make a list *(of)*	составить список (*чего-л.*)
	2. готовить (*о еде*)
make a meal	приготовить поесть (*завтрак, обед,* ужин)
make tea	заварить чай
make a pie	испечь пирог

speak

1. говорить (*на каком-л. языке*)

speak Spanish

говорить по-испански (*на испанском*)

2. разговаривать

Sh! Don't speak!

Тише! Не разговаривайте!

take

1. брать, взять

Shall I take tape five?

Let me take a pen and a pad.

2. ездить (*на транспорте*)

Let's take a bus.

Давайте поедем на автобусе.

Take an 11 bus.

Поезжайте на одиннадцатом автобусе.

3. отводить, отвозить, относить

Please take Bobby home. He's sleepy.

Пожалуйста, отведи Бобби, домой. Он хочет спать

Shall I take him a cup of tea?

Отнести ему чашку чая?

Запомните:

take a photo (of)   сфотографировать, сделать фотографию

Let me take a photo of his team.

Внимание!

Русским глаголам *взять, брать* в значении *воспользоваться, поесть, попить* часто соответствует глагол **have**, а не **take**.

Have some apple pie!   Берите (поешьте) яблочного пирога!

Let him have my slides till Monday.   Пусть он возьмет мои слайды до понедельника.

---

keep

1. держать, хранить, оставлять у себя

Shall I keep his tapes?

Мне оставить у себя его записи?

Урок-комплекс 4

2. содержать (*о семье, животных и т.д.*)

keep a family, keep some pets

Сравните: keep — hold

Please keep my files till Monday.	Подержите у себя мои папки до понедельника, пожалуйста.
Please hold my files a moment!	Подержите, пожалуйста, мои папки минутку!

---

skate (*глаг.*)   кататься на коньках

    Let's skate on Sunday.

skates (*сущ.*)   коньки

ski [ski:] (*глаг.*)   кататься на лыжах

    Let's not skate, let's ski.

skis (*сущ.*)   лыжи

    Finnish skis

key [ki:]   ключ (*от двери и т. п.*)

mistake [mɪs'teɪk]   ошибка

    make a mistake   сделать ошибку

    a bad mistake   грубая ошибка

    by mistake   по ошибке

steak [steɪk] (*сокр. от* **beefsteak** ['bi:f'steɪk])   бифштекс

milk   молоко

smoke   курить

    Please don't smoke!

    have a smoke   покурить (*однократное действие*)

    Let's have a smoke!

okay (O.K.) ['əu'keɪ]   хорошо, ладно

    "Please keep it till Sunday." "OK!"

    I'm okay!   У меня все в порядке (все хорошо, нормально, я здоров и т. п.).

УПРАЖНЕНИЯ

1

Прочитайте вслух и переведите примеры на новые слова.

1. my flat key, some keys, some of my keys; my old skates, fine Finnish skis; a bad mistake, some mistakes; my steak, some steak, a steak; a milk bottle, a bottle of milk
2. Don't take my key by mistake.
3. "Shall I take tape 5 home?" "Yes, take it and keep it."
4. "Please take his name and phone number." "O.K."
5. Let me take my pad and a pen.
6. Don't be late. Take a bus.
7. Ben's money's still on my table. Let him take it.
8. It's late. Let me take Amy home.
9. Let's stop and take some photos, okay?
10. "Shall I keep his old notes?" "No, don't."
11. "Shall I make some tea?" "Yes, lovely!"
12. Please make a list of models, Nelly, and don't make a mistake!
13. Let's make a simple test.
14. "Let me make some steak and salad and let's have a meal." "O.K."

2

Прочитайте микродиалоги вслух и разыграйте их.

1

A. Let's have a smoke.
B. Oh, no, Mike! Please don't smoke!
A. Okay.

2

A. Shall I take an **eleven** bus?
B. No, take a **seventeen**.

(fifteen — nineteen; ten — nineteen)

Урок-комплекс 4

3

Составьте присоединенные вопросы.

1. It's my key, ...? It isn't his key, ...?
2. It's not a mistake, ...? It's a bad mistake, ...?
3. Betty's son isn't ill, ...? He's okay, ...?

4

Выберите правильное слово.

TAKE, MAKE или KEEP?

1. Please _____ tape five home and _____ it till Saturday.
2. Let me _____ a photo of his family.
3. Shall I _____ some tea?
4. Please _____ my skis till Monday, okay?
5. "Don't _____ my keys by mistake."
6. Don't _____ a mistake!
7. Let's _____ some simple tests.

KEEP или HOLD?

1. It's such a heavy file. Please help me! _____ it a moment.
2. Let him _____ his files on my shelf.
3. "Hello! Mrs Flynn, please." "Mrs Flynn? Please _____ on a moment."
4. "Don't _____ his old lists." "O.K."

5

Переведите на английский язык.

1. — Мне взять список 5? — Да, возьмите и держите его у себя.
2. Дайте я возьму (свой) блокнот и ручку.
3. — Хранить его старые записи? — Нет, не надо.
4. Пожалуйста, составьте список фамилий.
5. — Не возьми мои ключи по ошибке. — Хорошо.
6. — Давай покатаемся на коньках в воскресенье. — Прекрасно.

Урок-комплекс 4

ЗВУКИ И БУКВЫ

1.2. Звук [k] передается также буквой **C, c** [si:] и буквосочетанием **ck**.

Прочитайте вслух, подражая образцу. Что означают эти слова?

coffee ['kɔfɪ], cassette [kə'set], disc, fact [fækt], hockey ['hɔkɪ], company ['kʌmpənɪ], cable TV ['keɪbl 'ti:'vi:]

Новые слова

come [kʌm]	приходить, приезжать, прилетать (*о движении в сторону говорящего*)

Come at five, please.

come home	приходить (*приезжать*) домой

Don't come home late.

'come 'in	входить

Please come in!

Внимание!

Словосочетание **come and + глагол** обычно употребляется в побудительных предложениях:

Come and have some tea.	Приходите попить чаю.
Let him come and see me on Monday.	Пусть он зайдет ко мне в понедельник.

---

back	назад, обратно
come back	возвращаться, приходить (приезжать) обратно
be back	вернуться

Isn't he back yet?	Разве он не вернулся?

Урок-комплекс 4

copy ['kɔpɪ] **1.** копия

  2. экземпляр

Shall I make some copies of list seven?

Yes, please type it in five copies.

cassette [kə'set] кассета

convenient [kən'vi:njənt] удобный, подходящий

  a convenient time, a convenient day

economist [ɪ'kɔnəmɪst] экономист

doctor ['dɔktə] доктор, врач

cake торт, кекс, пирожное (*ис-числ. и неисчисл.*)

  A lovely cake! Прекрасный торт! (*ис-числ.*)

  Have some cake! Возьмите торта! (*неис-числ.*)

coffee ['kɔfɪ] кофе

  make coffee сварить кофе

  Let me make some coffee.

cafe ['kæfeɪ] кафе

snack легкая еда, закуска

  have a snack перекусить, подкрепиться

  Let's have a snack in a cafe.

hockey ['hɔkɪ] хоккей

  play hockey

  a hockey team

coat	пальто
cat	кошка, кот

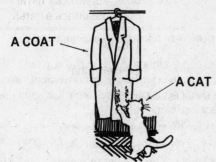

A COAT

A CAT

black	черный
a black cat, black coffee	
cold (*прилаг.*)	холодный
a cold day, a cold snack	
be cold	1. быть холодным
	2. мерзнуть
It's cold, isn't it?	Холодно, правда?
I'm not cold.	Мне не холодно.
cold (*сущ.*)	насморк, простуда
a bad cold	сильный насморк (сильная простуда)
Scotland ['skɔtlənd]	Шотландия
October [ɔk'təubə]	октябрь

> ### Внимание!
> В сочетании [kl] звук [k] сохраняет придыхание.

clean [kli:n]	чистый
a clean copy	
close [kləuz]	закрывать, закрываться
Please close it.	
closed [kləuzd]	закрытый

Ant. open

"Is his shop still closed?" "No, it's open."

Урок-комплекс 4

УПРАЖНЕНИЯ

1 📼

Прочитайте вслух и переведите примеры на новые слова.

1. a clean copy, a bad copy, a 'photo copy, in five copies;
   a convenient day, a convenient time, a convenient hotel, a
   convenient bus; a cold day, a cold snack, cold tea, cold meat;
   a black coat, a black cat, black coffee

2. "Please come and see me at eleven on Monday." "Fine."
   "Let him come and see me at my lab at ten fifteen." "Okay."

3. "Ben's shop's closed. It's often closed at seven." "No, it isn't
   closed yet. It's still open."

4. "Shall I close it?" "No, leave it open."
   "Shall I leave it open?" "No, please close it." "O.K."

5. Bill's in Scotland till October. Please leave his mail on his shelf.

2

Повторите, употребляя подсказанные слова.

1. Let him take **a copy**.
   • five copies • a clean copy • some cassettes •
   • some of my cassettes •

2. Shall I make **some coffee**?
   • some tea • some toast • a cake •

3. Let her come and see me **at eleven**.
   • at eleven on Monday • at ten on Saturday •

4. Please be back by **five**.
   • seven • nine • ten • eleven •

5. It's a convenient **day**, isn't it?
   • time • bus • hotel • lab • flat •

3 📼

Прочитайте диалоги вслух и инсценируйте их.

1

A. Shall I make some copies of it?
B. Yes, please make five, even ten.

2

A. Mike's an economist, isn't he?
B. No, he isn't. ⌐Kate is. Mike's a doctor.
A. Oh, I see.

3

A. Is his lab often closed **on Mondays**?
B. No, not often. Only sometimes.

(at nine, at eleven)

4

A. Shall I **come** at seven?
B. No, please **come** at five.

(come back, phone)

4

В некоторых из этих предложений пропущен артикль. Добавьте его там, где это необходимо, и переведите.

1. It's lovely old cafe. It's lovely, isn't it?
2. "It's such cold day!" "Yes, it's so cold!"
3. Shall I make clean copy? Is it clean?
4. It's lazy old cat. It's old and lazy.
5. Let me have cup of coffee. My coffee's cold.
6. It's convenient day, isn't it? It's convenient, isn't it?

ЗВУКИ И БУКВЫ

2. Долгий гласный звук [ɑ:].

Послушайте, посмотрите, произнесите:

[ʃɑ: ⌐ɑ: ʃpɑ:st ⌐klɑ:s]

Урок-комплекс 4

2.1. <u>Звук [ɑ:] может передаваться буквой **a** перед некоторыми сочетаниями согласных, например: **ask** [ɑ:sk], **past** [pɑ:st], **class** [klɑ:s], **half** [hɑ:f].</u>

Произнесите, подражая образцу, затем прочитайте вслух самостоятельно:

past, cast, last, fast, ask, task, mask, basket, casket, half

Произнесите, подражая образцу:

[ɑ:—æ]	[ɑ:—ʌ]	[æ—ʌ]
last — lass	class — bus	bat — but
past — pat	cast — cut	cap — cup
fast — fact	task — tusk	ban — bun

Новые слова 📼

past	после *(при обозначении времени)*
It's five past seven.	Пять минут восьмого.
It's past nine.	Десятый час.
half [hɑ:f]	половина; наполовину
half a day, half an apple	пол-дня, пол-яблока и т.д.
half empty	наполовину пустой, полупустой
It's half past five.	Половина шестого

2.2. <u>Звук [ɑ:] передается также буквосочетанием **ar** [eɪ ɑ:], в котором буква **r** [ɑ:]не читается.</u>

Прочитайте вслух, подражая образцу. Скажите, что, по-вашему, означают эти слова (все они существительные).

start, park, army, bar, barman, partner ['pɑ:tnə]

Урок-комплекс 4

Прочитайте вслух, обращая внимание на позиционную долготу:

протяжно	короче	еще короче
car	card	cart
bar	barn	bark
R	arm	art

Новые слова 📼

car   автомашина, автомобиль

Внимание: предлоги!

by car	на машине, машиной
in my (*her*, *his*) car	на моей (*ее*, *его*) машине

---

park (*сущ.*)   парк

car park   автостоянка

park (*глаг.*)   ставить машину на стоянку, парковаться

Let me park (my car).

party   вечер (*званый обед и т.д.*), вечеринка

have (give) a party   устроить вечеринку

be at a party   быть на вечеринке, в гостях

bar   бар, буфет (*в театре и т.п.*)

partner ['pɑːtnə]   партнер

a 'business partner, my 'tennis partner

УПРАЖНЕНИЯ

1 📼

Прочитайте вслух и переведите примеры на новые слова.

1. half a minute, half a day, half a cake, half an apple, half a bottle of milk, half a cup of coffee

Урок-комплекс 4

2. "Is it half past ten yet?" "No, it's only half past nine."
"It's seventeen minutes past seven, isn't it?" "No, it's only ten past seven."
"Come at half past nine. It's a convenient time, isn't it?" "Yes, it's okay."

3. It's an old car, but it isn't bad.

4. Mr Benson's my business partner. He's on holiday till October.

2

Скажите, пожалуйста, который час?

а)

б) **1.** половина восьмого, половина шестого, половина одиннадцатого, половина десятого, половина двенадцатого

2. пять минут шестого, десять минут восьмого, пять минут десятого

3. двенадцатый час, одиннадцатый час

ГРАММАТИКА

3. Модальный глагол **can**.

3.1. Утвердительная форма.

Модальный глагол **can** [kæn, kən, kn] соответствует русским глаголам *уметь, мочь* (*быть в состоянии, иметь возможность*).

Модальный глагол **can** н е изменяется по лицам. В утвердительном предложении он безударен и поэтому употребляется в слабой, редуцированной форме [kən, kn].

1. I **can** play tennis.   Я умею играть в теннис.

2. She **can** speak Italian.   Она умеет говорить по-итальянски.

3. I **can** stay till seven.   Я могу остаться до семи.

4. He **can** take a bus.   Он может поехать на автобусе.

Запомните:

you [juː, ju]

I can phone you on Saturday.

I can meet you.

1. (*мест.*) ты, вы
2. (*косв. падеж*) вам, вас, тебе, тебя и т.д.

Я могу позвонить вам в субботу.

Я могу тебя встретить.

Модальный глагол **can** употребляется и для выражения разрешения:

1. You **can** have a smoke.

Вы можете покурить.

2. You **can** take five copies.

Можете взять 5 экземпляров.

3. He **can** come at half past ten.

Он может прийти в половине одиннадцатого (*т.е. можно, я разрешаю*).

Запомните место слова **only**:

I can **only** come on Monday.

Я могу прийти только в понедельник.

He can **only** stay till nine.

Он может остаться только до девяти.

ПРИМЕЧАНИЕ.

Для выражения разрешения может также употребляться модальный глагол **may**.

You **may** take my tapes home. (= You can take my tapes home.)

Вы можете взять мои фонозаписи домой (*т.е. я разрешаю*).

УПРАЖНЕНИЯ

1

Прочитайте вслух и переведите.

1. Her son's only seven, but he can play tennis.
2. I'm not busy on Saturday. I can come and help you.

Урок-комплекс 4

3. Alan can speak Spanish, and Mike can speak Italian.

4. I can come back at half past five and stay till half past seven.

5. You can phone Mr Benson, my business partner. He's in till half past five. He can settle it.

6. "He can come and see me at half past ten. Please tell him." "Okay."

7. You may have a smoke.

8. You may keep my notes till Monday.

9. She can only send us five copies.

10. See Adam Clark. He's a doctor, and he can help you.

11. "I'm so sleepy!" "I can make you a cup of coffee." "Fine!"

12. It's late. I can take you home in my car.

13. You can take an eleven bus. It's convenient.

2

Повторите, употребляя подсказанные слова.

1. I can **skate**.
   • ski • play tennis • play table tennis • play hockey •
   • speak Spanish • speak Italian •

2. I can **settle it on Monday**.
   • come at half past five • be back by seven •
   • make you a cup of coffee • see you on Sunday •

3. You can **come and see me at ten**.
   • see my assistant • visit my business partner • take my car •
   • send him a copy •

4. She can **help you**.
   • phone you at eleven • see you on Saturday •
   • send you some copies •

3

Переведите на английский язык.

1. Ее мальчику только семь лет, но он умеет играть в теннис.

2. Она умеет говорить по-испански, а он (умеет говорить) по-итальянски

3. — Мне так хочется спать! — Я могу сварить тебе кофе. — Прекрасно!

4. Я занят только до пяти часов. Вы можете прийти в половине шестого.

5. Я могу вернуться к половине восьмого и помочь вам.

6. Вы можете взять некоторые из моих кассет.
7. Он может позвонить мне домой в субботу. Пожалуйста, скажите ему.

ГРАММАТИКА
(продолжение)

3.2. Отрицательная форма модального глагола **can: can't (cannot)** — *не могу, не умею, не может, не умеет* и т.д.

В разговорной речи гораздо чаще употребляется к р а т к а я отрицательная форма **can't** [kɑːnt], чем п о л н а я **cannot** ['kænɔt], причем обе эти формы во фразе произносятся с у д а р е н и е м.

1. I **can't** play hockey.	Я не умею играть в хоккей.
2. Amy **can't** speak Italian.	Эйми не умеет говорить по-итальянски.
3. Mr Lloyd **can't** come on Monday.	Г-н Ллойд не может прийти в понедельник.

Отрицательная форма глагола **can** может также означать, что действие н е р а з р е ш а е т с я. В этом значении **can't** примерно соответствует русскому *нельзя*.

1. You **can't** smoke in a lab.	В лаборатории нельзя курить.
2. You **can't** park at a bus stop.	Нельзя *(же)* парковаться на автобусной остановке.

ПРИМЕЧАНИЕ.

Отрицательная форма глагола **may** — **may not** в этом значении практически не употребляется.

УПРАЖНЕНИЯ

1

Прочитайте вслух и переведите.

1. I can't play tennis. I can only play table tennis.
2. Nelly can ski, but she can't skate.

Урок-комплекс 4

3. Adam can't speak Italian, but he can speak Spanish a little.*
4. David can't come at five. He's busy till half past seven.
5. I can't phone him so often. It isn't convenient!
6. Please help Miss Ellis. She can't find her car keys.
7. "I can't close it!" "Don't close it. Leave it open."
8. "I can't open it!" "Oh, it's so simple. Let me help you."
9. I can't leave yet. I'm still busy.
10. It's such a bad copy! I can't file it.
11. You can't be late so often, Amy!

2

Переведите на английский язык.

1. Он не умеет играть в теннис. Он умеет играть только в настольный теннис.
2. Я не умею говорить по-итальянски.
3. Она умеет ходить на лыжах, но не умеет кататься на коньках.
4. Пожалуйста, помоги мне. Я не могу это закрыть.
5. Я пока не могу уйти. Я все еще занят.
6. Я не могу остаться до семи, но я могу приехать в понедельник и урегулировать это.
7. Нельзя парковаться на автобусной остановке, Бетти!

ГРАММАТИКА
(продолжение)

3.3. <u>Общий вопрос с глаголом **can** и возможные варианты ответов.</u>

Послушайте и посмотрите.

---

* **a little** — немного (*зд.* относится к глаголу)

3. "**Can** you speak Spanish?"

     "No."

     "No, I **can't**."

4. "**Can** he play hockey?"

     "No."

     "No, he **can't**."

В общем вопросе модальный глагол **can** является п е р в ы м у д а р н ы м словом и произносятся в своей п о л н о й форме [kæn]. В кратком утвердительном ответе глагол **can** также стоит под ударением и поэтому произносится в п о л н о й форме. В кратком отрицательном ответе обычно употребляется к р а т к а я форма **can't** [kɑ:nt].

Общий вопрос, начинающийся с глагола **can**, употребляется также для выражения просьбы. В конце такого вопроса можно добавить **please**:

1. **Can** I have his phone number, please?   Дайте мне, пожалуйста, номер его телефона.

2. **Can** I have it a moment, please?   Можно мне взять это на минутку?

ПРИМЕЧАНИЕ.

В просьбах о разрешении также употребляется глагол **may**, который усиливает оттенок вежливости. Выбор глагола зависит от конкретной ситуации.

1. **May** I smoke?   Можно я покурю? (*Ничего, если я покурю?*)

2. **May** I come in? (= Can I come in?)   Можно войти?

3. **May** I help you? (= Can I help you?)   Можно я вам помогу?

4. **May** I have his phone number? (= Can I have his phone number, please?)   Можно мне взять его номер телефона?

Урок-комплекс 4

УПРАЖНЕНИЯ

1 ▭

Прочитайте вслух и переведите.

1. "Can you play tennis?" "Yes, I can."
2. "Can he speak Spanish?" "No, he can't."
3. "Can I help you?" "Yes. Can I see Mr Davies, please?"
4. "Can you come on Sunday?" "Yes. I can come at half past seven."
5. Can you phone his assistant?
6. Can you be back by half past five?
7. Can she visit Ben's people?
8. "Can you leave yet?" "No, not yet. I'm still busy."
9. Can I take a fifteen bus?
10. Can you help me, please?
11. May I have a smoke?
12. May I come in?

2

Ответьте на вопросы о себе. Расскажите друг о друге на основании полученных ответов.

1. Can you skate? Can you ski? Can you play tennis? Can you play table tennis? Can you play hockey?
2. Can you speak Spanish? Can you speak Italian? Can you speak Finnish? Can you type?
3. Can you make a cake? Can you make an apple pie? Can you make salads? It's easy, isn't it?

3

Какие вопросы надо было задать, чтобы получить следующие ответы? Составьте микродиалоги, как показано в образце, и разыграйте их.

Дано:

No, I can't play tennis. I can only play table tennis.

Требуется:

"Can you play tennis?"
"No, I can't. I can only play table tennis."

Урок-комплекс 4

1. **No**, she can't speak Italian, but she can speak Spanish.
2. **Yes**, he can ski, but he can't skate.
3. **No**, he can't mend a TV set.
4. **Yes,** I can make cakes. It's my hobby.
5. **No**, I can't play tennis on Mondays. I'm often busy till half past nine on Mondays.
6. **Yes,** he can be back by seven.
7. **No**, I can't leave yet. I'm still busy.
8. **Yes**, I can come on Sunday. It's a convenient day.
9. **Yes,** you can take an eleven bus. Only don't take a seventeen.

Прочитайте диалоги вслух и инсценируйте их.

1

Секретарь: Can I help you?
Посетитель: Yes, please. Is Mr Davies in yet?
Секретарь: No, not yet. He's still in his hotel.
Посетитель: Can I have his phone number, please?
Секретарь: Oh, yes, you can phone him on 599 07 55.

2

A.   Hello! I'm Bill Clark of **Clark & Company**.* Can I see Mr Bennett, please?

B.   Mr Bennett's in Spain till Saturday. I'm Pamela Stanley, his assistant. Can I help you?

     (Black & Co., Fennell & Co., Dobbs & Co.)

---

*   Слово **company** ['kʌmpəni] — *компания* часто сокращается до **Co.** [kəu] в названиях компаний. Знак **&** означает **and**.

Урок-комплекс 4

ГРАММАТИКА
(продолжение)

3.4. Общий вопрос с глаголом **can** в отрицательной форме.

1. Can't he ski?

Разве он не умеет кататься на лыжах?

2. Can't she settle it?

Неужели она не может это урегулировать?

Внимание! Русский перевод:

Can you come at five?

Вы можете прийти в пять?

Вы **не** можете прийти в пять?

Can't you come at five?

Разве вы не можете прийти в пять?

3.5. Краткий переспрос.

1. *A.* My sister can speak Spanish, Italian and Finnish.
   B. Oh, **can she**?
   A. Yes, she can.

2. *A.* Dave can't finish his test in time.
   B. **Can't he**?
   A. No, he can't.
   B. O.K. Let him take his time.*

3.6. Присоединенный вопрос.

1. She can speak Spanish, can't she?

Она ведь говорит по-испански, да?

2. I can't be late, can I?

Я ведь не могу опаздывать, правда? (Мне ведь нельзя опаздывать, правда?)

---

*   **Let him take his time.** — *Пусть не торопится* (*досл.* пусть использует все необходимое ему для этого время).

Урок-комплекс 4

Как вы увидели, общий вопрос с глаголом в отрицательной форме, краткий переспрос и присоединенный вопрос строятся так же, как с уже известным вам глаголом **be (is)**.

УПРАЖНЕНИЕ

Прочитайте вслух примеры из правила (п. 3.4, 3.5, 3.6). Инсценируйте диалоги.

ЗВУКИ И БУКВЫ

4. <u>Перед гласными буквами **e, i, y** буква **c** читается [s].</u>

Новые слова

pencil ['pensl]	карандаш
face	лицо
office ['ɔfɪs]	**1.** контора, офис
	2. рабочий кабинет
'post office	почта
place	**1.** место
My file isn't in its* place.	Моя подшивка не на (*своем*) месте.
	2. место, местность
A lovely place, isn't it!	Прекрасное место!
	3. место, где человек живет (*с предшеств. притяжат. мест. или сущ. в притяжат. падеже*)
at my place	у меня (дома, на квартире)
Can you come and see me at my place on Sunday?	Ты можешь прийти ко мне в воскресенье?

---

*   **its** — притяжательная форма местоимения **it**

Урок-комплекс 4

dance [dɑːns] (*глаг.*)	танцевать
Can you dance?	
dance (*сущ.*)	танец
piece [piːs]	кусок
a piece of cake	
city ['sɪtɪ]	город (*крупный промышленный или культурный центр*)
nice	**1.** приятный (хороший), милый, славный, симпатичный
a nice city, a nice face	
It's a nice place.	Это приятное место.
	2. вкусный
a nice cake	

Запомните:

Have a nice time!	Желаю хорошо провести время!

---

sentence ['sentəns]	предложение (фраза)
bicycle ['baɪsɪkl] (*разг.* bike)	велосипед
December [dɪ'sembə]	декабрь

Чтение буквы C, c

C, c [siː]

[s]	[k]
перед **e, i, y**	*в любом положении, но не перед* **e, i, y**
nice	cat
cent	cut
pencil	cold
bicycle	fact

Урок-комплекс 4

УПРАЖНЕНИЯ

Прочитайте вслух и переведите примеры на новые слова.

1. a nice man, a nice face, some nice places, a nice clean city, a nice bicycle; a piece of cake, a piece of apple pie, a piece of cold beef, a piece of soap; a convenient office, a closed office, an office in London.
2. Have a nice time! Have a nice day! Have a nice holiday!
3. Let's meet at my place. Can I phone him at his place? You can phone me at my place on Sunday.

2

Прочитайте вслух слова, содержащие букву *c*, и скажите их по буквам.

cent, can, icy, Micky, Nick, pace, space, speck, cost, plastic, slacks, site, tact, pact, fancy, scale, deck, candy, slick, cane, shock, hock

3

Употребите существительные в форме множественного числа.

1. an old office; some ...
2. a lovely place; some ...
3. a piece of cake; some ...
4. a nice face; some ...
5. a simple sentence; ten ...
6. an old city in Italy; some ...

4

Составьте микродиалоги, как показано в образце.

Дано: | Требуется:

it, nice, place

A. It's a nice place, isn't it?
B. Yes, it is.

Урок-комплекс 4

1. he, nice, man

2. it, clean, city

3. she, nice, old lady

4. it, nice, coat

5. it, lovely, place

6. it, nice, cafe

7. it, Italian, bicycle

5

Прочитайте диалоги вслух и инсценируйте их.

1

A. You can come and see me at my office at half past nine on Monday. It's a convenient time, isn't it?

B. Yes, it's okay. Shall I phone you?

A. No, only please don't be late.

B. Okay! Till Monday. Bye!

A. See you on Monday. Bye!

See you — увидимся

2

A. A nice place, isn't it?

B. Yes, it's lovely. Let's stop and take some photos.

A. Okay.

6

Заполните пропуски предлогами.

1. Please come and see me _____ my office _____ half past ten _____ Monday.

2. Let's meet _____ my place _____ Saturday and have a dance.

3. Can you phone Mrs Lloyd _____ her place _____ eleven?

4. "I can't find Ben's file. It isn't _____ its place." "Ben's file? It's _____ my office. Come and take it."

5. A nice place, isn't it! Let me take a photo _____ it.

Урок-комплекс 4

7

Переведите на английский язык.

1. — Я не могу найти комплект 15. Его нет на месте.
   — Пятнадцатый? Позвони Бену. Комплект 15 все еще у него в офисе.
2. — Давайте соберемся у меня в субботу и потанцуем!
   — Прекрасно! Суббота — удобный день.
3. — Я могу повидаться с вами в понедельник?
   — Да. Приходите (come and see me) ко мне в офис в 10 часов.
   — Мне позвонить?
   — Нет, только не опаздывайте.
   — Хорошо. До понедельника.
   — Увидимся в понедельник. До свидания.
4. Вы можете прийти ко мне в воскресенье. Это ведь удобный день, да?
5. Желаю хорошо провести время!

ЗВУКИ И БУКВЫ

5. Глухой согласный звук [tʃ].

Послушайте и произнесите.

[tʃ ↗tʃɪp ↘tʃi:p ↙i:tʃ ↘ti:tʃ]

Звук [tʃ] передается на письме следующими способами:

1. буквосочетанием **ch**: chess, bench, teach, coach

2. буквосочетанием **tch** в конце слога после краткого гласного, который передается одной гласной буквой: match, stitch

Произнесите, подражая образцу.

chess, cheese, chill, cinch, finch, catch, matches, patches, hitches, peaches

Прочитайте вслух самостоятельно.

chain, chin, chick, patch, pitch, latch, cheek, check, chock, chat

Урок-комплекс 4

Новые слова

teach — обучать, преподавать

    Can you teach me Italian?

teacher ['tiːtʃə] — преподаватель, учитель

    He's a Spanish teacher. — Он преподаватель испанского языка.

chess (*неисчисл.*) — шахматы

    Can you play chess?

catch — 1. ловить, схватить

2. успеть на транспорт

Ant. **miss** — опоздать, опаздывать: пропустить, пропускать

    You can still catch a late bus. Don't miss it. — Вы еще можете успеть на поздний автобус. Не опоздайте на него.

    Don't let him miss his lessons so often! — Не разрешайте ему так часто пропускать занятия.

3. заболеть чем-л., заразиться

    Don't catch (a) cold! — Не простудись!

fetch — пойти и принести, сходить за чем-л.

    Can you fetch my skates, please?

lunch (*обычно неисчисл.*) — обед (*в середине дня*)

    have lunch — обедать

    lunch time — обеденное время

Внимание:

Let's have lunch.
See you at lunch.
но:
A nice lunch!

артикль отсутствует

артикль появляется, когда перед словом **lunch** *стоит определение*

---

cheap	дешевый
match	1. матч, состязание (*спортивная встреча*)
	2. спичка
cheese	сыр
a piece of cheese	
chips	*зд.* хрустящий картофель
fish and chips	рыба с хрустящим картофелем (*популярное английское блюдо*)
chicken ['tʃɪkɪn]	1. курица (*пищевой продукт или блюдо; исчисл. и неисчисл.*)
	2. цыпленок, живая птица
China ['tʃaɪnə]	Китай
Chinese ['tʃaɪ'ni:z]	китайский; китайский язык; китаец, китаянка

Внимание: ударение!

It's a Chinese tea set. ['tʃaɪ'ni:z] (*перед существительным*)
She's Chinese.
He can speak Chinese. ['tʃaɪ'ni:z]

March [mɑ:tʃ]	март

УПРАЖНЕНИЯ

1

Прочитайте вслух и переведите примеры на новые слова.

1. a cheap coat, a cheap place, a cheap hotel, a cheap shop, a cheap fish and chip shop
2. a tennis match, some hockey matches
3. Alice can teach you Spanish. She's a Spanish teacher.
4. "Can you play chess?" "No, I can't. Ted can."
5. "Let's have lunch in a cafe." "Fine."
6. "Let's meet at lunch time." "Okay! See you at lunch."
7. "Can I see Miss Ellis, please?" "Miss Ellis? She's at lunch."
8. Isn't it a cold day! Don't catch cold!

Урок-комплекс 4

2

Повторите, употребляя подсказанные слова.

1. Can you fetch some **copies**, please?
   • pencils • tapes • cassettes •
2. Please have some **fish and chips**.
   • cheese • cold chicken • chicken salad • cheese cake •
3. It's a **Chinese** shop, isn't it?
   • Finnish • Italian • Spanish •
4. It isn't a cheap **model**, but it's nice.
   • coat • shop • place • hotel • bicycle • cafe • TV set • toy •
5. She's a **teacher**.
   • economist • doctor • typist • shop assistant •

3

Вставьте недостающие слова и инсценируйте диалог.

A. Mike can teach me Italian.
B. _____ he?
A. Yes, he _____. He's a teacher.
B. Oh, _____ he?
A. Yes, he _____.

ЗВУКИ И БУКВЫ

6. Звонкий согласный звук [g].

Послушайте, посмотрите, произнесите:

[↗gæp ↗gəul ↘gaɪd ↘bæg]

    Звук [g] передается на письме буквой **G, g** [dʒiː]:

    big, give, Gladys ['glædɪs] (женское имя)

Произнесите, подражая образцу:

а) Не допускайте смягчения звука [g].

    give, gift, get, gave, gas, gap, begin, Gladys, Glen

б) Не допускайте оглушения звука [g].

    big, pig, bag, fog, log, egg

Прочитайте вслух самостоятельно:

got, go, gold, beg, bag, goal, gate

Новые слова 📼

go

1. идти, ехать (*плыть, лететь*) по направлению **от** говорящего

2. уходить

Don't go, it isn't late yet! = Don't leave . . .

Сравните: COME — GO

come

go

Please **come in**!

A nice shop, isn't it?
Let's **go in**.

go home	идти (*ехать*) домой
go back	вернуться, идти (*ехать*) обратно
go by plane	лететь самолетом
go by ship (boat)	плыть пароходом
go on holiday	пойти в отпуск

Урок-комплекс 4

go on ['gəu 'ɔn]   продолжать

"Shall I go on?" "Yes, please."

big (*Ant.* **little**)   большой, крупный

     big business   большой бизнес

     He's a big boy.   Он (уже) большой мальчик.

get   1. получать

     Can I get my pay on Monday?   Я могу получить зарплату в понедельник?

     2. брать, приносить, доставать, покупать

     Shall I get you a hot cup of tea?   Принести вам чашку горячего чаю?

     Let's go and see a film. I can go and get some tickets ['tɪkɪts].   Пойдем посмотрим какой-нибудь фильм. Я могу пойти взять билеты.

     Let me go and get some cheese.   Давайте я пойду куплю сыру.

     3. добираться, дойти, доехать

     I can only get home by bus.   Я могу доехать домой только на автобусе.

     I can't get home by five.   Я не могу прийти домой к пяти.

get ill   заболеть

     get a cold = catch (a) cold   простудиться

give [gɪv]   **1.** давать

Please give me a black pen. (= Please let me have a black pen.)

Can I give you a cup of coffee?

       2. дарить

Glen's nineteen on Monday. Let's give him some Finnish skis.

give a lift   подвезти (*на машине*)

Shall I give you a lift?   Вас подвезти?

begin [bɪ'gɪn]   начинать

Please don't begin yet!

again [ə'gen, ə'geɪn]   снова, опять, еще (*еще раз*)

Please say it again.

Shall I begin again?

dog   собака

bag   сумка

     a plastic ['plæstɪk] **bag**   полиэтиленовый пакет

egg   яйцо

game   игра (*спортивная или азартная*)

     Olympic [ə'lɪmpɪk] Games

     play games   играть в (*различные*) игры, заниматься спортивными играми

elegant ['elɪgənt]   элегантный

УПРАЖНЕНИЯ

1

Прочитайте и переведите примеры на новые слова.

1. a big black dog, a big bag, an elegant black coat, a nice table game

Урок-комплекс 4

2. "Shall I begin?" "Yes, please."
   "I can begin again." "Okay."
   "It's ten. Let's begin." "Oh, please don't begin yet."
3. It's time. Let's go.
   It's late. Let's go back. Let's go back home.
   It isn't late. Don't go yet.
   I'm still busy. I can only go home at half past five.
4. Don't go by plane, Nick. You can go by ship. It's so pleasant!
5. I can't go on holiday yet. I can only go on holiday in September.
6. Shall I go on? Please go on. Let's go on.
7. "A nice shop, isn't it? Let's go in." "Fine, let's."
   Doctor Lloyd's still busy. Please don't go in yet.
   Please come in. I'm not busy.
8. Can you give me a pencil, please?
   May I give you a cup of coffee?
   I can't finish my test in fifteen minutes. Please give me time.
9. Let's have tea at my place. I can go and buy a cake.
   He can go and get his pay. Please tell him.
   You can get home by bus.

2

Прочитайте, употребляя подсказанные слова.

1. Shall I **say it** again?
   • begin • listen • come • phone you • visit him • tell him •
   • see him •
2. Please **listen**!
   • begin • stop • go on • come in • go in •
3. I can go and get some **fish and chips**.
   • chicken • apples • lemons • eggs • beef • lemonade •
   • potatoes •

3 ⊙⊙

Прочитайте вслух и выучите наизусть диалоги, которые вам понадобятся на уроке.

1

A. Shall I begin?
B. No, not yet.

2

A. Shall I go on?
B. No, not yet.

3

A. Shall I say it again?

B. Yes, please.

4

A. Don't begin yet!

B. O.K.!

4 ✎

Выберите правильное слово.

GO или COME?

1. It's half past eleven. Let's _____ home.
2. Bye-bye! Please _____ again!
3. Don't _____ home. It isn't late yet
4. You can _____ and see me at my office at ten. Only don't be late.
5. Don't _____ by ship. _____ by plane. It's so convenient!
6. I can't _____ on holiday yet. I'm still busy at my office.
7. Can you _____ and see me at my place on Sunday?
8. Let's _____ and see a film. I can _____ and get some tickets.

ГРАММАТИКА

7. Разговорный глагольный оборот **have got / has got.**

7.1. Утвердительное предложение.

Разговорный оборот **have got / has got** ['hæv 'gɔt / 'hæz 'gɔt] соответствует русскому *у меня (у вас, у него, у нее и т. д.) есть ...,* т. е. выражает идею *владения, наличия.*

Послушайте и посмотрите:

I**'ve got** a dog.
(I **have got** a dog.)
У меня есть собака.

You**'ve got** a nice family.
(You **have got** ...)
У вас прекрасная семья.

Урок-комплекс 4

Eve's **got** an apple.
(Eve **has got** an apple.
She's **got** an apple.)
У Евы яблоко.

Adam's **got** a headache
['hedeɪk].
He's **got** a bad headache!
У Адама — головная боль.
У него сильно болит голова.

Как видно из примеров, слова **have** и **has** произносятся без ударения в своих слабых формах:

I've got ...
You've got ...
She's got ...
He's got ...

Eve's got ...
Adam's got ...
Dick's got ...
Bess's got ...

Слово **got** произносится *без ударения*, если за ним следуют ударные слоги, и *с ударением*, если за ним не следует ударных слогов.

Сравните:

Eve's got an ꞈapple.

She's ꞈgot it.

7.2. Оборот **have got** может употребляться также с подлежащим, выраженным неодушевленным существительным:

His table's **got** a nice
lamp on it.

У него на столе (*стоит*)
красивая лампа.

7.3. Для выражения владения или наличия в утвердительных предложениях может также употребляться форма **have / has**:

I **have** two sisters. = I've **got** two sisters.
He **has** a new car. = He's **got** a new car.

Однако в этом значении предпочтение отдается форме **have got / has got**.

УПРАЖНЕНИЯ

Прочитайте вслух и переведите.

1. I've got a son. He's seven.
2. "David's got a big family. He's got five sons." "Oh?"
3. You've got a bad cold. Stay at home.
4. Mr Bennett's got an assistant. Her name's Pamela Stanley.
5. "I've got a bad headache." "Oh, I can stay and help you."
6. I've got a holiday in May. Ben's got a holiday in September.
7. Nelly's got some nice pets at home. She's got a lovely cat, a big dog and some little fish.
8. Bill's got some mail on his shelf. Let him go and take it. Please tell him.
9. I've got a nice Chinese chess set at home.
10. Dave's got some of my files in his office.
11. I've got a convenient bag. You can take it.
12. "I've got a big map of London in my office. Shall I fetch it?" "Yes, please."
13. Ted's team's got eleven men in it. Bob's team's only got nine. He's only got nine men in his team.
14. His office has got a big map of Italy in it.

Повторите, заменяя выделенные слова.

1. I've got **a nice flat**.
   • a big family • a black cat • an elegant black coat • a convenient bag • some slides of China • some nice photos of my family • a test on Monday • a holiday in October •
2. I've got **a big dog** at home.
   • some nice tapes • some nice Finnish skis • a big apple pie • a Chinese tea set •
3. He's got **a sister**.
   • an assistant • a lesson at eleven • a nice family • a little son • an office in London • an old car • an Italian bicycle •

Урок-комплекс 4

Переведите на английский язык.

1. У меня большая семья.
2. У меня хорошая квартира, но она небольшая.
3. У меня есть удобная большая сумка. Ты можешь взять ее.
4. Он бизнесмен. У него офис в Лондоне.
5. — Бен сильно простужен. Давай навестим его. — Да, давай.
6. — Его итальянский великолепен, правда? — Да. У него хороший преподаватель. Он итальянец.
7. У меня есть машина, но она старая.
8. У Бена десять человек в команде.

ГРАММАТИКА
(продолжение)

7.4. <u>Отрицательная форма **haven't got / hasn't got**.</u>

I **haven't got** a dog.
I've got a cat.

У меня нет собаки.
У меня кошка.

You **haven't got** a test on Monday.

У вас нет контрольной в понедельник.

He **hasn't got** an apple.

У него нет яблока.

She **hasn't got** a headache.

У нее не болит голова.

Как видно из примеров, отрицательная форма **have not got / has not got** в разговорной речи сокращается до **haven't got / hasn't got** ['hævn't gɔt / 'hæzn't gɔt].

УПРАЖНЕНИЯ

Прочитайте вслух, подражая образцу, и переведите.

1. I haven't got a black pen.
2. She hasn't got a car.
3. He hasn't got an assistant.
4. I haven't got his phone number.
5. You haven't got a test on Monday.
6. He hasn't got a lesson at ten.
7. I haven't got a holiday plan yet.

Сделайте высказывания отрицательными.

1. Ann's got a holiday in May.
2. I've got a sister.
3. Nick's got a big family.
4. He's got an office in Leeds.
5. You've got a Spanish lesson at ten.
6. I've got her telephone number.
7. She's got a car.
8. I've got an assistant.
9. He's got a son.
10. I've got a convenient bag.

Урок-комплекс 4

3

Повторите, заменяя выделенные слова.

I haven't got **a dog**.

● a cat ● a big bag ● a car ● a bike ● a pet ● a black coat ●
● a lesson at eleven ● a test on Monday ● a cold ● a headache ●

ГРАММАТИКА
(продолжение)

7.5. Общий вопрос с оборотом **have got / has got** и ответы на него.

Послушайте и посмотрите:

Have you got
a 10p coin?
['ten'pi: ꭓkɔɪn]
У тебя есть
монета в десять
пенсов?

No, I haven't!

Yes, I have!

Has she got a nice
face?

Yes!
Yes, she has!
Yes, she's got
a lovely face!

No!
No, she's got a big
nose and silly little
eyes!

Глагольные формы **have** и **has**, с которых начинается общий вопрос, произносятся с ударением и поэтому самым высоким тоном. Подъем голоса происходит в конце предложения, как и в вопросе, начинающемся с глаголов **be** и **can**:

'Have you got a '10 'p ⌡coin?

Ответы на общий вопрос могут быть разными по своей полноте. Чаще всего употребляется лаконичный ответ, состоящий из одного слова ⌐**Yes** или ⌐**No**. Если говорящий хочет сделать свое утверждение или отрицание более категоричным, он употребляет краткий ответ: ⌐**Yes, he** ⌐**has.** ⌐**No, I** ⌐**haven't**.

Полный ответ на общий вопрос обычно дается в том случае, когда говорящий хочет подчеркнуть обсуждаемый факт или дать дополнительные сведения. Подлежащее в полном ответе обычно употребляется в форме местоимения:

"Has Dick got a dog?" "Yes, he's got a big dog."

ПРИМЕЧАНИЕ.

Конечный звук слова **has** [z] превращается в звук [ʒ], если следующее слово начинается со звука [ʃ]:

Has she ...?   Has Sheila ...?ʹ
['hæʒ ʃi]   ['hæʒ 'ʃi:lə]

7.6. Общий вопрос с оборотом **have got / has got** с глаголом в отрицательной форме и восклицательные предложения.

1. **Haven't** you **got** a holiday in May?   Разве у вас отпуск не в мае?

Yes, I have.   В мае.

No, I haven't.   Нет.

2. **Hasn't** she **got** a lovely baby!   Ну какой же у нее прелестный ребенок!

7.7. Краткий переспрос как способ поддержания беседы. Возможные варианты интонации.

A. Nick's got an Italian car.

Oh, ⌡has he?   а) как вежливая реплика
(Да? Правда?)

Урок-комплекс 4

Oh, has he!   б) как восклицание
                                         (Да ну!)

7.8.   Присоединенный вопрос и краткие ответы на него.

1.   "Ben's got a match at five, hasn't he?" "Yes, he has."
2.   "Nelly hasn't got a big family, has she?" "No, she hasn't."

УПРАЖНЕНИЯ

1

Прочитайте вслух и переведите.

1.   "Have you got a hobby?" "Yes, it's stamps."
2.   "Has she got a son?" "Yes, she has. He's five."
3.   "Have you got a big plastic bag?" "Yes, I have. Shall I fetch it?"
4.   "Has Anne got a cold?" "No, but she's got a bad headache."
         "Oh, has she?" "Yes, she has."
5.   "Has he got a holiday in September?" "No, in October."
6.   "Have you got a chess set at home?" "No, I haven't. I can't play
         chess." "Oh, can't you?" "No." "Let me teach you."
7.   "Have you got a clean copy?" "Yes, it's on my table. You can
         take it."
8.   "Have you got a holiday plan yet?" "No, not yet." "Haven't you
         got a holiday in May?" "No, I can't go on holiday till
         September."
9.   "Hasn't she got a test on Monday?" "Yes, she has, at eleven."
10. "Hasn't he got a key?" "No, he hasn't."

2

**Какие вопросы нужно было задать, чтобы получить эти
ответы? Составьте микродиалоги.**

Дано:
         Yes, I've got a big bag. You can take it.
Требуется:
         "Have you got a big bag?"
         "**Yes**. (Yes, I have.) You can take it."

1.   **Yes**, I've got a chess set at home. Come on Sunday and let's
         have a game of chess.
2.   **No**, he hasn't got an office in London. His office is in Leeds.
3.   **Yes,** you've got a Spanish lesson on Monday.

4. **No,** I haven't got a car.
5. **Yes.** He's got a sister. She's a teacher.
6. **Yes.** She's got a lovely baby.
7. **No.** I haven't got a holiday in May. I can't go on holiday till October.

3

Ответьте на вопросы о себе. Расскажите друг о друге на основании полученных ответов.

1. Have you got a big family?
2. Have you got a nice flat?
3. Have you got a pet? Is it a dog?
4. You've got a hobby, haven't you? Is it stamps (films, slides)?
5. Have you got a car? Have you got a bicycle (a motorbike ['məutəbaɪk])?
6. Can you play chess? Have you got a chess set at home?
7. Can you play table tennis? Have you got a table tennis set?

4 ⊙⊙

Инсценируйте диалоги, заменяя выделенные слова словами, данными в скобках.

1

A. Have you got **a black pen**?
B. Yes, I have.
A. Can I have it a moment?

(a map of London; a copy of list 7)

2

A. Dick's got **a test on Monday**.
B. Oh, has he? Shall I tell him?
A. Yes, please.
B. Okay!

(a tennis match on Saturday; an Italian lesson at 11; a test in Spanish at half past ten)

Урок-комплекс 4

3

A. Have you got Ben's telephone number?

B. No, not on me. But I've got it **at home**.
I can phone you and tell you.

A. Fine.

(at my place; at my office; at my lab)

Запомните:

on me   с собой, при себе

not on me   не с собой, не при себе

Задайте друг другу вопросы по картинкам, употребляя оборот
has got, как показано в образце.

1

A. Has Nick got a dog?

B. Yes, he has.

A. Has he got a cat?

B. No, he hasn't.

3

A. Nick's got a dog,
hasn't he?

B. Yes, he has.

A. He's got a cat,
hasn't he?

B. No, he hasn't.

2

A. Hasn't he got a cat?

B. No, he hasn't.

4

A. Hasn't he got a dog?

B. Yes, he has. He's got a big
dog!

Nick
cat — dog

Alice
car — bicycle

Mike
telly — chess set

Ann
pet — baby

Mrs Ellis
baby — pet

Mr Bennett
car — bicycle

Переведите на английский язык.

1. — У вас есть собака? — Нет, у меня кошка.
2. — У тебя есть телефон Ника? — Не при себе. Он у меня дома.
3. — У тебя папка (№) 5? — Да, она у меня на столе. Можешь ее взять.
4. — У него есть машина? — Да, у него хорошая машина.
5. — У нее ведь отпуск в мае, да? — Нет, в сентябре.
6. — У Бена ведь контрольная в понедельник, да? — Да, у него контрольная по испанскому в 11 часов.
7. — У тебя есть список 9? — Да. — Можно мне его на минуту?

ЗВУКИ И БУКВЫ

8. <u>Звонкий согласный звук [dʒ].</u>

Послушайте, посмотрите, произнесите:

[ˈdʒiː ˈdʒiː ˈdʒeɪ ˈdʒeɪn]

Урок-комплекс 4

Звук [dʒ] передается на письме следующими способами:

1. буквой **J, j** [dʒeɪ]: Jane, Joan [dʒəun] (женские имена) John [dʒɒn] (мужское имя)

2. буквой **g** в отдельных словах перед буквами **e, i, y** и всегда в конечном положении перед немой буквой **e**:

   'gentleman, gin, gym, page

Произнесите, подражая образцу.

Jim, James, Jean, gem, gene, gypsy

Прочитайте вслух самостоятельно и скажите каждое слово по буквам. Что, по-вашему, означают эти слова?

gentleman ['dʒentlmən], college ['kɔlɪdʒ], jazz, jeans [dʒiːnz], Jeep

Новые слова

job (*исчисл.*)

работа (*место работы или конкретно выполняемая работа*)

She's got a job in an office.

У нее работа в конторе.

just

1. как раз, точно, ровно

It's just half past five.

Как раз половина шестого.

2. только лишь, всего-навсего

Just a minute! = Just a moment!

Одну минуту!

Just let me finish my tea.

Дай мне только допить чай.

jazz (*неисчисл.*)

джаз, джазовая музыка (*но не джазовый оркестр —* **a jazz band**)

I've got some old jazz at home.

У меня дома есть старая джазовая музыка.

jeans [dʒiːnz]

джинсы

Урок-комплекс 4

college ['kɔlɪdʒ] — высшее учебное заведение, институт

be at college — учиться в институте

a technical ['teknɪkl] college — технический вуз

Внимание: артикли!

She's at college. — без артикля
She's at a technical college. — Неопределенный артикль появляется при наличии качественного определения.

---

message ['mesɪdʒ] — устное или письменное сообщение для передачи третьему лицу

leave a message — оставить устное сообщение или записку

take a message — принять сообщение для передачи

Shall I take a message? — Что-нибудь передать? (*обычная формула при телефонном разговоре*)

village ['vɪlɪdʒ] — деревня, деревушка

Olympic village

cottage ['kɔtɪdʒ] — небольшой сельский дом

page — (*на письме сокр. p.*) страница

Внимание: предлоги!

It's **on** page 77. — Open it **at** page 77.

Japan [dʒə'pæn] — Япония

Japanese ['dʒæpə'ni:z] — 1. японский; японец, японка

a Japanese ['dʒæpəni:z] TV set

He's Japanese. [dʒæpə'ni:z]

Урок-комплекс 4

Japanese isn't easy.

"He can speak Japanese a little."

"Oh, can he?"

Чтение буквы **G, g**

G, g [dʒiː]

[g]	[dʒ]
в любом положении, но не всегда перед **e, i, y**:	перед **e** в конце слова; иногда перед **e, i, y**:
game	page
go	college
glove	village
bag	gentleman

Внимание!

Уже знакомые вам слова **get** [get], **begin** [bɪˈgɪn], **give** [gɪv] являются исключениями из этого правила.

УПРАЖНЕНИЯ

1

Прочитайте вслух и переведите.

1. page 57, fifty-seven pages, a clean page.
   Lesson 10 is on page 75.
2. "Shall I take a message?" "Yes, please."
3. "Can you leave a message at my office?"
4. She's got a job in a college. She's a teacher.
5. I've got a job in a big London shop. It isn't an easy job.
6. "Jack hasn't got a job yet." "Yes, he has. He's got a nice job at an office in London."
7. Is he still at college? Is Adam at college yet?
8. "It's time. Let's go." "Just a moment. Let me finish my job." "Okay, but you've only got ten minutes."

9. It's a Japanese telly. He's got a Japanese car. He's a Japanese teacher. Is he Japanese? I can speak Japanese. His doctor's Japanese.

2

Образуйте форму множественного числа следующих существительных, оканчивающихся на шипящие звуки, прочитайте вслух и переведите.

> page, village, cottage, college, message, size, dish, face, sentence, office, match

3 ✎

Заполните пропуски предлогами, прочитайте вслух и переведите.

1. "Is Jane still _____ college?" "Yes, she's _____ a technical college _____ London."
2. Bess is _____ holiday _____ a little village _____ Italy.
3. Ben's a lab assistant _____ a big college. A job _____ a lab isn't simple. He's often still _____ his lab _____ seven.
4. Lesson ten's _____ page 75.
5. Please open it _____ page seventy.
6. Jack's got a job _____ an office in Leeds.
7. You can leave him a message _____ his office.
8. Miss Fennell's got a job _____ a big London shop.

4 ⊙⊙

Выучите наизусть и инсценируйте этот телефонный разговор.

A. Five seven five, five nine seven five!
B. Hello! Miss Jones, please!
A. Miss Jones isn't in, Shall I take a message?
B. Yes, please.
A. Just a moment. Let me get my pad and a pencil... Yes?
B. It's Jane. Please come and see me in my office at eleven **o'clock** on Monday. Don't be late. Jane.
A. Let me say it again. "Please come and see me in my office at eleven o'clock on Monday. Don't be late. Jane." Okay?
B. Fine! Bye!
A. Bye!

Урок-комплекс 4

clock (*исчисл.*)	часы (*настольные, стенные, башенные*)
It's an old clock.	Это старые часы.
It's ten **o'clock** [ə'klɔk]. = It's ten.	Десять часов.

5 🔁

1. Прочитайте текст вслух и переведите его. Перескажите его:
а) близко к тексту; б) от лица Джона; в) от лица Джима.

John Jackson's an old man. He's seventy. John's **a farmer**. He's got a cottage in a nice little village.

It's a fine **summer** day. John's **niece** is on holiday at his place. Her name's Jane. She's only nineteen and she's still at college. She can sometimes spend her summer holiday at John's place, and John's pleased. Jane's slim and she's got a nice face: she's got big eyes and a lovely little nose.

John's got a son, Jane's **cousin**. His name's Jim. Jim's got a job at a big hospital in London. He's a doctor. Jim can't go on holiday yet, he's busy at his hospital till September, but he can often come and see his Dad on Saturdays and Sundays.

farmer ['fɑːmə]	фермер
summer ['sʌmə]	лето
in summer	летом
niece [niːs]	племянница
cousin ['kʌzn]	двоюродный брат, двоюродная сестра

2. Посмотрите внимательно на картинки. Что еще вы можете рассказать об этих людях?

3. Ответьте на следующие вопросы.

1. Has John got a job in a big city?
2. Has he got a cottage? Is his cottage nice?
3. John's a businessman, isn't he?
4. His niece Jane's only fifteen, isn't she?
5. Is she at college yet?
6. She isn't on holiday yet, is she?
7. Can she play tennis?
8. Has she got a bicycle?
9. Has John got a son? He's Jane's cousin, isn't he?
10. His name's Tom, isn't it?
11. Is he a teacher?
12. Has he got a job at an office?
13. Can he go on holiday yet?
14. Can he come and see his Dad often?

ЗВУКИ И БУКВЫ

9. <u>Правила чтения буквы **X, x**.</u>

Согласная буква **X, x** [eks] читается

1. как звукосочетание [gz] в положении перед ударным гласным звуком: **exact** [ɪg'zækt], **exam** [ɪg'zæm];

2. как звукосочетание [ks] в остальных случаях: **text, taxi**.

Новые слова

six	шесть
sixteen	шестнадцать
sixty	шестьдесят
text	текст
taxi ['tæksɪ]	такси

(мн. ч.) **taxis** ['tæksɪz]

go **by** taxi, take a taxi

Let's take a taxi home.

Урок-комплекс 4

fax   факс

    "Shall I send him a fax?" "Yes, please."

exhibition [ˌeksɪ'bɪʃn]   выставка

    at a Japanese exhibition

    at an exhibition of planes

exhibit [ɪg'zɪbɪt]   экспонат

exam [ɪg'zæm] (*сокр. от*   экзамен
examination [ɪg,zæmɪ'neɪʃn])

    take an exam   сдавать экзамен

    at an exam in Spanish   на экзамене по испанско-
                               му языку

explain [ɪks'pleɪn]   объяснять

    "Shall I explain it again?" "Yes, please."

excellent ['eksələnt]   отличный

    He's an excellent economist.

expensive [ɪks'pensɪv]   дорогой (дорогостоящий)

    Ant. cheap

    an expensive car (flat, coat)

exact [ɪg'zækt] (*прил.*)   точный

    exact time   точное время

    exact dates   точные даты

exactly (*нареч.*)   точно, ровно

Внимание: порядок слов!

Let's begin **at exactly six**.   Давайте начнем ровно в
                                      шесть часов.

Урок-комплекс 4

example [ɪgˈzɑːmpl]   пример

I can give you an
example.   Я могу привести вам
                                                пример.

box   ящик, коробка

Can you fetch a box of matches, please?

next   следующий

Next, please!   Следующий, пожалуйста!

Внимание: отсутствие предлога!

See you **next Saturday**.   Увидимся в следующую
                                     субботу.

Let me explain it **next time**.   Давайте я объясню это
                                     в следующий раз.

УПРАЖНЕНИЯ

1

Прочитайте вслух и переведите примеры на новые слова.

1. exact time, an exact date, exact facts
2. "Can you come at exactly six?" "Just a moment, let me see...
   Yes, I can."
3. "Let's meet again next Monday at exactly six." "Okay."
4. an expensive hotel, an expensive car, an expensive, elegant
   coat
5. It's an excellent hotel, but it's so expensive! I can't stay at such
   an expensive place!
6. "It's late. Let's take a taxi home." "Don't take a taxi. I can give
   you a lift." "Fine!"
7. "Shall I get you a taxi?" "No, please don't. I can take a bus."
8. Ben's got an exam next Monday.
9. "Can I see Mr Johnson, please?" "Mr Johnson isn't in yet. He's
   at an exam."
10. "Shall I send him a telex?" "No, not a telex, a fax, please."
11. Let me explain. Shall I explain? I can explain it next time. Can
    you explain it again, please?

Урок-комплекс 4

2 🔘🔘

Инсценируйте диалоги, заменяя выделенные слова словами, данными в скобках.

1

A. An excellent exhibition, isn't it?
B. Oh, yes. Let's come again **next Saturday**.
A. **Next Saturday**? Just a moment, let me see... Yes. Saturday's a convenient day.
B. Okay. See you next Saturday. Bye!
A. Bye!

     (next Sunday; next Monday)

2

A. You've got an exam in Spanish next Monday, haven't you?
B. No, I haven't. But I've got **six** exams in May.
A. **Six** exams? It's a dog's life!
B. Oh, yes, it is!

     (five; seven)

3

A. It isn't a simple **text**. Shall I explain it again?
B. Yes, please.

     (test; game; plan)

3 ✎

Переведите на английский язык.

1. — Это отличная выставка, правда? — Да, давай придем еще раз в следующую субботу.
2. — Это отличная машина. — Да, но она такая дорогая! Я не могу купить ее.
3. Это нелегкий текст. Вы не можете объяснить его еще раз?
4. — Вы можете прийти ровно в пять? — Одну минуту. Дайте подумаю... Да, могу.
5. — Подвезти тебя? — Нет, не надо. Я могу взять такси.
6. Пожалуйста, пошлите ему факс еще раз (снова).

7. У него экзамен по испанскому языку в следующий понедельник. Пожалуйста, сообщите (скажите) ему.

8. — Вы можете привести пример? — Да, послушайте...

ЗВУКИ И БУКВЫ

10. Правила чтения буквосочетания **gh**.

Буквосочетание gh перед буквой t не читается.

Новые слова 📼

eight [eɪt]	восемь
eighteen [ˌeɪ'tiːn]	восемнадцать
eighty ['eɪtɪ]	восемьдесят
light [laɪt] (*Ant.* **heavy**)	**1.** легкий (*по весу*)

a light bag, a light plane, a light meal

2. светлый

It's light.

Светло.

night [naɪt]	ночь

a light night

at night

ночью (по ночам)

flight [flaɪt]	рейс самолета; полет

a late flight

Flight 578 ['faɪv sevn 'eɪt].

Let's go by flight 876.

You can go by a late flight (= take a late flight).

УПРАЖНЕНИЯ

1 📼

Прочитайте вслух и переведите примеры на новые слова.

1. eight light boxes, eight light planes, eight easy exams, eighteen easy texts

Урок-комплекс 4

2. flight eighteen — eighteen flights; exhibit eighteen — eighteen exhibits; flight eighty, eighty days and nights

3. a lovely night, a cold night, a night shop, some late night shops

4. "His flight's fifty minutes late. Let's go and have a snack." "Okay."

5. "I can go by a late flight." "Oh, can you? Take flight 865. It's at exactly eight p. m."

2

Прочитайте вслух следующие слова и скажите их по буквам.

eight, eighty, light, sight, fight, night

3

Повторите, употребляя подсказанные слова.

1. I can **go by a late flight**.
   • take a late flight • take flight 18 • take flight 86 •

2. Can you **come** at exactly eight?
   • phone • phone him • come and see me • come back •

3. His flight's at exactly **eight**, isn't it?
   • six • six p.m. • eight p.m. • eight a.m. •

4. Have **a pleasant flight**!
   • nice day • nice time • nice holiday •

4

В некоторых из этих предложений пропущены артикли. Добавьте их там, где это требуется, прочитайте вслух и переведите.

1. Don't go by flight 86. It's night flight.

2. It's expensive coat. It's expensive.

3. It's excellent plan. It's excellent.

4. It's light, isn't it? It's light box.

5. My copy isn't clean. Can you give me clean copy, please?

6. He's old gentleman. He's old.

7. Have pleasant flight! Let's take flight 685.

5

Переведите на английский язык.

1. — Вы можете полететь рейсом 865. Он ровно в восемь вечера. — Я могу даже полететь ночным рейсом.

2. — Бобу уже есть девятнадцать лет? — Нет, ему только восемнадцать.

3. Вы можете сесть на восемнадцатый автобус. Только не садитесь на шестнадцатый.

4. Его рейс опаздывает на 50 минут. Давай пойдем перекусим.

5. Приходите ровно в восемь. Только не опаздывайте, пожалуйста!

ГРАММАТИКА

11. Местоимения **some, any, no**.

11.1. Неопределенное местоимение **some**.

Вы уже знаете, что в утвердительных предложениях перед исчисляемыми существительными во мн. ч. и перед неисчисляемыми существительными употребляется неопределенное местоимение **some** в безударной форме [s(ə)m]:

1. She's got some nice films at home.

2. Let's have some tea.

11.2. Неопределенное местоимение **any**.

В общем вопросе и в *отрицательных* предложениях в аналогичном случае употребляется неопределенное местоимение **any** ['enɪ], которое чаще всего на русский язык не переводится. Слово **any** в этом случае не имеет фразового ударения.

1. Have you got **any** time?	У вас есть время?
2. Haven't you got **any** time?	Разве у вас нет времени?
3. Has he got **any** assistants?	У него есть помощники?

Урок-комплекс 4

4. Hasn't he got **any** assistants?	Разве у него нет помощников?
5. I haven't got **any** time.	У меня нет времени.
6. He hasn't got **any** assistants.	У него нет помощников.

На общий вопрос, содержащий слово **any,** можно наряду с полным ответом дать по три варианта краткого ответа. (Варианты ответов даются в порядке их употребительности.)

Has he got **any** faxes in his mail?

1. Yes.	**1.** No.
2. Yes, he has.	**2.** No, he hasn't.
3. Yes, he's ʔgot some.	**3.** No, he hasn't ʔgot any.

Слово **some** в таких ответах произносится в сильной форме [sʌm], хотя и не имеет ударения. Слово **any** слабой формы не имеет и во всех случаях произносится ['enɪ].

Внимание!

В вопросах, содержащих п р о с ь б у или п р е д л о ж е н и е, употребляется местоимение **some**, а не **any**.

Have you got **some** matches? (просьба)
Can you give me **some** copies, please? (просьба)
Shall I get you **some** coffee? (предложение)

ПРИМЕЧАНИЯ.

1. Обратите внимание на то, что словам **some** и **any** перед существительным во *множественном* числе соответствует н е о п р е д е л е н н ы й а р т и к л ь перед исчисляемым существительным в *единственном* числе.

1. She's got **a pet**.	She's got **some pets**.
2. Has she got **a pet**?	Has she got **any pets**?
3. She hasn't got **a pet**.	She hasn't got **any pets**.

2. Значение слова **any** перед предлогом **of** видно из следующих примеров:

1. Can **any of you** play chess? — Кто-нибудь из вас умеет играть в шахматы?

2. I can't find **any of my old notes**! — Я не могу найти никаких своих старых записей!

11.3. Отрицательное местоимение **no.**

Отрицательное местоимение **no** (*никакой, -ая, -ое, -ие*) довольно часто употребляется вместо **not any**, если говорящий хочет п о д ч е р к н у т ь отсутствие того, о чем идет речь:

I haven't got **any** time. — У меня *нет* свободного времени.

I've got **no** time. = I have **no** time. — У меня *абсолютно нет* времени.

He hasn't got **any** pets at home. — У него *нет* домашних животных.

He has **no** pets at home. = He's got **no** pets at home. — *Нет* у него никаких животных.

Местоимение **no** имеет фразовое ударение.

Внимание!

В предложениях с отрицательным местоимением **no** сказуемое стоит в *утвердительной* форме. Английское отрицательное предложение, в отличие от русского, имеет **только одно отрицание**, а местоимение **no** само является отрицанием.

Сравните:

одно отрицание   *два отрицания*

He's got **no** facts.
(= He **hasn't** got any facts.)   У него **нет никаких** фактов.

Урок-комплекс 4

ПРИМЕЧАНИЕ.

В группе подлежащего местоимение **no** является
е д и н с т в е н н о возможной формой отрицания:

No doctors can help him.   Никакие доктора не могут
ему помочь.

УПРАЖНЕНИЯ

1

Прочитайте вслух и переведите.

1. Tom's got some tests in May.
2. John's got some telexes in his mail.
3. "Have you got any assistants?" "Yes, I have."
4. "Has Ben got any files on his table?" "No, he hasn't got any."
5. "Hasn't he got any telephones in his office?" "Yes, he has."
6. I haven't got any lessons next Monday. Let's meet and have a game of chess.
7. "Ann hasn't got any pets, has she?" "Yes, she has. She's got a dog, a cat and some fish."
8. "I've got no money on me." "Oh, I can lend you some."

2

Сделайте высказывания отрицательными, употребляя место-имение *any*.

Дано:	Требуется:
I've got some clean copies.	I haven't got any clean copies.

1. He's got some faxes on his table.
2. I've got some expensive models in my office.
3. Jim's got some telexes in his mail.
4. John's got some mistakes in his notes.
5. She's got some facts.
6. I can give some examples.

3

Измените высказывание так, чтобы усилить отрицание.

Дано:	Требуется:
I haven't got any money on me.	I've got no money on me.

1. I haven't got any time next Monday.
2. He hasn't got any sisters in London.
3. She can't give us any examples.
4. I haven't got any nieces.
5. Tom hasn't got any jazz at home.
6. I haven't got any coffee at home.

Прочитайте тексты вслух и перескажите их. Задайте друг другу вопросы (общие и присоединенные) об этих людях.

1

My name's Alex Dale. I'm an economist at an office in London. It's nine o'clock, and I'm in my office. My table's got a lamp, **a fax machine** and a telephone on it. I've got some files, bills, faxes and telexes on my table. My job isn't easy. I haven't got any assistants!

---

machine [məˈʃiːn]   машина, станок *(но не автомашина!)*

fax machine   факс *(аппарат факсимильной связи)*

2

Bess is ill again! She's in bed. She's got **a chill** and a bad headache. She's got no **headache pills** at home. She's only got some tea and coffee.

---

chill   простуда с температурой

headache pills   таблетки от головной боли

Урок-комплекс 4

3

It's half past eight on Monday. Jim's got an exam at exactly nine. He's late. He's got no time! Oh, it's a dog's life!

Прочитайте диалоги вслух и инсценируйте их, заменяя выделенные слова словами, данными в скобках.

1

A. I've got no coffee at home.
B. Oh, haven't you? **I can go and get you some.**
A. Yes, please.

(Shall I go and get some? Let me go and buy some.)

2

A. Have you got any vegetables at home?
B. Let me see... No, I haven't.
A. **Let's go and buy some.** I can make a nice vegetable dish.
B. Oh, can you? O.K.

(Please go and get... Let's buy...)

---

vegetables ['vedʒətəblz]   овощи

dish   блюдо

6

Переведите на английский язык.

1. — У вас есть домашние животные?
   — Да. У меня есть собака, кошка и рыбки.
2. — У него есть дома какие-нибудь фильмы?
   — Да, у него есть несколько итальянских фильмов.
3. Вы можете привести нам какие-нибудь примеры?
4. — У нее нет ошибок в контрольной.
   — Разве?
5. — У меня с собой нет никаких денег.
   — Одолжить тебе?
6. — У меня нет никаких экзаменов в мае.
   — Отлично!

ГРАММАТИКА

12. Глаголы с послелогами.

12.1. Вы уже знаете такие непереходные* глаголы с послелогами, как **be in, come in, go in, go on, hold on, go
back, come back, be back.**

В таких глаголах, широко употребляющихся в английском языке, послелог по своему звуковому и бук-
венному составу совпадает с предлогом (**in, on**) или
наречием (**back**), но выполняет иную функцию. Подобно русским глагольным приставкам, послелоги
дополняют значение глагола или меняют его частично или полностью:

go — идти, ездить

go back — вернуться, идти (ехать) обратно

go in — входить, въезжать

go on — продолжать

---

* Непереходными глаголами называются глаголы, не имеющие прямого дополнения.

Урок-комплекс 4

В отличие от предлогов, послелоги в большинстве случаев произносятся с ударением.

послелог   предлог

Please don't **go in** in a hat and coat!

Пожалуйста, не входите в пальто и шляпе.

12.2. Некоторые глаголы с послелогами являются п е р е - х о д н ы м и, т. е. имеют прямое дополнение.

Запомните следующие переходные глаголы с послелогами:

'send 'off	отсылать, отправлять
'take 'off	снимать (*об одежде*)
'see 'off	провожать
'type 'in	впечатывать
'give 'back	вернуть

Прямое дополнение при переходном глаголе может занимать в предложении различное место.

1. Если прямым дополнением является л и ч н о е м е с - т о и м е н и е (б е з у д а р н о е слово), оно ставится только *между* глаголом и послелогом. Послелог произносится с ударением.

'Please 'see him ˋoff.

'Shall I 'type it ˌin?

2. Если прямым дополнением является к о р о т к о е су - ществительное (у д а р н о е слово), возможны два по - рядка слов:

а) Дополнение может стоять п о с л е послелога, ко - торый в речи среднего темпа произносится с ударением:

'Please 'send 'off my ˋmail.

'Can you 'give 'back his ˌfile?

б) Дополнение может стоять *между* глаголом и после - логом, который теряет ударение, но произносится от - четливо:

'Please 'send my ⌐mail off.

'Can you 'give his ⌡file back?

ПРИМЕЧАНИЕ.

Более «тяжеловесное» дополнение чаще стоит п о с л е послелога:

Let's 'see ⌡off Tom and his ⌐family.

Запомните:

Can I **see** you **off**?	Можно вас проводить?
Can I **see** you **home**?	Можно вас проводить домой?

УПРАЖНЕНИЯ

1

Прочитайте вслух и переведите. Сравните три варианта употребления переходных глаголов с послелогами.

1. Please send it ⌐off. Please send off list ⌐eight.
   Please send list ⌐eight off.
2. Let me take it ⌐off. Let me take off my ⌐coat.
   Let me take my ⌐coat off.
3. Let me see you ⌐off. Let me see off my ⌐people.
   Let me see my ⌐people off.
4. Shall I type it ⌡in? Shall I type in his ⌡name? Shall I type his ⌡name in?
5. Can you give it ⌡back? Can you give back my ⌡file? Can you give my ⌡file back?

2

Переведите на английский язык.

1. Пожалуйста, впечатайте мою фамилию.
2. Одну минуту. Дайте я сниму пальто.
3. Мне отослать список (№) восемь?
4. Я могу вас проводить?
5. Проводить тебя домой?
6. — Можно я подержу у себя его кассету?
   — Да, только верни ее в следующую субботу.

Урок-комплекс 5

ЗВУКИ И БУКВЫ

1. <u>Долгий гласный звук [u:].</u>

Послушайте, посмотрите и произнесите:

[ᴗu: ᴝu: ᴗku:l ᴝsu:p ᴗtu: ᴝfu:d]

Звук [u:] передаётся на письме несколькими способами, наиболее характерным из которых является буквосочетание **oo: moon, too**.

Произнесите, подражая образцу:

soon, food, pool, too, boom

Прочитайте вслух самостоятельно.

boot, shoot, scoop, too, tool, poodle, hoot

Новые слова

school [sku:l]	школа
be at school	быть в школе, учиться в школе
He's still at school.	Он всё ещё учится в школе.
She's at school till five.	Она в школе до пяти часов.
a medical school ['medɪkl]	медицинский институт

> ### Внимание!
>
> При наличии качественного определения или в значении *здания* слово **school** употребляется с артиклем:
>
> | | |
> |---|---|
> | It's **a** school. | Это школа. |
> | He's at **a** business school. | Он (учится) в школе бизнеса. |

too	**1.** тоже, также (*чаще в конце предложения. В отрицательных предложениях н е у п о т р е б л я е т с я*)

His Dad's a businessman, and he's a businessman too.	Его отец бизнесмен, и он тоже бизнесмен.
I can play table tennis, too.	Я умею играть также и в настольный теннис. (*или:* Я тоже умею играть в настольный теннис.)

Запомните разговорную форму:
me too — *и я тоже*

"I'm so happy!"	"Me too!"

---

2. слишком (*перед прилагательными или наречиями*)

It's too expensive.	Это слишком дорого.
It's too big.	Это велико (*о размере одежды, обуви и т. п.*).

Внимание! Разница в значении:

It's late. Поздно (позднее время).	It's **too** late. Слишком поздно (уже ничего нельзя сделать).

two [tu:]* — два

soon — скоро, вскоре

Isn't it too soon?	Не слишком ли это скоро?
Am I too soon?	Я не слишком скоро (пришел)?
See you soon!	До скорого! (Скоро увидимся!)

---

* Подробно буква **w** ['dʌblju:] дана в уроке 7.

Урок-комплекс 5

food   (*неисчисл.*) пища, пищевые
                                      продукты, еда

Сравните: food — meal

meal   еда-трапеза (*напр.*, зав-
                                      трак, обед и т. п.)

Let's have a light meal.

food   пища, еда, продукты

I can go and get some food, and make a meal.

УПРАЖНЕНИЯ

1 ⊙⊙

Прочитайте вслух и переведите примеры на новые слова.

1. an old school, a medical school, a business school, a school teacher, a schoolbag, a schoolbus
2. "Is Billy often so late at school?" "No, not often, only sometimes on Mondays."
3. too hot, too cold, too late, too soon, too cheap, too expensive, too often
4. A nice coat, but it isn't my size. It's too big.
5. Bob's Spanish is excellent and his Italian's excellent, too.
6. I'm still busy, and my assistant's busy too.
7. "Let me go and get a clean copy. Shall I get you a copy too?" "Yes, please."
8. "John's back at his office." "So soon?" "Yes, you can phone him."
9. "Hello! Am I too soon?" "Oh, no! Please come in!"

2 ⊙⊙

Инсценируйте диалоги, заменяя выделенные слова словами, данными в скобках.

1

A. I've got **two sons**.
B. Oh, have you? Me too.

(two sisters; a big family; two cats at home; a holiday in May)

2

A. John's still at school, isn't he?
B. No, he isn't, he's at college.
A. Oh, is he? So soon?

Урок-комплекс 5

B. Yes, he's eighteen. He's at **a technical college in London.**
A. Oh! Fine!

> (a business school in London; a medical school in Sheffield;
> a technical college in Leeds)

3

At a Party

A. It's late. Let's go home.
B. So soon? No, let's stay till half past eleven and take a taxi home.
A. A taxi? But it's too expensive!
B. O.K. ↷You can go home by bus!

2. Глаголы **do** [du:] и **make** — *делать.*

do	**1.** делать, сделать (*в общем, абстрактном смысле*)
Don't do it again!	Больше этого не делай!
	2. делать, выполнять
Please do it soon.	Пожалуйста, сделайте это поскорее.
I can do it next time.	Я могу это сделать в следующий раз.
Don't do Ben's job. Let ↷him do it.	Не делай за Бена его работу. Пусть он сам ее сделает.
	3. слово-заместитель, употребляющееся во избежание повторения сказуемого
"Shall I send him a fax?"	Послать ему факс?
"Please do!"	Да, пожалуйста.

> **Внимание!**
>
> В этом случае слово **please** без слова **do** не употребляется.

Урок-комплекс 5

4. для усиления просьбы или приглашения

'Do 'come ↘in!

Прошу вас, входите, пожалуйста!

'Do 'phone me ↘soon.

Обязательно позвони мне поскорее.

5. вспомогательный глагол

Don't = Do not

Сравните глаголы *do* и *make*:

do	*делать, выполнять, исполнять*
do a job	сделать работу
do lesson eight	пройти восьмой урок
do it again	сделать это снова, еще раз
do it soon	сделать это поскорее
do it next time (on Monday, on Saturday, next Sunday)	сделать это в следующий раз (в понедельник, в субботу, в следующее воскресенье)
make	*делать, производить, создавать*
make a test	произвести опыт
make a film	снять фильм
make a mistake	сделать ошибку
make tea, coffee, lunch	заварить чай, сварить кофе, приготовить обед
make a noise	шуметь
make a copy (of)	снять копию (с чего-л.)
make a list (of)	составить список (чего-л.)
make a note (of)	записать (что-л.)

Урок-комплекс 5

УПРАЖНЕНИЯ

1

Прочитайте вслух примеры из правила.

2

В колонке слева даны начала предложений. Подберите возможные окончания из колонки справа.

Please ...	do his (her) job in time
Let me (let's) ...	make a mistake
I can ...	make some coffee
You can ...	do it next time
Shall I ...?	make two copies of list eight
Can I ...?	make some hot tea
Can you ...?	do it soon
Can't he (she) ...?	make lunch
Don't ...	do it next Saturday
She (He) can't ...	make a note of it
I can't ...	do lesson two

3

Выберите правильное слово.

DO или MAKE?

1. Please _____ it again and don't _____ a mistake!
2. "Shall I _____ some tea?" "Yes, please _____."
3. Just a moment! Let me _____ a note of it.
4. Let's _____ lesson ten next time.
5. "Shall I _____ an exact list of names and dates?" "Yes, please, and _____ it soon."
6. It's a bad mistake. Don't _____ it next time.
7. It's a simple job. I can _____ it soon.
8. "Shall I _____ a copy of list eight?" "Yes, please _____ two copies."
9. Can't he _____ his job in time?
10. Hello, Jim! _____ come in!
11. "Shall I explain it again?" "Please _____."

Урок-комплекс 5

4

Прочитайте диалоги вслух и инсценируйте их.

1

A. Let me go and have **a snack**.
B. Please do. Only come back soon.
A. Okay!

(a cup of coffee, a cup of tea, a light meal)

2

In a Shop

Mrs Adams: A nice coat, but it isn't my size. It's too big.
Shop assistant: Oh, is it? Just a minute. Let me fetch you size sixteen.
Mrs Adams: Yes, please do.

. . . .

Oh, isn't it lovely! And it's just my size.

5

Переведите на английский язык.

1. — Мне снять копию со списка восемь?
   — Да, пожалуйста, сделайте две копии и снимите копию со списка семь тоже.

2. — У меня отпуск в мае. — Да? И у меня тоже.

3. Это не простая работа. Я не могу сделать ее так скоро.

4. Это отличная машина, но она слишком дорогая. Я не могу ее купить.

5. — Бобби все еще (учится) в школе? — Нет. Он в медицинском институте в Лондоне.

6. — Здравствуйте, я не опоздал? — Нет, входите, входите, прошу вас.

7. Это грубая ошибка. Не сделайте ее снова.

8. — Послать ему факс? — Да, пожалуйста, и сделайте это поскорее.

ЗВУКИ И БУКВЫ

3. Звукосочетание [ju:].

Послушайте, посмотрите, произнесите:

[↗ju: ↘ju: ↗ju: ↘ju:]

3.1. Звукосочетание [ju:] обычно передается на письме буквой **U, u** [ju:] по первому (алфавитному) типу чтения:

unit, tune.

Перед звуком [j] форма неопределенного артикля — **a** [ə], а не **an** [ən]: **a unit** [ə'ju:nɪt].

Произнесите, подражая образцу, затем самостоятельно:

cute, tube, duty, dune, UN; a unit, a use [-s], a UFO ['ju:fəu]

Прочитайте вслух самостоятельно. Что, по-вашему, означают эти слова?

music ['mju:zɪk], pop music, classical ['klæsɪkl] music, student ['stju:dnt], document ['dɔkjument], computer [kəm'pju:tə], computer games

Буква **u** передает гласный звук [u:] без предшествующего [j] по первому типу чтения после букв **l** и **j**: **Lucy** ['lu:sɪ] (*женск. имя*), **flu** — грипп, **June** — июнь.

Новые слова

student ['stju:dnt]	студент, студентка
He's a student at a medical school.	Он студент медицинского института.
a school student	школьник, учащийся средней школы
music ['mju:zɪk]	музыка
classical ['klæsɪkl] music	
pop music	
jazz	джазовая музыка
suit [sju:t]	костюм (мужской или дамский)
suitcase ['sju:tkeɪs]	чемодан

Урок-комплекс 5

use [ju:z]

You can use my suitcase.

употреблять, использовать, воспользоваться

Можешь воспользоваться моим чемоданом.

blue

a blue suit, blue jeans

синий, голубой

juice [dʒu:s]

'apple juice

сок

Tuesday ['tju:zdɪ]

on Tuesday

on Tuesday night

next Tuesday

вторник

во вторник

во вторник вечером, в ночь со вторника на среду

(в) следующий вторник

June

in June

next June

июнь

в июне

3.2. Звук [ju:] также передается буквосочетанием **ew** [i:'dʌblju:].

new

новый (*При наличии других качественных определений слово* **new**, *как и слово* **old**, *ставится последним:* a big new flat.)

news [nju:z]

I've got some news.

(*неисчисл.*) новость, новости, вести

У меня есть (кое-какие) новости.

Внимание!

При необходимости говорить о количестве новостей нужно использовать слово **piece**:

I've got **a piece of news** (two pieces of news).

У меня есть новость (две новости).

a piece of cheese

a piece of news

Урок-комплекс 5

3.3. После буквы **g** буква **u** не читается, если за ней следует другая гласная буква: **dialogue** ['daɪəlɔg], **guide** [gaɪd].

Прочитайте вслух самостоятельно:

guess, guest, guilt, guild, guide, guilty

Новые слова

catalogue ['kætəlɔg]	каталог
dialogue ['daɪəlɔg]	диалог
colleague ['kɔli:g]	коллега, сотрудник, сослуживец

УПРАЖНЕНИЯ

1 ⊙⊙

Прочитайте вслух и переведите примеры на новые слова.

1. Lucy's a student at a music school, she's a music student. John's a student, too. He's at a medical school.
2. "Jane's suitcase is black, isn't it?" "No, it's blue."
3. You can use my telephone. He can use my new catalogues. Please take my suitcase and use it.
4. "Have you got any new catalogues?" "Yes, catalogue six is new and catalogue eight is new, too."
5. "Meet Susan! She's my new colleague." "Hello, Susan! I'm Ben Davies." "Hi, Ben!"

2 ✎

Заполните пропуски предлогами.

1. Mike's a student _____ a medical school _____ Scotland, and John's a student _____ a music school _____ London.
2. "Let's meet _____ my place _____ seven o'clock _____ Tuesday." "Okay! See you _____ Tuesday." " _____ Tuesday. Bye!"
3. Lucy's often _____ holiday _____ June, isn't she?
4. "Anne's still _____ hospital." "Oh, is she?"
5. Jane's _____ school. She's sometimes still _____ school _____ five o'clock.

6. Please type my message, Miss Phillips, and send it _____ fax.
7. Jim's got a job _____ a new hospital _____ Leeds.
8. "Shall I leave Ben's catalogues _____ his table?" "Yes, please do."
9. Is it a photo _____ Jim's new colleagues?
10. Can you phone me _____ my office _____ exactly ten _____ Tuesday?

4. Суффиксы прилагательных **-ful** [ful] и **-less** [lɪs].

Суффиксы **-ful** и **-less** образуют прилагательные от некоторых существительных.

use [juːs]	польза
useful [ˈjuːsful]	полезный

a useful catalogue (hobby, lesson, test)

useless [ˈjuːslɪs]	бесполезный

a useless visit (plan, game, text)

Внимание!

полезный для здоровья — **good** [gud]*	good food
вредный для здоровья — **bad**	bad food

---

beauty [ˈbjuːtɪ]	красота
beautiful [ˈbjuːtɪful]	красивый, прекрасный

a beautiful place (city); some beautiful music

Ant. **ugly** [ˈʌglɪ]	уродливый, безобразный

Внимание!

a **beautiful** lady	(о женской красоте)
a **handsome** [ˈhænsəm] man	(о мужской красоте)

---

* Подробно см. с. 207.

УПРАЖНЕНИЯ

1. Прочитайте текст вслух и перескажите его.

2. Задайте друг другу вопросы по тексту.

Meet Susan Adams, my new colleague. She's beautiful, isn't she! Susan's an economist and her **husband**'s an economist, too. His name's Ken. He isn't exactly a handsome man, but he's nice. Susan and Ken have got two sons, John and Mike.

John's seventeen. He's a student at a medical school in Glasgow ['glɑːzgəu], and he's got a job at a big new hospital. It's a **difficult** job, but it's useful, and he's happy.

Mike isn't at college yet. He's only fifteen and he's still at school. Mike's got a hobby. It's music. He's got a big **collection** of classical music and some lovely old jazz.

---

husband ['hʌzbənd]   муж

difficult ['dɪfɪkəlt]   трудный, тяжелый

    Ant. easy

    a difficult job (exam, test, book)

Внимание!

a difficult book

a heavy book

---

collection [kə'lekʃn]   коллекция

Урок-комплекс 5

2

Согласны ли вы со следующими высказываниями?

1. Susan Adams is a student. She's beautiful, isn't she?
2. Her husband isn't an economist. He's a handsome man, isn't he?
3. Susan and Ken haven't got any sons.
4. John Adams is a school teacher. His job isn't difficult.
5. Mike isn't at school yet. He's only six. He hasn't got any hobbies.

ЗВУКИ И БУКВЫ

5. Краткий гласный звук [u].

Послушайте, посмотрите, произнесите:

[ˈu ˋu ˈkud ˋstud ˈput ˋfut]

Звук [u] передается на письме буквосочетанием **oo** чаще всего перед буквой **k**, но иногда и перед другими буквами: **book, good, foot**.

Звук [u] может передаваться на письме буквой **u**, например: **put, full, bush**.

Произнесите, подражая образцу.

book, look, took, put, push, full

Прочитайте вслух самостоятельно.

hook, cook, books, shook, stood, hood, soot, foot, put

Сравните звуки [u] и [u:].

[u]		[u:]	[u]		[u:]
took	—	loot	full	—	fool
book	—	boom	pull	—	pool
foot	—	boot	cook	—	soup

Внимание!

Замена одного звука другим меняет значение слова:
full [ful] — *полный, наполненный*   **fool** [fu:l] — *дурак*

Урок-комплекс 5

Новые слова 📼

book	книга
a book **on** chess	
textbook	учебник
a Spanish textbook	учебник испанского языка
notebook ['nəutbuk]	записная книжка
bookcase ['bukkeɪs]	книжный шкаф
good [gud]	1. хороший; добрый; полезный для здоровья; хорошего качества
a good book	хорошая книга
a good man	хороший (добрый) человек
good food	хорошая (полезная) пища
a good car	хорошая (хорошего качества) машина
Good!	2. Хорошо! (*одобрительная реплика*)
"I can finish my job soon." "Good!"	
be good (at) ...	иметь способности (к чему-л.), хорошо уметь (что-л.) делать
She's good at music.	Она способна к музыке.
Ben's good at his job.	Бен хорошо справляется с работой.
I'm not good at names.	Я плохо запоминаю имена.

Внимание: интонация!

Goodbye! [gud‿baɪ]	До свидания!
Syn. **Bye! Bye-bye!**	
Good ⌐night!	Спокойной ночи!
Good afternoon! ['gud ˌɑːftə⌐nuːn]	Здравствуйте! Добрый день! (*употребляется примерно с 12 часов дня до 5—6 часов вечера*)

Урок-комплекс 5

look   смотреть, посмотреть

> ### Сравните:
>
> **look (at)**   смотреть (на что-л., на кого-л.)
>
>   ꓿Look at him!   Посмотри на него!
>
>   You can look at his new models.   Вы можете посмотреть его новые модели.
>
> **see**   смотреть (что-л.)
>
>   Let's see a film.   Давай посмотрим какой-нибудь фильм.
>
>   See page eighty.   Смотри стр. 80.

have a look (at)   взглянуть (*кратковременное действие*)

     Have a look at catalogue 8.   Взгляните на каталог № 8.

     Can I have a look (at it)?   Можно взглянуть (на это)?

cook (*глаг.*)   готовить (еду)

     Can you cook?

cook (*сущ.*)   повар, кулинар.

     She's a good cook.   Она хорошо готовит.

put [put]   класть, положить

     Please put his file on my table!

     Let me put his books in my bookcase.

full   полный, заполненный, наполненный

     his full name   его полное имя (имя полностью)

> ### Внимание: предлог!
>
>   full **of** apples   полный яблок
>
>   full **of** people   полный народу

document ['dɔkjumənt]   документ

July [dʒu'laɪ]   июль

Урок-комплекс 5

6. Слова **today** [tə'deɪ] — *сегодня, сегодняшний день* и **tonight** [tə'naɪt] — *сегодня вечером (ночью), сегодняшний вечер (ночь).*

Слова **today** и **tonight** могут быть наречиями или существительными.

Как наречия они являются в предложении обстоятельствами времени (*когда?*):

It's hot **today**.	Сегодня жарко.
I'm busy **tonight**.	Я занят сегодня вечером.

Как существительные эти слова могут употребляться в притяжательной форме:

today's mail	сегодняшняя почта
tonight's film	фильм, который покажут сегодня вечером

УПРАЖНЕНИЯ

Повторите, употребляя подсказанные слова.

1. Have a look at **his new books**.
   • her new photos • his best slides • my old notes • his new tests • my best stamps • his collection •
2. Can I have a look at today's **mail?**
   • faxes • telexes • messages •
3. You can look at **some new catalogues**.
   • some new exhibits • some new textbooks • his best models • some cheap models • some new stamps in my collection •
4. Shall I put it **in his bookcase?**
   • in my bookcase • on his table • on her shelf • in my suitcase •
5. Please use **my telephone**.
   • my catalogues • my textbook • my films • my tapes • my suitcase • my car •
6. He's good at **music**, isn't he?
   • tennis • table tennis • chess • Spanish • Italian • Japanese • Chinese •
7. I'm not good at **music**.
   • games • tennis • chess • names • computer games •

Урок-комплекс 5

2 ⊙⊙

Прочитайте диалоги вслух и инсценируйте их.

1

A. It's a useful book full of new facts. You can take it and use it.
B. Oh, good!

2

A. It's a good exhibition, but it's full of people today.
B. Is it? Let's not go today. Let's go on Tuesday.
A. Fine! Tuesday's a good day.

3

A. Can you cook?
B. No, I can't. My husband can. He's a good cook. It's his hobby.
A. A useful hobby, isn't it?
B. Oh, yes, it is!

4

A. Have you got any new models?
B. Yes, number ten's new. Have a look at it.

5

A. I've got an excellent new catalogue.
B. Oh, have you? Let me have a look at it.
A. It's in my office. Shall I fetch it?
B. Yes, please do!

6

A. It's hot today, isn't it!
B. Yes. Shall I get you some cold juice?
A. Oh, yes, please!

Урок-комплекс 5

☐3 ✐

Переведите на английский язык.

1. — Это полезная книга, полная новых фактов. Возьмите ее и пользуйтесь ею. — Хорошо!
2. — У тебя есть какие-нибудь новые каталоги? — Да. Каталог 18 новый. Взгляни.
3. — Познакомься с Ником. Он мой новый коллега. — Здравствуйте, Ник. Меня зовут Джейн.
4. — Том все еще учится в школе? — Нет, он студент медицинского института, и у него к тому же хорошие музыкальные способности.
5. Ты можешь сказать мне его имя еще раз? Я плохо запоминаю имена.
6. — Я занят сегодня вечером. — Я тоже. Давай встретимся в субботу. — Хорошо. Суббота — удобный день.
7. Я не могу найти новый номер телефона Джейн. У тебя он есть? — Да. Одну минуту ... 575-29-99.
8. — Жарко! Принести тебе холодного сока? — Да, пожалуйста.
9. Разрешите мне взглянуть на сегодняшнюю почту.

7. Вежливая просьба, начинающаяся с глагола **could** [kud].

Послушайте и посмотрите: 🔊

1. Could you phone me on Tuesday?	Вы могли бы позвонить мне во вторник?
2. Could you help me, please?	Не могли бы вы мне помочь?
3. Could you give an example?	Не могли бы вы привести пример?
4. Could I have a look at it?	Не могу ли я взглянуть на это?

В этих примерах **could** является формой сослагательного наклонения глагола **can** и выражает вежливую просьбу, соответствующую русским выражениям *Вы могли бы... Не могли бы вы...* и т.п.

Урок-комплекс 5

УПРАЖНЕНИЕ

Сделайте просьбу еще более вежливой.

Дано: Can you tell me Ben's phone number?
Требуется: Could you tell me Ben's phone number?

1. Can you get me a copy, too?
2. Can you come and see me at my place tonight?
3. Can I have a look at his new book, please?
4. Can I keep catalogue five till Tuesday?
5. Can you get me some cold juice, please?
6. Can I have it a moment, please?
7. Can you put it on my table, please?
8. Can you hold on a moment, please?
9. Can I see Mrs Davies, please?
10. Can you spell his name, please?

ЗВУКИ И БУКВЫ

8. Дифтонг [uə] и звукосочетание [juə].

Дифтонг [uə] может передаваться на письме несколькими способами, например, (в отдельных словах) буквосочетаниями **oor, our** и **ure**: **poor** [puə] — *бедный*, **tour** [tuə] — *турне, поездка*; **sure** [ʃuə] — *уверенный*.

Звукосочетание [juə] передается на письме буквосочетанием **ure** под ударением: **cure** ['kjuə] — *вылечить, исцелить*.

Произнесите, подражая образцу, затем прочитайте вслух самостоятельно.

poor, spoor, tour, cure, pure, boor, moor, lure, en'dure, ma'ture, ob'scure, se'cure

Новые слова 🔖

sure [ʃuə]	уверенный
be sure	быть уверенным
He's in till half past seven, I'm sure. (= I'm sure he's in...)	Он на месте до половины восьмого, я уверен.
poor	1. бедный
He's a poor man.	Он бедный человек.

Урок-комплекс 5

2. неважный, плохой, слабый

Tom's a poor student.

Том неважно учится.

My Spanish is poor.

Я плохо говорю по-испански.

ГРАММАТИКА

9. Глагол **be** во множественном числе настоящего времени — **are.**

Во множественном числе настоящего времени глагол **be** имеет сильную форму **are** [ɑ:] и слабую форму [ə]. Слабая форма после личных местоимений пишется **'re.**

9.1. Утвердительное предложение.

1. You**'re** late [juə 'leɪt].

Вы опоздали.

2. Bob and Susan **are** late, too.

Боб и Сюзан тоже опаздывают.

9.2. Отрицательное предложение.

You **aren't** late
[ju: 'ɑ:nt 'leɪt].

(You**'re** **not** late
[juə 'nɔt 'leɪt].)

Вы не опоздали.

Bob and Susan **aren't** late
(... **are** **not** late).

Боб и Сюзан не опоздали.

9.3. Общий вопрос и краткие ответы на него.

Are you busy? ['ɑ: ju ᴗbɪzɪ]

Вы заняты? (Вы не заняты?)

Are you sure? ['ɑ: ju ᴗʃuə]

Ты уверен?

Aren't you busy?
['ɑ:nt ju ᴗbɪzɪ]

Разве вы не заняты?

Aren't you sure?
['ɑ:nt ju ᴗʃuə]

Разве ты не уверен?

Возможные ответы:

Are you sure? ———— Yes, I am.
No, I'm not.

Am I late? ———— Yes, you are.
No, you aren't.

Урок-комплекс 5

9.4. <u>Присоединенные вопросы.</u>

You're busy, **aren't** you?
You **aren't** busy, **are** you? (You're **not** busy, **are** you?)

9.5. <u>Краткий переспрос.</u>

A. I'm sure!   *A.* I'm not sure.
B. Are you?   *B.* Aren't you?

ПРИМЕЧАНИЕ.

Разговорная форма отрицательного вопроса и восклицательной формы в первом лице единственного числа — **aren't**.

Aren't I in time?   I'm in time, **aren't I**?

УПРАЖНЕНИЯ

1

Прочитайте вслух и переведите.

1. "You're late again, Amy!"
   "Oh, am I? But it isn't time yet!"
   "Yes, it is. Look, it's ten past nine. You're ten minutes late."
2. "You're busy, aren't you?" "No, I'm not. Do come in!"
3. "You're still on holiday, aren't you?"
   "Yes, I'm on holiday till July."
4. "Are you Mr Davies?" "Yes, I'm Ben Davies."
5. "Dave's colleagues are still in Japan." "Are you sure?"
   "Yes, I am."
6. "Is it Lucy's telephone book on my table?"
   "I'm not sure. Let me have a look."
7. Tom's Spanish is poor, but his Italian's excellent.

2

Ответьте на следующие вопросы. Расскажите друг о друге на основании полученных ответов.

1. Are you a college student (a school student)?
2. Are you a student at a technical college (at a medical school, at a music school, at a business school)?
3. Are you a doctor (a businessman, a teacher, an economist, a pilot, a seaman, an army officer ['ɑːmɪ 'ɔfɪsə])?

army officer   военный, офицер

Урок-комплекс 5

4. Are you often busy? Are you sometimes busy on Saturdays and Sundays? Are you often at home?
5. Have you got any useful books at home?
6. Can you play tennis (table tennis, chess, hockey)? Are you good at it?
7. Are you good at music? Have you got any good music (pop music, classical music, jazz)?
8. Can you cook? Is it difficult? Are you a good cook?

3

Перед вами ответы. Какие были заданы вопросы?

1. **No,** I'm not busy today.
2. **Yes,** I can play table tennis, too.
3. **No,** she hasn't got any good music at home.
4. **Yes,** he's good at his job.
5. **No,** I'm not on holiday yet.
6. **Yes,** it's a useful book.
7. **Yes,** you are. You're ten minutes late.
8. **Yes,** I'm a doctor, too.
9. **No,** he hasn't got any new catalogues in his office, I'm sure.
10. **Yes,** I've got some faxes today. Have a look!

ЗВУКИ И БУКВЫ

10. Звонкий согласный звук [ð].

Послушайте, посмотрите, произнесите:

[ððð, ððð, ððð, ⌐ððði:, ⌐ðððeɪ, ⌐ðððem, ⌐ðððen]*

Звук [ð] передается на письме буквосочетанием **th**: they [ðeɪ], the [ði:].

Произнесите, подражая образцу, затем прочитайте вслух самостоятельно.

thee	them	these
they	then	those
thy	that	this

---

* Звук [ð] легче произносится за зубами, т.е. там, где произносятся русские звуки [т, д, н, л].

Урок-комплекс 5

Сравните.

[ð—v]	[ð—z]	[ð—d]
that — vat	bathe — bays	loathe — load
thee — V	then — zen	thy — die
thy — vie	thee — zee	they — day

Большинство слов, начинающихся со звука [ð], носит служебный характер.

Новые слова

they [ðeɪ] — они (*личное мест.*)

them [ðem, ðəm, ðm] — их, им (*косв. падеж мест.* they)

then — **1.** затем, потом (*стоит в начале предложения, произносится с ударением*)

Let me phone my ↗boss and 'then let's ↘go.

2. в таком случае, тогда (*стоит в начале или в конце предложения, сохраняя качество гласного звука* [e])

Oh? Is it time?   Let's ↘go, then. (Then let's ↘go.)

УПРАЖНЕНИЯ

1

Прочитайте вслух, подражая образцу, и переведите.

а) 1. They are my colleagues. They are his assistants.
  2. They aren't busy, I'm sure. They aren't new, I'm sure.
  3. Are they still in Scotland? Are they still at school?
  4. They've got an exam today. They haven't got any exams in July. They've got no time tonight.

б) 1. See them. Pay them. Do them. See them tonight. Pay them in time. Do them on Tuesday.

в) 1. Let's go, then. Let's stay, then. Let me pay, then.
  2. "Let's go and see that new Spanish film tonight."
       "O.K. Then let me go and get some tickets."
  3. "Oh, I'm late!" "Then let me give you a lift." "Fine."
  4. Let me get my ↗pay, then let's go and have ↘lunch.

— 216 —

Урок-комплекс 5

2

Повторите, употребляя подсказанные слова.

1. They've got **a nice family**.
   • two sons • a big dog • a holiday in July •
2. They're my **cousins**.
   • nieces • colleagues • assistants • students •
3. They aren't **in time**.
   • old • late • poor • new •
4. Are they still **in London**?
   • in Spain • at home • at college • on holiday •

3 🔲🔲

Инсценируйте диалоги, заменяя выделенные слова словами, данными в скобках.

1

A. His **plane's** late.
B. Is it? Let's go and have some coffee, then.
A. Yes, let's.

(flight; ship)

2

A. I've got some good news. Anne and Jim are back in London.
B. Oh, are they? Let's go and see them, then.
A. Yes, let's do it **tonight**, okay?
B. Fine!

(today; soon; on Tuesday; on Saturday)

4 ✏️

Переведите на английский язык.

1. У них большая семья. У них пятеро сыновей.
2. У них есть два отличных помощника.
3. — Они заняты до половины восьмого, я уверен.
   — Да? В таком случае они могут прийти и повидаться со мной в моем офисе во вторник.
4. — Они все еще в Японии. — Да? Тогда пошлите им факс и сделайте это поскорее.
5. — Мой рейс задерживается. — Тогда пойдем перекусим.

Урок-комплекс 5

ГРАММАТИКА

<u>11. Указательные местоимения **this, these, that, those**.</u>

this [ðɪs]

этот, эта, это
о чем-л. (ком-л.), находящемся вблизи от говорящего

these [ði:z] (мн.ч.)

эти

this seat

these seats

that [ðæt]

тот, та, то
о чем-л. (ком-л.), находящемся в отдалении от говорящего

those [ðəuz] (мн.ч.)

те

that shop

those files

Внимание!

Указательные местоимения **this, these, that, those** имеют фразовое ударение.

Запомните:

При дальнейшей ссылке на предмет или человека употребляется не указательное, а соответствующее личное местоимение. Это правило распространяется и на присоединенные вопросы.

1. "Let me see **that** photo." Разрешите посмотреть вон ту фотографию.

"Oh, **it's** a photo of my team." Это фотография моей команды.

2. This student's got an exam next Tuesday, hasn't **he**?

Урок-комплекс 5

УПРАЖНЕНИЯ

1 ⊙⊙

Прочитайте вслух и переведите.

1. this seat — these seats, this plane — these planes, this job — these jobs, this happy event — these happy events
2. that hotel — those hotels, that flight — those flights, that plan — those plans, that businessman — those businessmen
3. that man's name — those men's names, that lady's husband — those ladies' husbands

2

Употребите следующие словосочетания во множественном числе и прочитайте их вслух.

this apple, that lady, this disc, that fax, that telex, this beautiful city, that lovely day, this late flight, that useful test, that beautiful place

3 ✎

Выберите правильное слово, прочитайте вслух и переведите.

THIS или THESE?

1. Please have _____ apple juice.
2. Please have _____ apples.
3. You can pay _____ bills on Tuesday.
4. Let me have _____ bill.
5. Could you leave me _____ notes till Monday?
6. Shall I leave you _____ catalogue?
7. Can I leave _____ money on Ben's table?
8. _____ news isn't bad.
9. _____ tests are too difficult.
10. _____ job isn't difficult.

THAT или THOSE?

1. Can I see _____ documents, please?
2. I can't find _____ document.
3. Are _____ models new?
4. _____ people are my colleagues.
5. Have you got _____ catalogues?
6. Could you send him _____ money today?

Урок-комплекс 5

7. _____ news isn't pleasant!
8. Please let me see _____ files.
9. _____ shops aren't open yet.
10. _____ shop's still closed.

ЗВУКИ И БУКВЫ

12. Глухой согласный звук [θ].

Произнесите, подражая образцу.

[θθθ, θθθ, θθθ, ˈθθθi:m, ˈbouθθθ, ˈmɪθ, ˈmæθ]

Звук [θ] передается на письме буквосочетанием **th** и является глухим вариантом звука [ð]: **theme** [θi:m].

Произнесите, подражая образцу, затем прочитайте вслух самостоятельно.

thin, thief, theft, faith, oath, moth, myth, method, Miss Smith

Сравните:

[θ—f]	[θ—s]	[θ—t]
thin — fin	thin — sin	thin — tin
thane — fane	myth — miss	myth — mitt
oath — oaf	moth — moss	faith — fate

Новые слова

thin — худой (*о живых существах*); тонкий (*о предметах*)

a thin boy, a thin file

thick — толстый, плотный (*о предметах*)

a thick file, a thick coat

fat — толстый, полный, жирный (*о живых существах*)

a fat cat

tooth [tu:θ] — зуб
(*мн.ч.*) **teeth** [ti:θ]

a tooth

excellent teeth

toothache ['tu:θeɪk] ·   зубная боль

I've got a bad toothache.   У меня сильно болит
= I have a bad toothache.   зуб (болят зубы).

УПРАЖНЕНИЕ 🔊

Прочитайте вслух, подражая образцу, и переведите.

1. a thin file — a thick file, a thin book — a thick book, a thin pencil — a thick pencil
2. a thin boy — a fat boy, a thin cat — a fat cat, a thin dog — a fat dog
3. "I've got a bad toothache today." "Then go and see a dentist."

ГРАММАТИКА

13. Определенный артикль **the.**

13.1. Определенный артикль **the** [ðɪ:, ðə] употребляется в том случае, когда говорящий считает, что собеседнику понятно, о каком именно к о н к р е т н о м предмете (лице или явлении) идет речь.

The bags are too heavy!   **The** bus is too full!
Let's take **a** bus.   Let's take **a** taxi.

Сравните:

Неопределенный артикль **a** *относит предмет к какому-либо классу, выделяя его из ряда р а з н о р о д - н ы х предметов.*

Определенный артикль **the** *конкретизирует предмет, выделяя его из ряда о д н о р о д - н ы х предметов.*

Let's take **a** bus (not a taxi, a plane, ...).

The bus is too full (**this** bus).

I'm **a** teacher (not a doctor, an economist, ...).

The teacher's name's Fennell.

Урок-комплекс 5

Определенный артикль как по происхождению, так и по значению родствен указательным местоимениям **this** и **that**, т.е. близок по значению русским словам *это, то, этот, та* и т.п., однако элемент «указательности» у него несколько слабее.

1. The line's busy.	Телефон (линия) занят (т.е. занят *тот* номер, который я набрал).
2. The shop isn't open yet.	Магазин еще не открыт (*тот* самый, в который мы собирались пойти).
3. The coffee's too hot.	Кофе слишком горячий (т.е. *тот*, который я пью).
4. Please leave **the** money on my table.	Пожалуйста, оставь деньги у меня на столе (*эти* деньги).
5. The students are late today.	Студенты сегодня опоздали (*те*, которые должны были прийти на занятия).

Как видно из примеров, употребление определенного артикля не связано с понятием исчисляемости: он употребляется как перед исчисляемыми, так и перед неисчисляемыми существительными:

the shop, the coffee, the money, the students

ПРИМЕЧАНИЕ.

В сочетаниях с у щ е с т в и т е л ь н о е + с у щ е с т в и т е л ь н о е артикль относится ко второму существительному — определяемому:

the London **bookshops**, **a** village **school**

Если первое существительное стоит в п р и т я ж а т е л ь н о м падеже, то артикль относится к нему:

A doctor's job isn't easy.	Работа врача нелегка (т.е. работа **любого** врача).
The doctor's job's excellent.	Работа врача отличная (т.е. работа, выполненная **этим** врачом).

13.2. Определенный артикль, как и неопределенный, безударен и поэтому употребляется в своих слабых формах и произносится слитно с тем словом, перед которым он стоит.

Перед словом, начинающимся с согласного звука, определенный артикль произносится [ðə]: **the bill, the next day, the big event, the useful books**.

Перед словом, начинающимся с гласного звука, определенный артикль произносится [ði:]: **the apple, the exact time, the open book**.

ПРИМЕЧАНИЕ.

Полная форма определенного артикля [ði:] употребляется редко, только в тех случаях, когда по той или иной причине артикль надо произнести с ударением:

'Not 'a ['eɪ] message but 'the ['ði:] message.
Не какая-то записка, а та самая (о которой мы знаем).

13.3. Артикль не может стоять перед существительным, имеющим другой определитель — притяжательное местоимение или существительное в притяжательной форме. Такие сочетания вам уже известны:

my job, this cafe, today's mail, Lucy's husband

Артикль также не употребляется перед существительным, после которого идет номер:

catalogue 6, page 78, set 7-B

Исключением является обозначение маршрутов городского транспорта:

the seventeen bus (= **the** seventeen), on **the** seventeen bus

a seventeen bus (= **a** seventeen)

Внимание!

play tennis, play chess, play hockey
но
play **the piano** ['pjænəu]   играть на рояле
play **the violin** [ˌvaɪə'lɪn]   играть на скрипке
play **the guitar** [gɪ'tɑ:]   играть на гитаре

Урок-комплекс 5

ПРИМЕЧАНИЕ.

Если речь идет о частях тела, родственниках и одежде конкретного человека, следует употреблять притяжательное местоимение, а не артикль:

his eyes, my head, her hands, my Dad, his niece, her face, his coat, my hat

УПРАЖНЕНИЯ

1

Отработайте сочетания согласных [ð] и [θ] с другими согласными звуками.

a. [vð] *При слитном произнесении оба звука сохраняют свое качество.*

1. some of the films, some of the tapes, some of those cities
2. Don't leave the lab open. Leave the keys on my table. Leave them on my table.
3. Please give the typist these lists.
4. Have they got any time today? Have they got any news?

b. [nð], [lð], [dð] *Альвеолярные звуки [n, l, d] в положении перед звуками [ð] и [θ] произносятся не на альвеолах, а на зубах там же, где звуки [ð] и [θ].*

1. [nð] on the table, in the office, in the city, in this message, on these lists, on those bills
2. [nθ]

Новое слово

month [mʌnθ]   месяц

this month   в этом месяце

next month   в следующем месяце

3. [dð] I can't find the mistake. She can't find the keys.
    Find them. Send them. Hold them. Mend them.
4. [lð] Could you spell that name, please?
    Could you tell the students, please? Could you tell them, please?

Урок-комплекс 5

C. [pð], [kð], [tð] *Под влиянием глухих звуков* [p], [k] *и* [t] *начало звонкого звука* [ð] *оглушается.*

1. [pð] Type them. Help them. Keep them. Please type the lists. Please help the ladies. Please keep that seat. Keep these books till Monday.

2. [kð] Take them. Make them. Let's take the eleven bus. Let me park the car. Can I take the keys? Don't make that mistake again!

3. [tð] at the lesson, at the office, at the stadium, at that time Let them phone me. Let them come. Let them stay. Put the files on the shelf. Put them on the shelf. They're still in London, aren't they? Test them. Meet them. Get them.

Запомните:

at the moment   сейчас, в настоящий момент

They're busy at the moment.

He isn't in at the moment.

2

Прочитайте вслух каждую пару предложений и объясните разницу в их значении.

1. Could you lend me a book, please? Could you lend me the book, please?

2. Let me have a look at some new models. Let me have a look at the new models.

3. Let's meet at a bus stop. Let's meet at the bus stop.

4. Have you got any tapes? Have you got the tapes?

5. I can't find a mistake. I can't find the mistake.

6. Let's buy him a chess set. Let's buy him the chess set.

3 ✎

Выберите правильное слово и заполните пропуски.

A, THE, SOME, ANY?

1. _____ day's convenient, but _____ time isn't.

2. Is Monday _____ convenient day?

3. "_____ film's silly, but it's funny." "Yes, it's such _____ funny film!"

Урок-комплекс 5

4. "_____ plan's useless." "Are you sure?" "Yes, it's _____ useless plan."
5. "I've got _____ good news." "Oh, have you?"
6. _____ news isn't bad, is it?
7. Just _____ moment. Let me take _____ pen.
8. Miss Dene isn't in at _____ moment. She's at lunch.
9. "Have you got _____ new catalogues?" "Yes, I've got _____."
    "Then let me put _____ old catalogues on that shelf."
10. Look! _____ shop's still open. Let's go and buy _____ food.
11. "_____ place is so beautiful! Let's stop and take _____
    photos." "Yes, it's _____ lovely place. Let me park _____ car."

4

Прочитайте текст вслух, обращая внимание на употребление артиклей. Задайте друг другу вопросы по тексту и перескажите его.

The typist's in the office. She's got some faxes and telexes on the table.

The boss's office is empty. He isn't in at the moment. He's busy in the city. The mail's on his table, and a thick pad, too. The pad's full of notes.

5

Переведите на английский язык, обращая внимание на артикли.

1. Костюм хороший, но он слишком велик.
2. Это великолепный костюм. Купи его.
3. Работа слишком трудная. Они не могут закончить ее за (in) пять минут.
4. Книга хорошая. Я могу подержать ее до вторника?
5. Ты не мог бы принести мне соку?
6. Сок слишком холодный.
7. У меня есть хорошие новости.
8. Г-н Дент сейчас (в настоящий момент) занят. Я могу вам помочь?

ГРАММАТИКА

14. Предлог направления **to**.

14.1. Предлог направления **to** употребляется перед обстоятельством места, отвечающим на вопрос *куда?*, и произносится [tu] перед гласными и [tə] перед согласными.

A flight **to** Japan.	Рейс в Японию.
A night flight **to** Italy.	Ночной рейс в Италию.

1. Please come **to** my place. — Пожалуйста, приходите ко мне.

2. Let's go **to** a film (match). — Давай пойдем на какой-нибудь фильм (матч).

3. You can get **to** my office by the seventeen (on the seventeen) bus. — Вы можете доехать до моей конторы на семнадцатом.

ПРИМЕЧАНИЯ.

1) Вам уже известны словосочетания, употребляющиеся б е з предлога **to**:

go home	пойти домой
come home	прийти домой
get home	
take ... home	отвести (отвезти) кого-л. (что-л.) домой

2) В предложениях типа *Please phone me **at** my hotel. Let's visit him **in** his new flat* и т.п. употребляется предлог местонахождения, а не предлог направления.

Урок-комплекс 5

14.2. Запомните словосочетания с предлогом **to**, в которых обычно употребляется определенный артикль **the**:

go to the theatre [ˈθɪətə]	пойти (ходить) в театр
go to the cinema [ˈsɪnɪmə]	пойти (ходить) в кино
go to the chemist's [ˈkemɪsts]	пойти в аптеку
go to (see) the doctor (the dentist)	пойти к врачу (зубному врачу)

Вам уже известны словосочетания с предлогом **to**, в которых артикль о т с у т с т в у е т:

go to college	учиться в институте
go to school	ходить в школу, учиться в школе
go to hospital	лечь в больницу
go to bed	ложиться спать

14.3. Предлог **to** также употребляется после глаголов **listen, speak, say, explain.**

1. Listen **to** me!	Послушайте меня!
2. Let's listen **to** the news.	Давай послушаем новости.
3. Can I speak **to** Mr Hailey, please?	Я могу поговорить с г-ном Хейли?
4. Just a moment! Let me say hello **to** Jack.	Одну минуту! Дайте я поздороваюсь с Джеком.
5. Let's say goodbye **to** them and go home.	Давай попрощаемся с ними и поедем домой.
6. Could you explain those facts **to** him, please?	Вы не могли бы объяснить ему эти факты?
7. Shall I explain it **to** you again?	Объяснить это вам еще раз?

14.4. Употребление предлога **to** в некоторых словосочетаниях.

be on a visit **to** ...	находиться с визитом, гостить
She's on a visit **to** Japan.	Она находится с визитом в Японии.

Урок-комплекс 5

14.5. Послушайте и посмотрите, как ответить на просьбу **"Please tell me the time."** — *Скажите, пожалуйста, который час.*

It's five **to** seven. It's ten **to** nine. It's eighteen minutes **to** eleven.

Сравните:

It's five **past** seven. It's ten **past** nine. It's eighteen minutes **past** eleven.

УПРАЖНЕНИЯ

Повторите, употребляя подсказанные слова.

1. Let's go to **the theatre**.
   • the cinema • a film • a match • an exhibition •
2. Please come to my place **tonight**.
   • on Saturday • next Saturday • on Sunday • next Sunday •
3. Mr Bailey's on a visit to **Italy**.
   • Spain • Japan • China • Finland •
4. Listen to **me**!
   • him • them • that man • those people • this music • these tapes •
5. Just a moment! Let me say hello to **him**.
   • them • Jim • Lucy • his Mum and Dad •
6. Let's say goodbye to **them** and go home.
   • him • Dan • Susan • Mrs Adams •
7. Can I speak to **Mr Davies**, please?
   • Dr Fennell • Miss Ellis • the teacher • the doctor • his assistant •
8. Let me explain it to you **again**.
   • next time • at the lesson • at the next lesson • in class •

Урок-комплекс 5

2

Скажите, какое время показывают часы?

3 ✎

Заполните пропуски предлогами.

1. Let's listen _____ the six o'clock news.
2. "Hello! Can I speak _____ Mr Hailey, please?" "Mr Hailey's _____ a visit _____ Japan _____ next month."
3. Can you phone me _____ the office _____ exactly ten?
4. "You can get _____ the theatre _____ the fifteen bus. I can meet you _____ the bus stop." "Good. Let's meet _____ half past six."
5. Billy's often late _____. Please speak _____ him.
6. The text's too difficult. Could you explain it _____ me again, please?
7. Let me have a look _____ that fax.
8. Let's say goodbye _____ Nick and go home.

4 ◯◯

Прочитайте диалоги вслух и инсценируйте их.

1

On the Phone

A. Hello! Mr Bentley's office. Can I help you?
B. Hello! Can I speak to Mr Bentley, please?
A. Mr Bentley isn't in at the moment. Shall I take a message?
B. Yes, please!
A. Just a minute... Yes?
B. Please come to lunch on Tuesday, and phone me at my office at five this afternoon. Phillips.
A. Let me say it again. "Please come to lunch on Tuesday, and phone me at my office at five this afternoon. Phillips."
B. Yes. Goodbye.
A. Goodbye.

2

A. Please come to tea on Saturday and meet my husband, my Mum and my cousin Jane.

B. Saturday... Let me see... Saturday... I've got a busy day this Saturday.

A. Then come to lunch on Sunday.

B. On Sunday? Lovely! Yes!

A. You can get to my place on the eleven bus. I can meet you at the bus stop.

B. Good! Till Sunday, then.

A. See you on Sunday. Bye!

5 ✎

Переведите на английский язык.

1. — Здравствуйте. Могу ли я поговорить с г-ном Дентом?
   — Г-н Дент находится с визитом в Китае до следующего месяца.

2. — Давай пойдем в кино сегодня вечером. — Нет, давай пойдем в театр.

3. Этот текст слишком трудный. Не могли бы вы объяснить его мне еще раз?

4. Бобби часто опаздывает. Пожалуйста, поговорите с ним.

5. — Поздно. Поедем домой. — Ладно. Давай только попрощаемся с ними и поедем.

ЗВУКИ И БУКВЫ

15. Сочетание [ð] и [θ] со звуками [s] и [z]*.

Произнесите, подражая образцу.

1. Use the tape. Use the notes. Use the computer. Use these tapes. Use those notes. Use this telephone.

2. Close the books. Close the lab. Close this box. Close these boxes. Close them. Use them.

3. Is the shop closed? Is the office open? Is the line busy? Is the plane late? Is that hotel okay? Is this model new? Is this coat expensive? Is this test simple?

4. It's this. It's that. It's this place. It's that music.

---

* При работе над этими звукосочетаниями рекомендуется вначале искусственно затягивать оба звука: [ju:zzz ðððə...] и т.д. Следите за тем, чтобы оба звука не теряли своего качества в речи нормального темпа.

Урок-комплекс 5

ГРАММАТИКА

16. Указательные местоимения **this, these** и **that, those** как подлежащее и дополнение.

16.1. Указательные местоимения могут быть не только определением (**this city, those facts**), но также и подлежащим и дополнением.

Послушайте и посмотрите.

This is an Italian cafe, and **that**'s a snack bar.

Это итальянское кафе, а вон то — закусочная.

These are seats 5A and 5B, and **those** are seats C and D.

Это места 5A и 5B, а вот это — C и D.

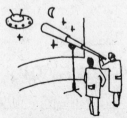

Just listen to **this**.

Ты только послушай вот это.

Look at **that**! Isn't it funny!

Посмотри на это! Странно, правда?

Как видно из примеров, указательные местоимения **this, these, that, those** употребляются, когда говорящий называет предмет или лицо, указывая на него жестом, взглядом и т.п. Далее употребляется личное местоимение*:

This is John. **He**'s my cousin.

Those are shops. **They**'re the best shops in the city.

---

*   см. также с. 218

— 232 —

16.2. Местоимение **this** часто употребляется при указании на того, с кем знакомят собеседника:

A. **This** is Jim Collins, a new student.
B. Hi, Jim! I'm Jane Dent.

16.3. Местоимения **this** и **that** употребляются в начале телефонного разговора:

A. Hello! Is. **that** Mr Bentley's office?*
B. Yes, it is.
A. **This** is Ben Lloyd of Simpson and Company.

16.4. По отношению к тому, что уже сказал собеседник, употребляется местоимение **that,** а не **this**:

1.
A. I've got a new job.
B. Oh, **that's** good!

2.
A. Bess is ill again.
B. Oh, please don't say **that!**

ПРИМЕЧАНИЕ.

Местоимение **this** п р е д в о с х и щ а е т какое-либо высказывание (объяснение, рассказ и т.п.), в то время как **that** з а м ы к а е т, п о д ы т о ж и в а е т то, что уже было сказано.

1. Please do **this**: type a list of new models and let me see it, then send it off to Mr Benson in London.

Пожалуйста, сделайте следующее: отпечатайте список новых моделей, дайте мне его посмотреть и отошлите его г-ну Бенсону в Лондон.

2. Let's finish the job soon, have a light snack and then go to the cinema. Is **that** okay?

Давай закончим эту работу поскорее, перекусим и потом пойдем в кино. Идет? (Это устраивает?)

3. Can you come at five? Is **that** a convenient time? (= Is it a convenient time?)

Вы можете прийти в пять? Это удобное время?

---

* В американском варианте английского языка в этом случае употребляется **this**: Is **this** Mr Bentley's office?

Урок-комплекс 5

УПРАЖНЕНИЯ

1 ⊙⊙

Прочитайте вслух, обращая внимание на употребление указательных местоимений. Представьте себе ситуации, в которых можно использовать эти предложения.

1. That's good! That's okay! It's this.
2. Is that okay? Is that convenient? Is that too soon?
3. "That isn't simple." "Oh, no!"
   "That isn't difficult." "Yes, it is. I'm sure."
4. Just listen to this! Just look at that!
5. This is a music school and that's a technical college.
6. "Is that a cinema?" "No, it's a theatre."
7. "Is this Tom's key?" "Yes, it is."
   "Are these Ben's keys?" "No, they aren't."
8. These are my files. You can use them.
9. Those are not Jim's suitcases, I'm sure. They're Ben's.

2 ⊙⊙

Прочитайте диалоги вслух и инсценируйте их.

1

Начало телефонного разговора

A. Hello! Is that Cook and Company?
B. Yes.
A. This is Bennett of Lloyd and Co.

(Benson's book shop, Miss Black's office)

2

A. Can you come at five?
B. No, I'm busy till half past five.
A. At six, then? Is that okay?
B. Good! See you at six.
A. Till six, then. Only don't be late.
B. O.K.

3

Прочитайте текст вслух и перескажите его. Что вы можете сказать об этих людях?

The Smiths' Family Album

Look at these photos

This is Bob Smith. He's an excellent student and a splendid **athlete**. Bob's on holiday in a nice little village. Look! He's got a tent and a boat. His life's simple and **healthy**, isn't it?

This is Bob's Mum and Dad — Anne and Lloyd Smith. Anne isn't fifty yet and she's still slim. An elegant lady, isn't she? Lloyd's fifty-five. He's a handsome man and he's a good athlete too.

This is Bob's sister Sally. She's on a visit to Spain in this photo. It's a music festival.

Tom   Patch

These are Tom and Patch. They're Bob's pets. They're healthy and happy.

Aren't they just lovely! Only Tom's **a bit** too fat.

Запомните!

Перед фамилией во множественном числе, обозначающей семью, употребляется определенный артикль:

the Smiths   Смиты

---

album ['ælbəm]   альбом

athlete ['æθli:t]   спортсмен, спортсменка

Урок-комплекс 5

healthy [ˈhelθɪ] | здоровый, обладающий хорошим здоровьем (*постоянное качество*)

Billy's a healthy boy.

It's a healthy place.

a bit (*разг.*) | немного

Syn. **a little**

"I'm a bit cold." | Я немного замерзла.

"Are you? Then put on a coat." | Да? Тогда надень пальто.

This is a nice suit, only it's a bit too expensive. | Вот это хороший костюм, только он дороговат.

Переведите на английский язык.

1. Это фотография моих родных. Это мама, это папа, это мой муж, а это мой сын. Ему шесть лет на этой фотографии. Это мои двоюродные братья Том и Ник. Том — великолепный спортсмен.
2. Это книжный магазин, а вон то — зоомагазин.
3. Это мои коньки. Можешь взять их и пользоваться ими.
4. — Это хорошая гостиница? — Да, это лучшая (the best) гостиница в городе.
5. — Я немного замерзла. — Да? Тогда пойдем попьем горячего кофе. Посмотри! Вон то кафе еще открыто. Давай зайдем.
6. — Алло! Это контора г-на Дента? — Да. — Это Том Смит. Могу я поговорить с г-ном Дентом? — Г-на Дента сейчас нет на месте (*в настоящий момент*). Что-нибудь передать?

ГРАММАТИКА

17. Инфинитив с частицей **to**.

17.1. Вам уже знакомы случаи употребления инфинитива без частицы **to** в побудительных и повелительных предложениях, а также после вспомогательных и модальных глаголов:

Let me **see**. | **Shall** I **begin**?
Please come in! | I **can play** tennis.
Don't do that. | **Could** you **explain** that, please?

В других случаях инфинитив употребляется с безударной частицей **to**, которая произносится [tu] перед гласными — **to open** [tu'əupən] и [tə] перед согласными — **to close** [tə'kləuz].

а) 1. Please **teach** me **to dance**.
Пожалуйста, научи меня танцевать.

2. Please **tell** him **to come** on Monday.
Пожалуйста, скажите ему, чтобы он пришел в понедельник.

> Запомните глагол **ask** [ɑːsk] в значении *попросить*.

3. Ask her **to phone** my assistant.
Попросите ее позвонить моему помощнику.

4. Please ask Mr Bennett **to speak** to them again.
Пожалуйста, попросите г-на Беннета переговорить с ними еще раз.

б) 1. I'm pleased **to see** that.
Мне приятно это видеть.

2. I'm happy **to see** you again.
Я счастлив видеть вас снова.

3. They're happy **to be** back home.
Они счастливы быть снова дома.

17.2. Очень часто инфинитив с частицей **to** употребляется в безличных предложениях типа **It's easy (difficult, useless, pleasant,** и т.п.).

1. It's so nice **to spend** a month in a village!
Так приятно провести месяц в деревне!

2. It's useless **to speak** to him.
С ним бесполезно разговаривать.

3. It isn't difficult **to find** my office.
Найти мой офис нетрудно.

4. It isn't easy **to keep** a big dog in a city flat.
Нелегко держать большую собаку в городской квартире.

5. Is it convenient **to phone** them so late?
Удобно ли звонить им так поздно?

Запомните:

1. Nice to meet you!
Приятно познакомиться!

(It's nice to meet you!)

Nice to meet you, too!
Мне тоже.

2. (I'm) pleased to meet you!

Pleased to meet you, too!

Урок-комплекс 5

ПРИМЕЧАНИЕ.

После глагола **help** инфинитив может употребляться как с частицей **to**, так и без нее.

> Please help me (to) find those documents.
> Shall I help you (to) make lunch?

17.3. <u>Отрицательная форма инфинитива с частицей **to**.</u>

to do	**not to do**
to be	**not to be**
to begin	**not to begin**

1. Ask him **to come** at 11.

1. Ask him **not to come** at 11.

2. Ask them **to be** in time.

2. Ask them **not to be** late.

3. It's easy **to make** a mistake.

3. It's difficult **not to make** mistakes.

Внимание! Не путайте отрицательную форму инфинитива с отрицательной формой повелительного наклонения.

Ask him **not to be** late.	**Don't** be late.
Попросите его не опаздывать.	Не опаздывайте.
It's difficult **not to make** mistakes.	**Don't make** a mistake.
Трудно не делать ошибок.	Не сделайте ошибку.

УПРАЖНЕНИЯ

Прочитайте вслух примеры из правила. Представьте себе ситуации, в которых их можно употребить.

В колонке справа даны окончания высказываний. Подберите подходящие начала из колонки слева.

It's nice ...	to speak Japanese
It's simple ...	to play tennis on a hot day
It's difficult ...	to be on holiday in Spain
It isn't difficult ...	to make coffee (tea)

It isn't easy ...	to be a doctor
It's pleasant ...	to be a teacher
	to be a good student
	to be a businessman
	to be a good cook
	to keep a big dog in a city flat
	to keep little pets
	to have lunch in a good cafe
	not to make mistakes
	not to be late on Mondays

3 🔘🔘

Прочитайте диалоги вслух и инсценируйте их.

1

At a Party

You: Lucy! This is **Jack Smith**, **a new colleague**. This is my sister Lucy.

Lucy: Hello, **Jack**! Nice to meet you!

Jack: Nice to meet you, too!

(Pamela Stanley, my assistant; Ben Johnson, my business partner; Tom Lloyd, my tennis partner; Sam Ellis, a new student)

2

A. Oh, can you speak **Chinese**?!

B. Yes, but only a little. My **Chinese** is still poor.

A. Is it difficult to speak it?

B. Oh, yes.

(Japanese, Finnish)

4

Выберите правильную форму инфинитива: с частицей *to* или без нее.

1. "Please teach me (dance, to dance)." "Oh, can't you (dance, to dance)?"
2. I'm happy (see, to see) you again.
3. Nice (meet, to meet) you!

Урок-комплекс 5

4. I can (meet, to meet) you at the bus stop.
5. Please ask him (speak, to speak) to my partners.
6. You can (speak, to speak) to Dr Davies. He can (help, to help) you.
7. It's useless (speak, to speak) to them.
8. Please ask Jane (phone, to phone) me at half past two.
9. Shall I (phone, to phone) them?
10. Is it convenient (phone, to phone) them so late?
11. I can't (find, to find) those lists.
12. Please tell Miss Dene (file, to file) these lists.

5

Поставьте выделенные глаголы в отрицательную форму и переведите получившиеся предложения.

Дано: Please ask him **to close** the office.
Требуется: Please ask him **not to close** the office.

1. Could you ask them **to come** on Monday?
2. Please ask her **to close** the lab.
3. Shall I ask them **to discuss*** it today?
4. Let me tell him **to send off** that fax today.

ГРАММАТИКА
(продолжение)

17.4. Инфинитив с частицей **to** может употребляться как обстоятельство цели — *для чего? с какой целью?*

1. Could you phone them **to explain** that, please? | Не могли бы вы позвонить им, чтобы объяснить это?

2. Let's stay **to listen** to the news. | Давай останемся послушать новости.

ПРИМЕЧАНИЕ.

В разговорном языке после глаголов **come** и **go**, особенно в повелительных и побудительных предложениях, часто употребляется известный вам вариант с союзом **and**:

Come to see me!
Come and see me! | Заходите к нам в гости.

---

*   **discuss** [dɪs'kʌs] — обсудить, обсуждать

Let's go to have a snack.
Let's go and have a snack. | Пойдем перекусим.

17.5. Перед отрицательной формой инфинитива цели обычно употребляется безударный союз **so as** [sɔu əz, sɔuz]:

1. Let's leave soon, **so as not to be** late. | Давайте выйдем пораньше, чтобы не опоздать.

2. Listen to the tape again, **so as not to make** mistakes. | Прослушайте запись еще раз, чтобы не делать ошибок.

Этот союз реже употребляется перед утвердительной формой.

Let's begin at nine, **so as to finish** soon. | Давайте начнем в девять, чтобы пораньше закончить.

17.6. Инфинитив с частицей **to** часто дополняет по значению предыдущее слово **too** — *слишком*:

1. It's **too hot** today **to play** tennis. | Сегодня слишком жарко, чтобы играть в теннис.

2. This TV set is **too cheap to be good**. | Этот телевизор слишком дешевый, чтобы быть хорошим.

I'm too old to begin a new life.

УПРАЖНЕНИЯ

Повторите, заменяя выделенные слова.

1. Can you stay **to discuss it**?
   • to settle it • to listen to him • to finish that job • to look at those models •
2. Let's find a place to have **a cup of coffee**.
   • a cup of tea • a light snack • lunch •
3. It's too soon **to begin**.
   • to make plans • to make holiday plans • to discuss it • to phone them • to speak to them •

Урок-комплекс 5

4. I'm too busy **to go to the cinema**.
   • to go to parties • to go to the theatre • to play tennis often •
   • to visit them often •

В колонке слева даны начала высказываний. Подберите подходящие продолжения из колонки справа.

Put on a coat ...   so as not to be late

Let's leave soon ...   so as not to catch cold

You can listen to the tape   so as not to miss the bus
again ...

Let me have a hot cup of   so as not to miss the ten
coffee ...   o'clock news on TV

Don't stay late ...   so as not to make a mistake

Let's begin soon ...   so as not to have a heavy
                                     head

Let's take a taxi ...   so as not to finish late

Переведите на английский язык.

1. — Вы умеете говорить по-китайски?! — Да, но только немного. — Трудно говорить по-китайски? — О, да!

2. — Джек! Это Люси, моя сестра. — Привет, Люси! Приятно с вами познакомиться. — Мне тоже приятно с вами познакомиться.

3. Приятно провести отпуск в Испании!

4. Не могли бы вы попросить его позвонить мне в офис в половине третьего?

5. — Ты можешь научить меня играть в шахматы? — Разве ты не умеешь играть в шахматы?

6. Пожалуйста, попросите Бена не закрывать пока лабораторию.

7. Вы можете остаться, чтобы обсудить это?

8. — Я слишком занят, чтобы ходить на вечеринки. — Я тоже.

9. — Сегодня слишком холодно, чтобы кататься на лыжах. — Тогда давай пойдем в кино. — Хорошо.

10. Давай возьмем такси, чтобы не опоздать.

11. Давайте выйдем пораньше, чтобы не опоздать на десятичасовой автобус.

Урок-комплекс 5

ЗВУКИ И БУКВЫ

18. <u>Долгий гласный звук [ɔ:].</u>

Послушайте, посмотрите, произнесите:

[↗kɔ:l ↘bɔ:l ↗tɔ:l ↘smɔ:l]

Звук [ɔ:] передаётся на письме несколькими буквосочетаниями, в том числе:

1) **al** + согласная буква: call [kɔ:l], ball [bɔ:l], also ['ɔ:lsəu]
2) буквосочетанием **au**: August ['ɔ:gəst], Paul [pɔ:l]
3) сочетание **alk** читается [ɔ:k]: talk [tɔ:k], chalk [tʃɔ:k]

Прочитайте вслух самостоятельно названия спортивных игр.

football ['futbɔ:l], **volleyball** ['vɔlıbɔ:l], **basketball** ['bɑ:skıtbɔ:l], **handball** ['hændbɔ:l], **baseball** ['beısbɔ:l]

Сравните звуки:

[ɔ: — ɔ]

talk — Tom
stalk — stock
call — doll

[ɔ: — əu]

chalk — choke
pause — pose
ball — boat

Прочитайте вслух самостоятельно:

talk, ball, tall, hall, haul, chalk, August, stall, small, fall, call, Paula [-ə]

Новые слова

talk (*глаг.*)
Syn. **speak**

разговаривать, беседовать, говорить

Could you talk to them again, please? Вы не могли бы поговорить с ними ещё раз?

talk (*сущ.*)

беседа, разговор

have a talk

побеседовать, поговорить

Let's have a talk at lunch, okay? Поговорим за обедом, хорошо?

— 243 —

Урок-комплекс 5

ball	мяч
small	небольшой, маленький, мел-
Syn. **little**	кий
Ant. **large** [lɑːdʒ]	большой, крупный

This coat's a size too small.

Это пальто на размер меньше.

S (small)
L (large)
small business (*неисчисл.*)

a small business (*исчисл.*)

big business

стандартные обозначе-
ния размеров одежды
мелкий бизнес, мелкое
предпринимательство
мелкое (малое) пред-
приятие
большой бизнес

Сравните: small — little, large — big

small **large**	неэмоциональные сло- ва, относящиеся толь- ко к размеру, объёму, площади и т. д.
little **big**	эмоциональные слова, относящиеся также к силе, важности и т.п.

Существительное со словом **little** часто соответствует русскому существительному с уменьшительным
суффиксом: *маленькая квартирка, сумочка* и т.п.

---

call (*глаг.*)

1. называть, звать

"Nice to meet you, Mrs Hailey."

"Nice to meet you, too.

Do call me Jane."

Пожалуйста, зовите ме-
ня Джейн.

2. звать, позвать, вызвать.

Could you call Jack Adams, please?

Не могли бы вы по-
звать Джека Адамса?

Syn. **phone**

3. звонить по телефону

Is it convenient to call them so late?

call back

перезвонить

Урок-комплекс 5

Please call back!
I can call you back in a minute.

call (*сущ.*)   телефонный звонок

make a call   позвонить по телефону *(тот, кому звонят, не указывается)*

Just a moment. Let me go and make a call.

give ... a call   позвонить (кому-л.) по телефону

Please give me a call tonight

daughter ['dɔ:tə]   дочь

August ['ɔ:gəst]   август

autumn ['ɔ:təm]   осень

in (the) autumn   осенью

УПРАЖНЕНИЯ

1 🔊

Прочитайте вслух и переведите примеры на новые слова.

1. a small size, a small company, small jobs,
   a small flat — a little flat, a small shop — a little shop,
   my little daughter, his little sister
2. a large flat — a big flat, a large park — a big park, a large
   family — a big family, a big event, a big mistake, a big party
3. He's in business. She has a small business.
   They've only got small sizes in that shop.
4. "Shall I talk to him again?" "Yes, please do."
   "Can her baby talk yet?" "No, not yet. He's too small to talk."
5. You can call me Tom. Please call me Jane. Do call me Sue.
6. Can you call me next Monday?
   Please ask him to call me on 295 6607.
   It's too noisy! Could you call back in fifteen minutes?
   Please give me a call tonight.

2 🔊

**Перед вами окончание рекламного объявления. Прочитайте
его вслух и переведите.**

... You can call us at
these numbers. If the
lines are busy, call **later**,
but do call!

Урок-комплекс 5

___

if   если

later ['leɪtə]   позже

3 ◙◙

Прочитайте вслух и инсценируйте микродиалог.

A. Let me go and **make a call**.
B. Please do, only come back soon.

 (make some calls; call Jane; talk to them, talk to Dr Davies)

4 ✎

Заполните пропуски артиклями.

1. _____ coat's _____ size too small.
2. It's _____ nice suit, but it's too large.
3. "Are you busy at _____ moment?" "No." "Then let's have _____ talk, okay?" "Yes, let's."
4. Can you give me _____ call tonight?
5. "_____ catalogue's small, but useful." "Yes, it's _____ useful catalogue."
6. Just _____ moment! Let me go and make _____ call.

5 ✎

Переведите на английский язык.

1. — Ты сейчас занят? — Нет. — Тогда давай поговорим.
2. — Разрешите я пойду и сделаю несколько звонков.
 — Да, пожалуйста, только возвращайся поскорее.
3. — Слишком шумно! — Давай я перезвоню.
4. Г-н Смит в отпуске до августа. Пожалуйста, позвоните ему через месяц.
5. У них малое предприятие в Шеффилде. Вы можете позвонить им по этому номеру. Если линия занята, позвоните позже, но обязательно позвоните.
6. — Эта квартира слишком мала, чтобы быть удобной.
 — Но место приятное, правда?

Урок-комплекс 5

ЗВУКИ И БУКВЫ

19. <u>Звук [ɔ:] также передается буквосочетанием **or**
[ˈəuˈɑ:]</u>

Прочитайте вслух, обращая внимание на позиционную долготу:

протяжно	короче	еще короче
store	lord	pork
bore	born	sport
door	form	fork

Прочитайте вслух самостоятельно. Что, по-вашему, означают
эти слова? Все они существительные.

sport, port, 'import, 'export, lord, Ford

Новые слова 👓

your [jɔ:, jɔ] (*притяжат. мест.*)   твой, ваш

door [dɔ:]   дверь

     next door (*нареч.*)   по соседству, в соседнем доме

     It's next door to us.

form   бланк

     'fill 'in a form   заполнить бланк

     Could you fill in this form, please?

before [bɪˈfɔ:] (*предлог времени*)   до, перед

Ant. **after** [ˈɑ:ftə]   после

     before classes [ˈklɑ:sɪz] / after classes   до/после занятий

Сравните: before — till

Please phone me **before** five o'clock.	(до пяти часов, не позже)
Can you stay **till** five o'clock?	(до пяти часов, вплоть до пяти)

---

for [fɔ:, fə] (*предлог*)   **1.** для

Урок-комплекс 5

This is for you and this is for Spot.

It's difficult for me to give a good example at the moment

Сейчас мне трудно привести какой-нибудь хороший пример.

2. на (*какой-л. период*); в течение (*какого-л. периода*)

May I have that catalogue for five minutes?

Можно мне взять вон тот каталог на пять минут?

Let's go to Scotland for the holidays.

Давай поедем на каникулы в Шотландию.

Внимание: предлоги!

be in time **for**... / be late **for**...

Please ask him to be **in time for** the discussion.
Please ask him not to be **late for** classes.

---

short

a short holiday, a short visit

1. короткий, краткий

2. низкого роста (*о человеке*)

Ant. **tall**

высокий, высокого роста

She's tall and slim.
He's short and fat.

short for ...

Tom's short for Thomas ['tɔməs].

уменьшительное от ...

of course [əf'kɔːs]

конечно (само собою разумеется, естественно)

"Can I keep your books till next Monday?"

Можно мне подержать ваши книги до следующего понедельника?

"Of course!"

"Of course, you can!"   Конечно же!

of course not   конечно же, нет; нет, конечно

"Is that difficult for you?" "Of ↘course not."

Внимание!
Особенности правописания числительных:

four [fɔ:]   четыре

fourteen ['fɔ:'ti:n]   четырнадцать

forty ['fɔ:tɪ]   сорок

УПРАЖНЕНИЯ

1 ⊙⊙

Прочитайте вслух и переведите примеры на новые слова.

1. for me, for you, for them, for your son, for your sister
2. "Is it convenient for you to come at four?" "Yes, that's okay!" "Then see you at four."
3. "Can I have your name, please?" "Nikitin. Shall I spell it?" "Please do."
4. Let's have a talk after the lesson, okay?
5. Can I talk to your teacher before classes?
6. Could you give me a call before your visit to Japan?
7. This coat's too short for me.
8. Mike's short for Michael ['maɪkl], Steve's short for Steven,* Pam's short for Pamela.
9. Of ↘course you can! Of ↘course she has! Of ↘course he isn't! Of ↘course they haven't! Of ↘course not!
10. "Have you got ten minutes to talk to me?" "Of ↘course, I have!"

2 ✎

Выберите правильное слово.

TILL или BEFORE?

1. Could you give me a call _____ ten o'clock?
2. Ted's sometimes at college _____ 7 o'clock.

---

* Steven ['sti:vn] = Stephen

Урок-комплекс 5

3. Can you finish this job _____ your holiday?
4. Bess is on holiday _____ August.
5. You can keep these textbooks _____ the exams.
6. Let me talk to the students _____ the exam.
7. Please ask him to see me _____ the lesson.
8. I can stay _____ eight and help you.

3

Прочитайте диалоги вслух и инсценируйте их.

1

At the Station

P.F.   **Excuse me!** Are you Mrs Adams?
Mrs A. Yes. I'm Jane Adams.
P.F.   Hello, Mrs Adams! I'm Peter Flynn of Clark and Company.
Mrs A. Nice to meet you. And this is Kate Ellis, my assistant.
P.F.   Nice to meet you, Miss Ellis!
K.E.   Nice to meet you, too! Do call me Kate.
P.F.   Okay, Kate. Are these your suitcases, ladies?
K.E.   Yes, and this bag too.
P.F.   Let me take them to my car. Please **follow** me!

---

station ['steɪʃn]   вокзал, станция

Excuse me! [ɪk'skju:zmi]   Простите пожалуйста! (*из-
вtheir извинение по поводу неудоб-
ства, которое говорящий
собирается причинить:
привлечь к себе внимание,
прервать разговор и т.д.*)

follow ['fɒləu]   1. следовать, идти за кем-л.
(чем-л.)

Please follow me!   Пожалуйста, следуйте
за мной!

Follow the bus.   Поезжайте за автобусом

                                                 2. следить за мыслью, по-
нимать

— 250 —

Урок-комплекс 5

"Is it difficult for you to follow me?" Вам не трудно за мной поспевать (понимать меня)?

"Yes, a little."

"Then let me explain it again."

2

A. Please fill in this form.
B. Shall I put my full name?
A. Yes, your name in full, please.
B. Shall I put the date?
A. Oh, yes, of course! The date, too.

3

On the Phone

B. 244 0594. Mr Hailey's office. Hello!
M. Hello! Is that you, Betty?
B. Yes, it's me.
M. Hi, Betty. This is Michael.
B. Oh, Michael! Hello! Listen, I'm a bit busy at the moment. Could you call back later, say, just before lunch.
M. Of course! Bye, Betty!

Переведите на английский язык.

1. — Вам удобно прийти ровно в четыре? — Да, это удобное время. — Тогда увидимся в четыре.
2. Давайте я поговорю с вашим преподавателем до занятий.
3. — У вас есть 10 минут, чтобы поговорить со мной?
   — Разумеется, есть!
4. Давай пойдем в кино после уроков, хорошо?
5. Пожалуйста, позвоните мне до (вашего) отпуска.
6. — Я могу подержать твои учебники до экзамена? — Конечно же можешь!
7. Он находится с коротким визитом в Китае. Вы не могли бы перезвонить через четыре дня?
8. Ты не мог бы перезвонить попозже, скажем, после обеда?

Урок-комплекс 5

ГРАММАТИКА

20. <u>Настоящее время группы **Simple**. Утвердительные предложения.</u>

20.1. Настоящее время группы **Simple** употребляется, когда речь идет о действиях или состояниях, свойственных подлежащему или обычных для него (*Я учусь в институте. Он живет в Лондоне. Она знает три иностранных языка.*), или о действиях повторяющихся, совершающихся обычно, как правило (*Я всегда выхожу из дому в восемь. Мы обычно играем в теннис по воскресеньям.*).

Запомните глаголы:

live [lɪv] жить   **study** ['stʌdɪ] изучать
know [nəu] знать   **get up** ['get 'ʌp] вставать

20.2. Форма глагола в настоящем времени группы **Simple** совпадает с инфинитивом у <u>всех</u> лиц, кроме третьего лица единственного числа. 👓

Послушайте и посмотрите:

Все лица, кроме 3 лица ед.ч.	*3 лицо ед.ч.*
1. I **live** in Moscow ['mɔskəu].	He **lives** in London.
2. You **know** him.	He **knows** you.
3. I **get up** at seven.	She **gets up** at eight.
4. I **teach** Spanish.	He **teaches** Italian.
5. They **play** tennis on Sundays.	Jim **plays** tennis on Saturdays.
6. They **study** medicine.	Betty **studies** medicine, too.

Как видно из примеров, правило образования третьего лица единственного числа полностью совпадает с правилами образования множественного числа существительных.

[z]	[s]
после гласных и звонких согласных звуков	*после глухих согласных звуков*
see — sees [si:z]	take — takes [teɪks]
settle — settles ['setlz]	keep — keeps [ki:ps]

Урок-комплекс 5

[ɪz]

после шипящих

use — uses ['juːzɪz]
finish — finishes ['fɪnɪʃɪz]
teach — teaches ['tiːtʃɪz]

У глаголов, оканчивающихся на букву **y** с предшествующей *согласной* буквой, при образовании формы третьего лица единственного числа буква **y** меняется на букву **i** и добавляется **es**. У глаголов, оканчивающихся на букву **y** с предшествующей *гласной*, такого орфографического изменения не происходит:

stu**dy** — stu**dies** ['stʌdɪz], но sta**y** — sta**ys** [steɪz].

20.3. Запомните, как произносится и пишется форма третьего лица единственного числа следующих глаголов:

go [gəu] — **goes** [gəuz]
do [duː] — **does** [dʌz]
say [seɪ] — **says** [sez]

1. I **go** to college. (Я учусь в институте.)	My sister **goes** to school (учится).
2. They **do** it at school.	He **does** it at school.
3. At exactly nine I **say** hello to my students and begin the lesson.	At exactly nine the teacher **says** hello to us and begins the lesson.

УПРАЖНЕНИЯ

1

Прочитайте вслух и переведите примеры из правила.

2

Измените высказывание, как показано в образце.

Дано: They live in a large flat. Tom ...
Требуется: Tom lives in a large flat.

1. I keep my files on that shelf. My colleague ...
2. I get up at seven. Jim ...
3. My sons go to a music school. His daughter ...
4. I teach Spanish. Alex ...

Урок-комплекс 5

5. They do such jobs in the office. My assistant ...
6. I often say that. He ...
7. They call us sometimes. She ...
8. I go to college on the sixteen bus. Ann ...
9. They live next door to us. He ...

1. Ваш новый знакомый рассказал о себе следующее:

My name's Michael. I live in London. I'm a student — I study medicine at a medical school. I get up at seven, have a light meal, say goodbye to my Mum and go to the bus stop. I take a fifteen bus and get to college **in good time**. Classes begin at nine and finish at four. I have lunch at college and stay till half past four. I get back home at five and then, on Tuesdays and Saturdays, I go to the park to play tennis. I go to bed at eleven.

———————————

in good time   заблаговременно

2. Расскажите о вашем знакомом. Начните так:

His name's Michael. He lives ...

20.4. Особенности глаголов **love** [lʌv] и **like**.

1. Глагол **love** — *любить* употребляется, когда речь идет о сильном чувстве (к любимому человеку, к родным, родине, искусству и т. п.):

I **love** music — it's life to me.

Он также употребляется в разговорном языке, подобно русскому глаголу *обожать*: I **love** salad!

2. Глагол **like** *любить, нравиться* употребляется, когда речь идет о менее сильном чувстве:

He **likes** animals ['ænɪməlz].   Он любит животных.

I **like** funny films.   Я люблю (мне нравятся) смешные кинокартины.

3. После глаголов **love** и **like** может употребляться инфинитив с частицей **to**:

I **love to listen** to old jazz.   He **likes to ski**.

Урок-комплекс 5

ПРИМЕЧАНИЕ.

Там, где в русском предложении с глаголом *нравить-ся* имеется обстоятельство места, но нет прямого дополнения, в аналогичном английском предложении после глаголов **love** и **like** добавляется формальное дополнение — местоимение **it**:

I **like (love) it** in this village. — *Мне нравится (очень нравится) в этой деревне.*

УПРАЖНЕНИЯ

Прослушайте тексты, затем прочитайте их вслух, обращая внимание на формы глаголов. Перескажите тексты от лица других персонажей.

1

You know me. My name's Deb Fennell. I'm a shop assistant in a big London shop, and I sell ladies' **shoes**. I get up at seven, have a light meal, and then go to the bus stop. I take an eleven bus and get to the shop at exactly eight. I like my job and I'm happy to have it — it isn't easy to find a good job in London!

shoes [ʃuːz]   туфли, ботинки

2

My name's Sancho ['sæntʃəu] and I live in Spain. I study medicine at a medical school.
This is Avis on a visit to Spain ... Isn't she just lovely! She lives in Sheffield and she studies music. In the holidays she spends a month in Spain.

Avis can speak Spanish, but only a little, and she asks me to teach her. It isn't difficult for me, of course! She likes to talk to me in Spanish. She makes funny mistakes, and I like to listen to her.

Урок-комплекс 5

Avis likes it in Spain, but her holidays are so short! She can only stay till the **end** of August. That's a **pity**! I love Avis, and she knows it.

---

end

That's the end of the news.

конец

На этом новости заканчиваются.

pity

It's a pity! That's a pity!

It's such a pity!

жалость

Жаль! Жалко!

Так жаль! Такая жалость!

3

Avis knows Eve. She teaches music at **the same** music school in Sheffield. She hasn't got a family yet and she lives **alone**. Eve loves animals. She's got four pets: two cats and two dogs. Old Mrs Lloyd helps Eve to **look after** them. She lives next door.

Eve goes to Ben's shop to buy food for her pets. His shop opens at eight and closes at eight. Eve goes to the shop after her classes at the music school. She says hello to Ben and buys some tins of pet food. Then she says goodbye and leaves the shop ...

"She's too busy to stay and talk to me," says Ben. "It's such a pity! She's so nice!"

---

the same

тот же (самый), один и тот же (*всегда с определенным артиклем*)

She and I go to the same college.

Мы с ней учимся в одном (*и том же*) институте.

"A happy holiday!"

"The same to you!"

Счастливо отдохнуть!

И вам тоже!

alone	один *(в одиночестве; без других)*
Don't leave the baby alone.	Не оставляйте ребенка одного.
It isn't pleasant to live alone, is it?	Неприятно ведь жить одному, правда?
look after	заботиться, присматривать, ухаживать
It isn't easy to look after little babies.	Ухаживать за маленькими детьми нелегко.

ЗВУКИ И БУКВЫ

21. <u>Звонкий согласный звук [ʒ].</u>

Звук [ʒ] передается на письме в некоторых словах буквой **s** в положении между гласными перед буквами **i** и **u**: usual ['juːʒ(uə)l], television ['telɪˌvɪʒn] — *телевидение*.

ПРИМЕЧАНИЕ.

При транслитерации русских слов звук [ʒ] передается на письме буквосочетанием **zh**: **Kizhi, Zhukov**.

Новые слова 🔊

usual ['juːʒ(uə)l]	обычный
my usual cup of coffee; his usual mistake	
usually ['juːʒ(uə)lɪ]	обычно *(наречие неопределенного времени)*
I'm usually busy till six.	
Is she usually at school at this time?	
He's usually not in his office on Mondays.	
occasional [əˈkeɪʒənl]	случающийся время от времени, нерегулярный, эпизодический
occasional visits	
occasional lessons	

Урок-комплекс 5

occasionally [ə'keɪʒnəlɪ]
Syn. **sometimes**

время от времени, от случая к случаю, изредка (*наречие неопределенного времени*)

I'm occasionally at home at five.

Is he occasionally in at lunch time?

She's occasionally not in at that time.

ГРАММАТИКА
(продолжение)

22. <u>Место наречий неопределенного времени и частотности.</u>

22.1. В силу своего значения (обычное состояние, повторяющееся действие) настоящее время группы **Simple** часто употребляется с наречиями неопределенного времени и частотности: **usually, sometimes, occasionally, often, still**. В утвердительном предложении эти наречия ставятся перед основным глаголом, за исключением глагола **be**.

Сравните порядок слов.

С большинством глаголов	*С глаголом be*
1. I usually get up at seven.	**1.** I'm usually up at seven.
2. He often gets home late.	**2.** He's often late.
3. They sometimes come to see us on Saturdays.	**3.** They're sometimes too busy to come.
4. Ben occasionally calls me.	**4.** He's occasionally not in at that time.
5. My daughter still goes to school.	**5.** She's still at school.
6. I can sometimes use his car.	
7. You can often see him on television (= on the telly = on TV).	

ПРИМЕЧАНИЕ.

Слова **sometimes** и **occasionally** могут также стоять в конце или в начале предложения.

22.2. Слова **only** и **even** занимают аналогичное место в предложении, если они относятся к какому-либо слову из группы сказуемого. Слово, к которому они относятся, произносится с более сильным ударением:

They only sell ⌐small sizes in that shop.	В этом магазине продают только маленькие размеры.
She even speaks ⌐Finnish a little.	Она говорит немного даже по-фински.

Когда **only** и **even** относятся к подлежащему или к какому-либо слову из группы подлежащего, они стоят перед ним, а это слово произносится с сильным ударением:

Only ⌐this bus goes to the station.	К вокзалу идет только этот автобус.
Even ⌐good students make mistakes sometimes.	Даже хорошие студенты иногда делают ошибки.

УПРАЖНЕНИЯ

Прочитайте тексты вслух и перескажите их. Обратите внимание на особенности употребления слов *usually, occasionally, sometimes, even, only.*

1

Look! This is Alex Dale again. He's on the phone. He's usually in the office at this time. Alex often speaks Italian and Spanish on the phone. (He alone speaks Italian and Spanish in the office. He even speaks Japanese a little!) Alex usually finishes these jobs at six and goes home in good time, but occasionally he stays later. Then he only gets home at eight. He's such a busy man! But Alex likes his job. "My life's too full to be **dull**!" he often says to his colleagues.

2

Eve's dog Toby is a nice little animal, only he gets cold sometimes and likes to sleep in Eve's bed. "Aren't you a silly dog!" Eve usually says to him.

Урок-комплекс 5

dull	скучный
a dull book (play, speech)	скучная книга (пьеса, речь)

Внимание!

Глагол **get** перед прилагательным означает переход из одного качества или состояния в другое:

get cold — *замерзнуть, озябнуть,* **get ill** — *заболеть,* **get fat** — *растолстеть* и т.п.

2

Скажите несколько фраз сначала о себе, а затем о ком-нибудь другом (коллеге, сыне, муже, племяннице и т. п.) Можете употреблять следующие слова и выражения:

1. get up at seven (usually) **2.** have a light meal (usually) **3.** go to college by bus (usually) **4.** take a taxi so as not to be late (occasionally) **5.** have lunch in the college **canteen** (often) **6.** have lunch in a nice little cafe (occasionally) **7.** stay at college till four (usually) **8.** take the fourteen bus home (usually) **9.** go to the stadium to play volleyball after classes (sometimes)

---

canteen [kæn'ti:n]	столовая (*на предприятии, в учреждении, в учебном заведении и т. п.*)

3

Перескажите тексты со стр. 255, 256, добавив слова *usually, sometimes, occasionally, often* **там, где это подходит по смыслу.**

4

Переведите на английский язык.

1. Я студент. Я изучаю медицину в медицинском институте. Я обычно встаю в семь. В половине восьмого я ем и затем иду на автобусную остановку. Я обычно выхожу (leave) заранее, чтобы не опоздать на занятия. К институту идет только пятнадцатый автобус.

2. Моя сестра преподает испанский в школе. Я тоже умею говорить по-испански, но мой испанский все еще слабоват. Я часто прошу ее поговорить со мной. Ей нравится учить меня. «Ты иногда делаешь смешные ошибки», — она часто говорит мне.

3. Мой коллега обычно уходит домой в половине шестого, но иногда он задерживается (остается) в офисе позже, чтобы сделать несколько звонков.

ГРАММАТИКА
(продолжение)

23. Настоящее время группы **Simple**.

Отрицательные предложения.

23.1. Отрицательная форма настоящего времени группы Simple образуется при помощи кратких отрицательных форм вспомогательного глагола **do** — **don't** [dəunt] и **doesn't** ['dʌznt].

Для всех лиц, кроме 3 лица ед.ч.
don't (do not)

Для 3 лица ед.ч.
doesn't (does not)

1. I **don't** smoke.

He **doesn't** smoke.

2. They **don't** come on Mondays.

She **doesn't** come on Tuesdays.

3. I **don't** go to college on Saturdays.

This bus **doesn't** go to the City Hospital.

Spot **doesn't** like cats and they **don't** like him.

Как видно из примеров, основной (смысловой) глагол стоит в форме инфинитива и не изменяется (**smoke, come, go, like**).

Урок-комплекс 5

> **Внимание:** не путайте вспомогательный глагол **do** с полнозначным глаголом **do** — *делать, выполнять:*
>
> | осн. | вспом. осн. |
> |---|---|
> | I **do** these jobs in the office. | I **don't do** these jobs in the office. |
>
> | осн. | вспом. осн. |
> |---|---|
> | He **does** his lessons in time. | He **doesn't do** his lessons in time. |

23.2. Слова *usually, often, only, even* в отрицательном предложении стоят на своем обычном месте, перед основным глаголом:

1. I don't **usually** get home till seven.
2. He doesn't **often** stay at that hotel.
3. They don't **even** listen to me!
4. She doesn't **only** play the guitar, she plays the piano, too.

> **Внимание! Перевод*:**
>
> | I **don't often** use those books. | Я редко пользуюсь этими книгами. |
> |---|---|
> | He **doesn't often** call us. | Он редко нам звонит. |

Слова *sometimes* и *occasionally* могут стоять в начале отрицательного предложения:

Sometimes (occasionally) he doesn't come to the office on Tuesdays.

Слово *yet* может стоять как перед основным глаголом, так и в конце предложения:

She doesn't **yet** go to school. = She doesn't go to school **yet**.

> **Запомните** слово **understand** [ˌʌndə'stænd] — *понимать.*
>
> I don't understand that. Could you explain it again, please?

---

* Дословно русское слово *редко* переводится словом **seldom**, однако гораздо чаще пользуются сочетанием **often** + отрицательная форма глагола.

Урок-комплекс 5

УПРАЖНЕНИЯ

1 🔊

Прочитайте вслух и переведите.

1. I don't like to be late, but sometimes I don't get up in time.
2. His daughters don't go to school yet.
3. Tom doesn't usually stay in that hotel. He doesn't like noisy places.
4. Ann doesn't speak Italian. She only speaks Spanish, but she doesn't like to talk to me in Spanish. Her Spanish is still poor.
5. Those buses don't stop at the ABC cinema. The seventeen does.
6. They don't sell textbooks at that shop.

2 ✎

Сделайте высказывания отрицательными и переведите их.

Дано: I smoke.
Требуется: I don't smoke.

1. I get up late.
2. I know your colleagues.
3. I like to talk to him.
4. This bus goes to the stadium.
5. She goes home at six.
6. I usually get home at half past six.
7. Sometimes he leaves his files on that table.
8. She usually goes on holiday in August.
9. They usually keep old documents.
10. He often uses these catalogues.
11. I often help my son to do his lessons.
12. They often discuss it.

3 🔊

Инсценируйте диалог.

At a Party

A. Excuse me! I don't know your name.
B. I'm Susan Collins.
A. Nice to meet you, Miss Collins. My name's Michael Johnson.
B. Nice to meet you, too! Do call me Susan. And may I call you Mike?
A. Of course!

Урок-комплекс 5

 4

1. Прочитайте текст вслух и перескажите его.

2. Перескажите его от лица Алекса.

Alex Dale doesn't often go to parties, and he doesnt like to go to the cinema. He's too busy to go to the theatre, but occasionally he finds time to go to the park and have a game of tennis.

Alex doesn't smoke and he doesn't like to go to bed late. He doesn't often go to the doctor. He's a healthy man.

Sometimes Alex doesn't get home till eight o'clock. Then he usually has a meal, but it's a cold meal — he doesn't like to cook.

Alex lives alone. He hasn't got a family yet. He's even too busy to keep a pet.

 5

Сделайте высказывания отрицательными.

1. I often go to the cinema.
2. I'm busy till half past eleven.
3. She lives in Moscow.
4. He's often late.
5. I know it.
6. I can understand that.
7. I've got an assistant.
8. She's got an empty form.
9. I like to get up late.
10. You're late, Amy.
11. He can give you a call before his holiday.
12. She plays the guitar.
13. I can play the piano.
14. Those shops are closed at eight, I'm sure.
15. That shop closes at nine.

 6

Переведите на английский язык.

1. — Извините, я не знаю, как вас зовут. — Меня зовут Майкл Доббз, но вы можете называть меня Майк.

2. Я не играю в волейбол, но я играю в теннис.

3. Моя сестра живет не в Лондоне. Она живет в Лидсе. Она живет одна. У нее еще нет семьи. Ей только девятнадцать.

4. Пора. Пойдем, я не люблю опаздывать.

5. Этот автобус не идет к вокзалу. Семнадцатый идет.

6. — Я редко хожу в кино, но я часто хожу в театр. — Я тоже.

7. Г-н Дент обычно не останавливается в этой гостинице. Он не любит шумные места.

8. Я редко пользуюсь этими каталогами. Можешь держать их до следующего месяца.

ГРАММАТИКА
(продолжение)

24. Настоящее время группы **Simple.**

Вопросительные предложения.

24.1. Общий вопрос в настоящем времени группы **Simple** образуется при помощи вспомогательного глагола **do / does** в соответствующем лице, который ставится перед подлежащим:

1. Do you speak Spanish?

2. Do they live in London?

3. Does she play tennis?

4. Does he go to school?

Вспомогательный глагол является первым ударным словом и поэтому произносится самым высоким тоном.

24.2. Если в вопросе имеется наречие неопределенного времени или частотности, оно стоит перед основным глаголом (слово *sometimes* может стоять и в конце предложения):

1. Do you usually get home late?
2. Do you often go to the cinema?
3. Does she sometimes come to see you? (= Does she come to see you sometimes?)

Урок-комплекс 5

24.3. Возможные варианты ответов на общие вопросы:

Yes.	No.
Yes, I do.	No, I don't.
Yes, he (she) does.	No, he (she) doesn't.
Yes, they do.	No, they don't.

Возможны и ответы с дополнительной информацией:

1. "Do you go to see any exhibitions?"
   "Yes, ⌐often." "Yes, I ⌐do, ⌐often."

2. "Does he ⌐often miss classes?"
   "No, ⌐not often."

3. Do you go to the sea for your holiday?"
   "Yes, ⌐sometimes." "Yes, sometimes I ⌐do."

4. "Does she get home late?"
   "Only occasionally."

УПРАЖНЕНИЯ

1

Прочитайте диалоги вслух, обращая внимание на вопросы, выучите их наизусть и разыграйте.

1

A. Do you speak Italian?
B. Yes, but only a little.
A. Do you understand Italian films?
B. No, I don't. My Italian's too poor to understand films. But I can understand **Italians** if they speak **slowly**.
A. I see.

Italians	итальянцы
He (she) is an Italian. = He (she) is Italian.	
slow [sləu]	медленный
a slow dance (music, speech)	
"That clock's slow, isn't it?"	Эти часы отстают, да?
"Yes, it's ten minutes slow."	Да, они отстают на 10 минут.

Урок-комплекс 5

slowly ['sləulɪ]   медленно

"Is it difficult for you to follow (understand) me?"
"Yes, a bit."
"Then I can speak slowly."

2

In a Bus

A. Excuse me!
B. Yes, madam?
A. Does this bus go to the station?
B. No. **Get off** at the post office and take a 294 (two nine four). It's the next stop.

_____

get off a bus   выйти из автобуса

get on a bus   сесть в автобус

3

A. Do you know Sam Flynn?
B. Of course, I do. He's my tennis partner.
A. Oh, is he?
B. Yes, he is.

Прочитайте текст вслух и перескажите его.

"Does Alan usually get up in time?"
"No, he doesn't. He's lazy and gets up late."
"Does he get to school in time?"
"Not often. He likes to stay in bed till nine and usually misses the bus."
"Does he make any mistakes in his tests?"
"Of course he does! He often makes bad mistakes even in simple tests. Sometimes he can't finish a short test in time. Even that's too difficult for him."

Урок-комплекс 5

3

Ответьте на следующие вопросы. Расскажите друг о друге на основании полученных ответов.

1. Do you live in Moscow?
2. Do you go to school (college, a medical school, a technical college, a music school)?
3. Are you often busy?
4. Do you usually get home late?
5. Do you often go to the cinema (the theatre, exhibitions)?
6. Do you like music (classical music, jazz, pop music)?
7. Can you play the piano (the guitar, the violin)?
8. Have you got a piano (a guitar, a violin)?
9. Do you often go to parties?
10. Can you dance?
11. Do you like animals?
12. Have you got a pet?
13. Is it pleasant to have a pet?
14. Do you sometimes go to the stadium?
15. Do you like to play ball games?
16. Can you play football (volleyball, basketball, tennis...)? Are you good at it?
17. Do you like to ski (skate)?
18. Can you play chess?

4

Какие вопросы нужно было задать, чтобы получить эти ответы?

1. **Yes,** I often go to the theatre. I just love it!
2. **No,** I don't teach Chinese. I teach Japanese.
3. **Yes,** it's difficult for me to understand Italian films. My Italian's still poor.
4. **Yes,** I can call you back in fifteen minutes.
5. **No,** I don't often catch colds, I'm healthy.
6. **Yes,** he does. Alex speaks Spanish, and he's good at it.
7. Eve? **Yes,** she teaches music at a music school.
8. **Yes,** she's got a good old piano at her place.
9. **No,** she can't play the guitar.
10. **Yes,** I know him. He's my husband's colleague.
11. **No,** I don't often take a taxi home. It's too expensive for me.
12. **No,** this bus doesn't go to the stadium. The seventeen does.
13. Of course you can! You can keep the catalogues till next month.

5 ✎

Переведите на английский язык.

1. — Вы курите? — Нет.
2. — Вы играете в шахматы? — Да.
3. — Этот автобус идет до стадиона? — Нет. Шестнадцатый идет.
4. — Фильм начинается в восемь? — Нет, в половине девятого.
5. — Вы студент? — Да, я учусь в техническом институте.
   — Вы знаете Алана Смита? — Да, он преподает испанский.
6. — Вам не трудно меня понимать? — Нет, если вы говорите медленно.
7. — Ваша дочь учится в институте? — Нет, ей только пятнадцать лет, она все еще ходит в школу.
8. — Ты часто ходишь в кино? — Нет, только по воскресеньям.

ГРАММАТИКА
(продолжение)

24.4. Общий вопрос, содержащий отрицание.

Сравните:

Do you know that?	***Don't*** you know that?
Вы это знаете?	*Неужели* вы этого не знаете?
Does she live in London?	***Doesn't*** she live in London?
Она живет в Лондоне?	*Разве* она живет не в Лондоне?

24.5. Присоединенные вопросы.

1. Eve teaches music, **doesn't she**?
2. You **don't** often go to the cinema, **do you**?

УПРАЖНЕНИЯ

1

Прочитайте вслух и переведите.

a. 1. Do you like music? Don't you like music?
   2. Do you play chess? Don't you play chess?

Урок-комплекс 5

3. Does he smoke? Doesn't he smoke?
4. Does this bus go to the station? Doesn't this bus go to the station?
5. Do they sell video cassettes ['vɪdɪəu kə'sets] in that shop? Don't they sell video cassettes in that shop?
6. Does your son go to school yet? Doesn't your son go to school yet?

b. 1. "You live in Moscow, don't you?" "Yes, I do."
2. "Alex lives in Leeds, doesn't he?" "No, he doesn't. He lives in London."
3. "This bus doesn't go to the ABC cinema, does it?" "No, it doesn't. The eighteen does."
4. "They don't sell maps in that shop, do they?" "Yes, they do."
5. "You don't use these tapes, do you?" "Yes, I do, often."
6. "Your daughter doesn't go to school, does she?" "Yes, she does, and she likes it at school."

2 ⏍

Прочитайте диалог вслух и инсценируйте его.

A. Your husband doesn't smoke, does he?
B. Yes, he does. He's a heavy smoker. I don't like it but I can't stop him.
A. That's a pity. It's bad for his health. Doesn't he know that?
B. Of course, he does! I often say that to him, but he doesn't listen.
A. **Too bad!**

_____

Too bad!   Как досадно! Как жаль! *(вы-
                               ражение сочувствия)*

3 ✎

Образуйте присоединенные вопросы.

1. You play basketball, _____? You're good at it, _____?
2. You study medicine, _____?
3. They go to the same college, _____?
4. She lives next door to your place, _____?
5. Your boss doesn't usually leave the office till six, _____?
6. You don't often go to parties, _____?
7. He can give you a lift, _____?
8. You've got a big family, _____?
9. She's got two sons and a daughter, _____?
10. Her son doesn't yet go to school, _____?
11. Alex is an economist, _____?

12. He has a small business, _____?
13. It isn't easy to look after babies, _____?
14. You aren't busy at the moment, _____?
15. That shop closes at nine, _____?
16. That shop isn't open yet, _____?

4

Переведите на английский язык, обращая внимание на употребление слов Yes и No в ответах.

1. — Разве она не говорит по-испански? — Нет, не говорит.
2. — Разве тебе не нравится джаз? — Да нет, нравится.
3. — Неужели они вам не звонят? — Нет, звонят.
4. — Разве они не обсуждают это в классе? — Да нет, обсуждают часто.
5. — Он ведь не пользуется этими каталогами, да? — Да нет, пользуется.
6. — Вы ведь не часто ходите на стадион, да? — Да нет, часто.
7. — Он ведь редко приходит домой поздно? — Да.

ГРАММАТИКА

25. Словосочетания с глаголом **have / has** в настоящем времени группы **Simple.**

25.1. Словосочетания, в которых глагол **have** утратил значение *владеть*, образуют вопросительную и отрицательную формы настоящего времени группы **Simple**, как и другие глаголы, при помощи вспомогательного глагола **do:**

Do you often **have lunch** in this cafe?
He **doesn't** usually **have coffee** so late.

25.2. Некоторые из этих словосочетаний с глаголом **have** могут выражать как о д н о к р а т н о е действие (состояние в данный момент), так и п о в т о р я ю щ е е-с я действие (состояние). Они образуют вопросительную и отрицательную формы двумя разными способами.

Однократное действие, состояние в данный момент:

I **haven't got** a class at eleven.
Has she **got** a headache?

Урок-комплекс 5

Повторяющееся действие (состояние):

I **don't** usually **have** classes on Saturdays.

Does she often **have** headaches?

К словосочетаниям такого типа относятся:

have classes (a class), a lesson, a test, an exam;
have a headache, toothache, a cold, a chill, flu [flu:] — *грипп*

В современном английском языке для описания п о -
в т о р я ю щ и х с я состояний часто употребляют и
другие глаголы:

Do you often **get** headaches?

He doesn't often **catch (get)** colds.

25.3. Вам уже известны словосочетания, в которых глагол
have выражает *владение* и сам образует свою вопросительную и отрицательную формы (см. урок-комп-
лекс 4):

Have you **got** a car?   She **hasn't got** any pets.

В современном английском языке для выражения *владения* также существуют следующие формы:

I **have** a new car.   She **has** a new job.

Do you **have** his phone   Does he **have** a key?
number?

I **don't have** any money   He **doesn't have** any
on me.   assistants.

Такие формы особенно распространены в американском варианте английского языка.

УПРАЖНЕНИЯ

1

Образуйте присоединенные вопросы.

1. You don't usually have exams in December, _____?
2. He hasn't got any exams next month, _____?
3. They usually have a holiday in July, _____?

Урок-комплекс 5

4. She usually has lunch at two, _____?
5. You often have lunch in that cafe, _____?
6. Tom's got a test today, _____?
7. Eve doesn't have any classes on Tuesdays, _____?

2

Инсценируйте диалоги.

1

A. You aren't busy on Saturday, are you?
B. Yes, I am. I've got a lesson at eleven.
A. Oh, have you? Do you usually have classes on Saturdays?
B. No, I don't. Only occasionally.

2

A. You've got a bad headache today, haven't you?
B. Yes, I have.
A. Do you often have headaches?
B. No, I don't, (it's) only today.

3

A. Have you got any holiday plans?
B. No, not yet.
A. Oh, don't you have a holiday in July?
B. No, I don't. I usually go on holiday in September.

3

Ответьте на вопросы о себе.

1. Do you usually have lunch in a canteen (in a cafe, at home)?
2. Do you have any classes on Saturdays?
3. Do you have any exams in May (June)?
4. Do you usually have a holiday in summer?
5. Do you sometimes have a holiday in autumn?
6. Do you often have time to listen to music (go to the cinema, go to the theatre, go to parties)?

Урок-комплекс 5

ГРАММАТИКА

26. Порядковые числительные. 👓

26.1. Большинство порядковых числительных в английском языке оканчиваются на звук [θ].

Послушайте, произнесите и запомните порядковые числительные, соответствующие известным вам количественным числительным:

fourth (4th) [fɔ:θ]	четвертый
fifth (5th)	пятый
sixth (6th)	шестой
seventh (7th)	седьмой
eighth (8th) [eɪtθ]	восьмой
ninth (9th) [naɪnθ]	девятый
tenth (10th)	десятый
eleventh (11th)	одиннадцатый
fourteenth (14th) ['fɔ:'ti:nθ]	четырнадцатый
fifteenth (15th) ['fɪf'ti:nθ]	пятнадцатый
sixteenth (16th) ['sɪks'ti:nθ]	шестнадцатый
seventeenth (17th) ['sevn'ti:nθ]	семнадцатый
eighteenth (18th) ['eɪ'ti:nθ]	восемнадцатый
nineteenth (19th) ['naɪn'ti:nθ]	девятнадцатый
fortieth (40th) ['fɔ:tɪəθ]	сороковой
fiftieth (50th) ['fɪftɪəθ]	пятидесятый
sixtieth (60th) ['sɪkstɪəθ]	шестидесятый
seventieth (70th) ['sevntɪəθ]	семидесятый
eightieth (80th) ['eɪtɪəθ]	восьмидесятый
ninetieth (90th) ['naɪntɪəθ]	девяностый
fifty-fifth (55th) ['fɪftɪ'fɪfθ]	пятьдесят пятый

ПРИМЕЧАНИЕ.

Ударение порядковых числительных, оканчивающихся на **-teenth**, следует тем же закономерностям, что и ударение количественных числительных, оканчивающихся на **-teen:** перед существительными у них одно ударение на первом слоге, а в других случаях — два ударения (иногда второй слог имеет чуть более сильное ударение, чем первый):

It's the sixteenth book on the list. This book's the sixteenth on the list.

26.2. *Порядковые* числительные употребляются в тех случаях, когда речь идет о порядке следования предметов, действий и т.п.:

1. It's the **fourteenth** model on the list.
2. This is my **fifth** visit to London.
3. It's his **tenth** day at school.

ПРИМЕЧАНИЯ.

1) Вы уже знаете, что существительные, обозначающие предметы, которые имеют н о м е р, употребляются в английском языке с *количественными,* а не порядковыми числительными: catalogue 6 (six), dialogue 5 (five), page 78 (seventy-eight), unit 5 (five).

2) *Количественные* числительные употребляются и при обозначении маршрутов городского транспорта:

the sixteen bus (the sixteen); a fourteen bus (a fourteen).

26.3. Порядковые числительные используются для обозначения дат:

1. It's December the **fifteenth** today.
2. My exam's on the **eleventh** of June.

Для обозначения года употребляются *количественные* числительные:

1907 — nineteen seven ['naɪntiːn əu 'sevn]
1994 — nineteen ninety-four ['naɪntiːn 'naɪntɪ 'fɔː]

Распространенными способами написания даты в письмах или документах являются следующие:

пишется	читается
March 11, 1997.	March the eleventh, nineteen ninety-seven.
11 March, 1997.	The eleventh of March nineteen ninety-seven.

Во избежание разночтений название месяца рекомендуется писать словом, а не цифрой.

Урок-комплекс 5

УПРАЖНЕНИЯ

1 🔘🔘

Прочитайте вслух, подражая образцу, и переведите.

1. his fourth visit to China; her fifth day at college; my tenth day on holiday
2. It's the sixth of May. It's the seventh of June. It's the eighth of December.
3. On the fifth of October; on the sixteenth of March; on the nineteenth of July.
4. Today's Monday, July the eleventh, nineteen ninety-four.
   It's Tuesday, March the seventeenth, nineteen eighty-nine.

2

Прочитайте вслух следующие даты.

1. June 11, 1990;   March 7, 1986;   July 18, 1996
2. 15 October, 1989;   17 December, 1998;   14 September, 1999

Урок-комплекс 6

ЗВУКИ И БУКВЫ

1. <u>Согласный звук [r].</u>

Произнесите, подражая образцу:

[⌣ rrr ⌐rrr ⌐rrr ⌐rrraıt ⌐rrreın]

> Звук [r] передается на письме буквой **R, r** [ɑ:]: **red, read, right**.

> После согласного звука [r], как и после звуков [dʒ] и [l], звук [ı] не произносится: **rule** [ru:l], **rude** [ru:d].

> В буквосочетании **wr** в начале слова буква **w** не читается: **write** [raıt].

Произнесите, подражая образцу:

> red, rain, risk, read, rose, rosy, rifle, riddle, raffle, rude, wry, wren, wrench, wrist

Прочитайте вслух самостоятельно:

> rent, rest, rattle, rain, reef, rice, race, roast, ruby, Rome, rode, rod, rid, rust, right, rich, rune, write, wrap, wrote

Новые слова 🎧

read [ri:d]	читать
write [raıt]	писать, написать
repeat [rı'pi:t]	повторить (*сделать еще раз то же самое, например, сказать еще раз*)
Repeat it!	Повторите еще раз!

Урок-комплекс 6

> **Внимание:** после **repeat** не употребляется слово **again**.
>
> Could you **say it again**, please?
> *но*
> Could you **repeat it**?

remember [rɪ'membə(r)] — вспомнить, помнить, запомнить

I can't remember his phone number. — Не могу вспомнить его телефон.

"Do you remember my cousin Jane?" — Ты помнишь мою двоюродную сестру Джейн?

"Of course I do." — Конечно, помню.

Ant. **forget** [fə'get] — забыть

Don't forget to call him. = Please remember to call him. — Не забудьте ему позвонить.

road
1. улица, дорога

in this road — на этой улице

2. мостовая, проезжая часть

in the road — на проезжей части

radio ['reɪdɪəu] — радио

listen **to** the radio — слушать радио

on the radio — по радио

radio set — радиоприемник

right [raɪt] — правый

Ant. **left** — левый

on the right (left) side of the road — с правой (левой) стороны дороги

the right hand — правая рука

the left hand — левая рука

to the right — направо

to the left — налево

Go to the right. — Идите (*поезжайте*) направо.

— 278 —

Внимание! Предлоги:

to the right **of**	справа
to the left **of**	слева

> от какого-либо предмета

The shop's **to** the right **of** the hotel.

on the right	справа
on the left	слева

> по отношению к человеку

The shop's **on** the right and the hotel's **on** the left.

be right — быть правым, правильным

    You're right. — Вы правы.

    That's right. — Правильно.

    Right! — Правильно, хорошо. (*выражение согласия*)

correct [kə'rekt] (*прил.*) — правильный (*без ошибок, точный*)

correct (*глаг.*) — поправлять, исправлять

    Avis often asks Sancho to correct her mistakes in Spanish (= to correct her Spanish).

room [rum, ruːm] — комната; зал (*в музее, на выставке*); номер (*в гостинице*); класс, аудитория

Урок-комплекс 6

It's in room four.	Это находится в комнате (*зале*) № 4.
He usually stays in this room.	Он обычно останавливается в этом номере.
classroom ['klɑːsrum]	аудитория, класс
orange ['ɔrɪndʒ]	**1.** апельсин; **2.** оранжевый
Do you like orange juice?	
married ['mærɪd]	женатый, замужняя
be married (to)	быть женатым (*на*), быть замужем (*за*)
Are you married?	Вы женаты (замужем)?
She's married **to** my cousin.	Она замужем за моим двоюродным братом.
camera ['kæmərə]	фотоаппарат, киноаппарат
Don't forget to take your camera. (= Remember to take your camera.)	Не забудь взять фотоаппарат.
Russia ['rʌʃə]	Россия
Russian ['rʌʃn]	русский; русский язык
I'm Russian.	
Do you speak Russian?	Вы говорите по-русски?
America [ə'merɪkə]	Америка
The United States of America (the US) [ðə juˈnaɪtɪd 'steɪts əv ə'merɪkə]	Соединенные Штаты Америки (*США*)
American [ə'merɪkən]	американский; американец
He's American.	Он американец.
It's an American car.	
January ['dʒænjuərɪ]	январь

Урок-комплекс 6

2. <u>Наречие степени **very** ['verı] — *очень*.</u>

Сравните:

very — очень (*с прилагательными и наречиями*)

> very small, very short, very tall, very busy, very nice, very slowly, very often

1. Avis is very beautiful.
2. This room is very convenient.
3. They speak very slowly.
4. "Is this test useful?" "Yes, very."
5. "Is it difficult?" "No, not very."

very much [mʌtʃ] — очень (*с глаголами*)

1.	I like the book very much.	Мне очень нравится эта книга.
2.	She loves him very much.	Она его очень любит.

УПРАЖНЕНИЯ

1

Прочитайте вслух и переведите примеры на новые слова. Представьте себе ситуации, в которых их можно употребить.

1. My son's only six, but he can read and write. He likes to read, and I'm happy.
2. It isn't very difficult for me to understand them. They speak very slowly.
3. Shall I repeat? Shall I repeat it? Could you repeat it, please?
4. Right! Correct! That's right. That's correct. Is that right? Is that correct?
5. You're right. She's right. Am I right?

Урок-комплекс 6

6. The cinema's on the right. The bookshop's on the left. It's to the right of the bus stop. It's to the left of the hotel.
7. You remember Sally Rogers ['rɔdʒəz], don't you? She's married to my cousin.

2

Прочитайте диалоги вслух и инсценируйте их.

1

A. Excuse me, is that shop on my right the **radio shop**?
B. No, the radio shop's to the left of that café.
A. Oh, good! I'm **lucky** to find it so soon.

(bookshop, toyshop, pet shop)

lucky	везучий, удачливый
I'm lucky!	Мне повезло. (*Мне везет.*)
luck	удача, везение
Good luck!	Желаю удачи!
Bad luck!	Не везет! (*выражение сочувствия*)

2

A. I know him, I'm sure, but I can't remember his name.
B. Jerry Smith.
A. He's an American student, isn't he?
B. Yes, Jerry **rents** a flat next door to us. He speaks Russian and very often asks me to correct his mistakes.
A. I see.

rent (*глаг.*)	снимать, брать напрокат

to rent a flat, a car, a TV set

3 ◉◉

Прочитайте текст вслух, предварительно выучив новые слова, и перескажите его. Задайте друг другу вопросы по тексту.

Ruth [ru:θ] is tall, slim and very beautiful. She's an American student on a visit to Russia. Ruth speaks Russian and she's good at it. She likes to read books by Russian **writers**, and she **needs** a good **dictionary**.

Ruth finds a big bookshop. She goes in and asks the shop assistant, "Have you got any new Russian dictionaries?" "Oh, yes!" the assistant says. "**Take a look** at those shelves on the right. They've got some very good dictionaries on them." "Oh, good!" says Ruth. "Let me have a look."

---

writer [ˈraɪtə]	писатель
books **by** American writers	книги американских писателей
need	нуждаться в чем-л.; нужно, надо
I need five copies.	Мне нужно пять экземпляров.
You need a doctor.	Вам необходим врач.
I don't need such a big and expensive room.	Мне не нужен такой большой и дорогой номер.
Do you still need the camera?	Тебе все еще нужен фотоаппарат?
dictionary [ˈdɪkʃənərɪ]	словарь
look 'up	искать (*в справочном материале*)
Look it up in the dictionary.	Посмотри это в словаре.
take a look = have a look	

Урок-комплекс 6

Повторите, употребляя подсказанные слова.

1. Don't forget **to call them**.
   • to give me a call • to talk to them • to tell him • to take your camera • to leave me a copy •
2. That's **right**.
   • correct • okay • very good • very simple • very difficult • very expensive • very nice of you •
3. Excuse me, do you still need that **dictionary**?
   • catalogue • file • book • camera • textbook • city map • cassette • radio set •
4. It's to the right of that **hotel**.
   • radio shop • bookshop • school • cafe •

3. Некоторые способы выражения извинения и сожаления.

3.1. Извинение по поводу причиненного неудобства (неосторожного движения и т. п.).

A. So ⌣sorry!
B. That's all ⌣right!

A. Извините!
B. Ничего.

A. Oh, I'm very, very sorry!
B. That's all right.

A. Ой, мне очень жаль!
B. Ничего.

3.2. Извинение по поводу невозможности выполнить просьбу.

I'm sorry, I haven't got your size.

К сожалению, у меня нет вашего размера.

Урок-комплекс 6

3.3. <u>Извинение при переспросе.</u>

♪Sorry?
♪Pardon? ['pɑ:dn]

Простите?

Sorry, could you repeat that, please?

Простите, вы не могли бы повторить это?

УПРАЖНЕНИЯ

1

Повторите, употребляя подсказанные слова.

1. I'm sorry, **I'm late**.
   • I'm still busy • I'm still ill • I still need it • she isn't in yet • I don't understand that •
2. Sorry, I don't remember **your name**.
   • her phone number • his room number • the exact date • the exact time •

2

Выучите диалоги наизусть и инсценируйте их.

1

A. Excuse me! You're Jane Ross, aren't you?
B. Yes, I am.
A. Hi, Jane! Do you remember me?
B. Of course I do. You're Terry Smith.
A. ⤴Jerry Smith.
B. Oh, sorry, I'm not good at names.
A. That's all right.
B. I do remember you, Jerry. It's so nice to see you again!

Урок-комплекс 6

2

A. Hello!

B. Hello! Oh, I'm late again. So sorry!

A. That's all right. It isn't very late yet. It's only half past nine.

B. Oh, is it? Good! Let's begin, then.

A. Right.

3

A. Excuse me, that's ᵓmy place. Look, seat number ten.

B. Oh, I'm sorry.

A. That's okay.

4

A. 542 07 84. Holly Hotel. Can I help you?

B. Yes, please. Is Mr Reston in? Room 49.

A. Mr Reston? I don't know, madam. Could you hold on a moment? ... I'm sorry, he isn't in his room. Any message?

B. Yes, please ask him to call Mrs Robbins on 572 0494.

A. Let me repeat. Call Mrs Robbins on 572 04 94.

B. Correct.

3 ✎

Переведите на английский язык.

1. — Не забудьте позвонить Бену сегодня вечером.
   — К сожалению, я не помню номер его телефона.
   — 556 44 02.
   — Простите, вы не могли бы повторить?

2. — Извините, вон тот магазин справа радиомагазин?
   — Нет, радиомагазин находится слева от кинотеатра.

3. — Итак (so) им нужно два экземпляра каталога 8 и четыре экземпляра каталога 9.
   — Правильно.

4. Джерри — американский студент. Он изучает русский язык. Джерри снимает квартиру рядом с нами. Он очень часто просит меня исправлять его ошибки в русском.

5. — Ой, извините, я опять опоздала.
   — Ничего. Еще не очень поздно.

6. — Я могу взять этот словарь на минуту?
   — К сожалению, он мне все еще нужен.

4. Связующий звук [r].

Послушайте и посмотрите:

Mr Bennett — Mr_Ellis   at five o'clock — at four_o'clock

Dr Smith — Dr_Adams   for the holiday — for_a holiday

my sister Bess — my sister_Ann   your test — your_exam

> Как вы услышали, если после слова, оканчивающего-
> ся на букву **r** (или **re**), идет слово, начинающееся с
> г л а с н о г о звука, при слитном произношении ко-
> нечная буква **r** п р о и з н о с и т с я.

ПРИМЕЧАНИЕ.

> В современном языке аналогичное явление наблюда-
> ется на стыке двух гласных в тех случаях, когда пер-
> вое слово оканчивается нейтральным звуком без бук-
> вы **r**.

Is Pamela_a good assistant?
[...'pæmələr_ə...]

Let's go to the cinema_after classes.
[...'sınımər_'ɑ:ftə...]

УПРАЖНЕНИЯ

1

**Прочитайте, подражая образцу. Обратите особое внимание на
связующий звук [r].**

1. for five days — for_a minute — for_a moment
2. after classes — after_a meal — after_a short talk
3. before the exam — before_exams — before_a holiday
4. four days — four_autumn days; four models — four_expensive models
5. your partners — your_American partners — your_Italian partners

6. I'm sure_ I know him.
7. "Are you sure_ of the date?" "Yes, but I'm not sure_ of the time."
8. You're_ a doctor,_ aren't you?
9. They're_ on my list. They're_ in time.
10. Let's discuss it after_ a cup of coffee, right?
11. The door_ isn't closed. The car_ isn't open.

2 🔾🔾

Прочитайте диалог вслух, обращая внимание на связующий [r]. Выучите его наизусть и инсценируйте.

In a Shop

A. I need a coat for a boy of **eleven**.
B. Oh, just have a look at some of these ... This coat's nice, isn't it? And it isn't very expensive.
A. No, but it's too short.
B. Too short? Oh, no! It's just right for a boy of **eleven**. Is he very tall?
A. No, no. Let me have a look ... Yes, of course. You're right. It ˋis his size. Let me have it then.

(five, six, seven)

5. Альтернативный вопрос (вопрос выбора), содержащий союз **or** [ɔ:(r)], [ə(r)] — *или.*

Послушайте и посмотрите:

1.	"Coffee or tea?"	Кофе или чаю?
	"Coffee, please."	Кофе, пожалуйста.
2.	"Right or left?"	Направо или налево?
	"Left."	Налево.
3.	"Do you go on holiday in July or August?"	Вы уходите в отпуск в июле или в августе?
	"July."	В июле.

Первая часть альтернативного вопроса, как и в русском языке, произносится с повышением тона, а вто-
рая — с понижением. Союз **or** безударен и поэтому
произносится в своих слабых формах: [ə] — перед согласным звуком и [ər] — перед гласным.

Когда альтернативный вопрос состоит из двух предложений, оба они имеют вопросительный порядок слов:

Can you come to ⌄see me tonight, or are you too ⌐busy?

ПРИМЕЧАНИЯ.

1) Союз **or** может употребляться в общих вопросах, не предполагающих выбора в ответе.

Can you call back in ten **or** fifteen minutes?	Вы можете перезвонить минут через 10—15?

2) Союз **or** также употребляется в отрицательных предложениях.

I don't play football **or** hockey.	Я не играю в футбол **и** хоккей.

УПРАЖНЕНИЯ

1

Прочитайте вслух, подражая образцу. Следите за интонацией.

1. Coffee or tea? Meat or fish? An orange or an apple?
2. By ship or plane? By telex or fax? By bus or taxi?
3. Right or left? Large or small? Expensive or cheap? Easy or difficult?
4. Is the music on discs or tapes? Is her husband a pilot or a seaman?
5. Shall I park my car at the door or leave it in the car park?
6. Do you like classical music or pop music?
7. Is that radio set American or Japanese?
8. Can you come today or only on Tuesday?
9. Is it very difficult to keep such a big dog, or do you find it easy?
10. Can I take this dictionary, or do you still need it?
11. Excuse me, may I call you back in five or ten minutes?

Урок-комплекс 6

2 ✎

Переведите на английский язык.

1. — Вам удобно прийти в понедельник или во вторник?
   — Во вторник. Я иногда хожу на стадион по понедельникам.
2. — Кинотеатр справа или слева?
   — Он слева от гостиницы.
3. — Его новая квартира большая или маленькая?
   — Большая.
4. — Ваш размер четырнадцать или шестнадцать?
   — Четырнадцать.
5. Извини, я могу перезвонить тебе минут через 10—15?
6. Эти студенты не говорят по-испански и по-итальянски.

ГРАММАТИКА

6. Количественные определители **much, many, a lot** — *много.* ⊙⊙

6.1. Понятие *много* по-английски выражается местоимениями **much** с неисчисляемыми существительными и **many** ['menɪ] с исчисляемыми.

much time много времени	**many times** много раз
much money много денег	**many books** много книг
much food много продуктов	**many people** много людей

Однако в разговорном языке в у т в е р д и т е л ь н о м предложении этим словам предпочитается оборот **a lot (of)**:*

1. I've got **a lot of** time today. У меня сегодня много времени.

---

* В сугубо разговорном стиле вместо **a lot** часто употребляется мн. ч. **lots**: **lots of time, lots of students, lots and lots of people**.

2. She spends **a lot of** money on books.

Она тратит много денег на книги.

3. They need **a lot of** assistants.

Им требуется много помощников.

4. He remembers **a lot of** those events.

Он помнит многие из этих событий.

ПРИМЕЧАНИЕ.

Если оборот **a lot** стоит перед подлежащим, то глагол-сказуемое согласуется в числе с подлежащим:

1. A lot of black coffee **is** bad for your health.

Много черного кофе вредно для здоровья.

2. A lot of people **are** still on holiday.

Многие (*люди*) все еще в отпуске.

6.2. В отрицательных предложениях и общих вопросах обычно употребляются слова **much** и **many**, а не **a lot**.*

а) *Отрицательные предложения.*

1. I **haven't** got **much** time today.

У меня сегодня мало времени.

2. Students **don't** usually **have much** money.

У студентов обычно бывает мало денег (*не бывает много денег*).

3. They **don't** know **many** facts.

Им известно мало фактов (*им не известны многие факты*).

4. He **doesn't** make **many** mistakes in his Russian.

Он делает мало ошибок в русском языке.

5. Not many people can rent such expensive flats.

Немногие люди могут снимать такие дорогие квартиры.

---

* Это связано с основным значением слова **a lot** — *масса, очень много*, что не всегда естественно в вопросе или отрицательном предложении.

Урок-комплекс 6

Как вы увидели, сочетания **not much, not many** часто соответствуют русскому слову *мало*.

б) *Общие вопросы и возможные варианты ответов.*

1. "Have you got **much** time today?"
У вас сегодня много времени?

"Yes."   "No."

"Yes, **a lot**."   "No, **not much**."

"Yes, I 've got **a lot**."

2. "Does she spend **much** money on books?"
Она много тратит на книги?

"Yes, **a lot**."   "No, **not much**."

"Yes, she does."   "No, she doesn't."

3. "Do you need **many** copies?"
Вам нужно много экземпляров?

"Yes, **a lot**."

"No, **not many**."

4. "Have they got **many** new exhibits?"
У них много новых экспонатов?

"Oh, yes, **a lot**."   "No, not many, only four or five."

6.3. **A lot** и **much** могут также относиться к глаголу. **A lot** употребляется главным образом в утвердительных предложениях, **much** употребляется в отрицательных предложениях и общих вопросах.

1. He knows **a lot**.   Он **много** знает.

2. I **don't** smoke **much**.   Я **мало** курю.

3. "Does she read **much**?"   — Она **много** читает?

"Yes, **a lot**."   — Да, **много**. (Нет, **мало**.)
("No, **not much**.")

6.4. Некоторые особенности употребления **much, many, a lot**.

1. Перед словами, обозначающими *отрезок времени*, употребляется слово **many**, а не **a lot**:

many days, many nights, many times и т.п.

2. Понятию *слишком много* соответствуют сочетания **too much, too many: too many people; too much coffee**.

3. Русским словам *так много* и *столько* соответствуют английские сочетания **so much, so many, such a lot**:

They've got **so many** good films! = They've got **such a lot** of good films!
He smokes **so much**! = He smokes **such a lot**!

В разговорном языке **so much / so many** и **such a lot** одинаково употребительны.

ПРИМЕЧАНИЯ.

1) После слов **many** и **much** обязательно употребляется предлог **of**, если они относятся к местоимению, к существительному, перед которым стоит местоимение, или к существительному в притяжательном падеже:

many of them	многие из них
much of it	многое из этого
many of his partners	много его партнеров (= *многие его...*)
much of my time	много моего времени
many of Fellini's films	много фильмов Феллини (= *многие фильмы, многие из фильмов*)

2) Без усилителя (**so, too** и т. п.) слово **many** может употребляться в утвердительных предложениях перед подлежащим или предложным дополнением:

Many American companies do business in Russia (= a lot of American companies).

You can read it in **many** books.

Урок-комплекс 6

УПРАЖНЕНИЯ

1

Прочитайте вслух примеры из правила.

2

Прочитайте тексты вслух и перескажите их от лица Боба Хобсона и Алекса.

1

Bob Hobson

"Do you go to sea much?"

"Yes, I do, a lot. I'm a seaman."

"Oh! And do you smoke much?"

"Oh, yes, a lot of seamen smoke."

"Do you like the job?"

"Of course, I do! **Every** seaman loves the sea, but I don't get much money."

"Too bad!"

---

every ['evrɪ]	каждый, всякий
They call me every day.	Они звонят мне каждый день.
I remember every minute of that party.	Я помню каждую минуту этого вечера.
Not every man can be a pilot.	Не каждый (*не всякий*) может быть летчиком.
Syn. **each**	каждый (*в отдельности, индивидуально*)
The tickets are two dollars each.	Билеты по два доллара каждый.

| He usually finds time to speak to each student. | Он обычно находит время поговорить с каждым студентом. |

Внимание! С предлогом **of** употребляется только **each:**

| each of us | каждый из нас |
| each of you | каждый из вас |

2

Alex gets a lot of mail every day. He's got a lot of **letters**, faxes and telexes on his table, and a lot of telephone messages, too. Some of these **papers** are **important**, some are not. Alex hasn't got much time.
"I've got too many jobs to do every day. I need an assistant," he often says to his boss.

| **letter** | **1.** письмо |
| **post a letter** | отправить письмо |

Could you post this letter, please?

	2. буква
a small letter	маленькая буква
a capital ['kæpɪtl] **letter**	большая буква
paper ['peɪpə(r)]	**1.** бумага (*неисчисл.*)
a piece of paper	кусок (лист) бумаги
	2. бумага, документ (*исчисл.*)

Let me have a look at these papers.

Урок-комплекс 6

сокр. от **newspaper**
['nju:speɪpə(r)]

3. газета (*исчисл.*)

You can read it in the papers (in the newspapers).

important [ɪm'pɔːt(ə)nt]

важный, значительный

an important fact, some important news

It's very important for me.

Это для меня очень важно.

3

Образуйте отрицательные предложения и общие вопросы, обращая внимание на употребление *much, many* и *a lot*.

Дано: I correct a lot of mistakes in his Russian.
Требуется: 1. Do you correct many mistakes in his Russian?
2. I don't correct many mistakes in his Russian.

1. Alex writes a lot of letters.
2. Mr Bennett does a lot of business in Canada ['kænədə].
3. I need a lot of assistants to do this job.
4. They have a lot of lessons every day.
5. A lot of people live in this road.
6. Amy reads a lot.
7. Bob knows a lot of students in that college.
8. That company lends a lot of money to farmers.
9. Alan spends a lot of time on his lessons.
10. I listen to the radio a lot.
11. That old man remembers a lot.

4

Ответьте на вопросы о себе. Расскажите друг о друге на основании полученных ответов.

1. Do you read much?
2. Have you got many books at home?
3. Do you read the newspapers every day?
4. Do you like to write letters?
5. Do you listen to the radio much?
6. Have you got much music at home?
7. Have you got many hobbies?
8. Do you spend much time on your hobbies?
9. Do you have many jobs to do every day?

Урок-комплекс 6

10. Do you spend much time on your lessons?
11. Do you eat much?
12. Do you spend much money on food?

5

Переведите на английский язык.

1. Алекс обычно получает много почты. Он пишет много важных писем и отсылает много факсов каждый день.
2. Я знаю многих его коллег.
3. — Вы много читаете? — Да, много. — Вы много тратите на книги? — О, да, очень много. У меня дома много хороших книг. — Вы любите читать газеты? — Не очень.
4. — Он много курит? — Нет, мало.
5. Старик помнит многие из тех событий. Давай поговорим с ним. Он так много знает!
6. — У них много новых экспонатов? — Нет, не много, только пять — шесть.
7. К сожалению, у меня сегодня мало времени. У меня слишком много важных заданий (работ) на сегодня, и у меня нет помощников. Мой помощник все еще в отпуске.
8. Джерри говорит на хорошем русском языке. Он делает мало ошибок.

ЗВУКИ И БУКВЫ

7. <u>Звукосочетания [br, gr, fr].</u>

При произнесении звука [r] с предшествующим согласным оба звука произносятся почти одновременно.

Произнесите, подражая образцу:

bread, bright, great [greɪt], green, grain, freeze, fry, from

Новые слова 🔊

breakfast [ˈbrekfəst]   завтрак

   have breakfast   завтракать

break [breɪk]   перерыв

   Let's have a break. = Let's take a break.

Урок-комплекс 6

lunch break   обеденный перерыв

    coffee break, tea break

friend [frend]   друг, знакомый

    my friend John

free   свободный

Ant. **busy**

    I'm free on Tuesday..   Я во вторник свободен.

    Please keep the line free.   Пожалуйста, не занимайте телефон. (*досл.* Держите линию свободной.)

from [frɔm, frəm]   от, из, с, у (*предлог направления*)

    This is a letter from a friend.   Это письмо **от** одного моего друга.

    He gets a lot of mail from London.   Он получает много корреспонденции **из** Лондона.

    I often take books from John.   Я часто беру книги **у** Джона.

Внимание: перевод!

from London **to** Moscow	**из** Лондона **в** Москву (**от** Лондона **до** Москвы)
from Monday **to** Saturday	**с** понедельника **до** субботы
from two **to** four	**с** двух **до** четырех
from time **to** time	время **от** времени

---

abroad [ə'brɔːd]   за границей; за границу

    He's abroad on business.   Он в (деловой) командировке за границей.

    go abroad   поехать за границу

    She usually goes abroad for her holiday in August.

Урок-комплекс 6

fruit [fru:t]   (*неисчисл.*) фрукты

"Do you like fruit?" "Yes, very much."

brother ['brʌðə(r)]   брат

Friday ['fraɪdɪ]   пятница

great [greɪt]   великий, большой

a great man, a great event

It's a great pity!   Очень жаль!

Great Britain ['greɪt 'brɪtn]   Великобритания

British   британский, английский

He's British.   Он житель Великобритании (*британский подданный*).

French   французский; француз, француженка; французский язык

France   Франция

February ['februərɪ]   февраль

УПРАЖНЕНИЯ

1 🔾🔾

Прочитайте вслух и переведите примеры на новые слова.

1. I've got a friend. Her name's Annette [ə'net]. She's French, but she lives in Great Britain. Annette teaches French at a college in London.
2. "I don't usually eat much at breakfast. Just some fruit, a piece of cheese, then a hot cup of coffee."
   "That isn't the usual British breakfast, is it?"
   "No, it isn't. The British* like to eat a lot at breakfast."
3. "Do you often go abroad?"
   "Yes, very often. I do a lot of business abroad."
4. "Let's have a break, okay?" "Right!"
5. Excuse me, could you keep the line free from five to half past five?

---

* **The British** — британцы

Урок-комплекс 6

2 ✎

Заполните пропуски предлогами.

1. She's got a lot _____ friends _____ Great Britain and France.
2. Please keep the line free _____ four _____ five.
3. I often go abroad _____ business.
4. He usually goes abroad _____ his holiday.
5. "Let's take a break _____ eleven." "Right."
6. "Could I speak _____ Mr Davies, please?" "I'm sorry, Mr Davies is still _____ a visit _____ France."
7. I'm free _____ five _____ six _____ Friday. Could you come _____ my office _____ half past five?
8. They get a lot _____ important letters _____ Great Britain and France every day.

ЗВУКИ И БУКВЫ

8. Звукосочетания [pr], [kr], [tr], [str], [dr], [θr].

8.1. Сочетания звука [r] с предшествующими согласными [p] и [k] произносятся почти одновременно. Согласные [p] и [k] сохраняют придыхание.

Произнесите, подражая образцу:

price, prince, press, cry, cross, cream

Новые слова 🔊

problem ['prɔbləm]	проблема, задача, трудность, затруднение
a great problem	большая проблема
to settle a problem	урегулировать проблему
to **solve** [sɔlv] a problem	разрешить проблему
No problem!	Никаких проблем!
April ['eɪprɪl]	апрель
cross	пересекать, переходить, переезжать
You can't cross the road at a red light.	Нельзя переходить улицу на красный свет.

Урок-комплекс 6

across [əˈkrɔs]   напротив, через дорогу (*улицу, мост и т.д.*)

They live across the road.   Они живут через дорогу.

8.2.   В звукосочетаниях [tr] и [str] согласный звук [t] становится заальвеолярным, т.е. образуется там же, где и согласный звук [r]. В сочетании [tr] звук [t] сохраняет придыхание.

Произнесите, подражая образцу:

train, tram, tree, trust, track, street, stress, strike, stroke, strip, struggle, stray

Прочитайте вслух самостоятельно. Что, по-вашему, означают эти слова? Все они существительные.

secretary [ˈsekrətrɪ], strategy [ˈstrætədʒɪ], trolleybus [ˈtrɔlɪbʌs], contract [ˈkɔntrækt], ministry [ˈmɪnɪstrɪ], industry [ˈɪndəstrɪ]

Новые слова 🔲

train   поезд

the London train   лондонский поезд

the ten o'clock train   десятичасовой поезд

get on a train (bus)   сесть на поезд (*автобус*)

get off a train (bus)   выйти из поезда (*автобуса*)

catch (miss) a train (bus)   успеть (*опоздать*) на поезд (*автобус*)

You can still catch the ten o'clock train. Don't miss it!

translate [trænzˈleɪt]   переводить (*с одного языка на другой*)

> ## Внимание: предлоги!
>
> translate **from** French **into** Russian

translation [trænzˈleɪʃn]   перевод

Урок-комплекс 6

You can read the Russian translation (of the book).	Вы можете прочитать эту книгу в переводе на русский язык.
make a translation	переводить (*о переводчике*)
do a translation	переводить (*как упражнение*)

street*   улица

Syn. **road**

They live in this street. = They live in this road.

8.3.   В звукосочетании [dr] звук [d] становится заальвеолярным: **dream, drip, dry, dress, drop, droop**.

Произнесите, подражая образцу:

drum, drain, drive, drove, drake, dribble, drab, drift, draft, dream, dragon, drill, dry, draper

Новые слова

drive (*глаг.*)   водить машину

Can you drive? = Can you drive a car?

driver   шофер, водитель

She's an excellent driver.

children ['tʃɪldrən]   (*мн. ч.*) дети

ед.ч. **child** [tʃaɪld]   ребенок

Syn. **kid** (*разг.*)

Have they got any children? = Have they got any kids?

address [ə'dres] адрес

Can you give me your address?

---

*   1) В названиях улиц слово **road** произносится с ударением, а слово **street** — без ударения: **'Park ↘Road, ↘Fleet Street**.

2) В названиях улиц слова **road** и **street** пишутся с большой буквы и часто в сокращенном варианте: **Park Rd, Fleet St.**

Please write to me **at** my new address.

Пожалуйста, напишите мне по новому адресу.

Внимание: порядок слов в адресе!

Mr J. Benson
19 High St.
London
Great Britain

8.4. В звукосочетании [θr] начало звука [r] оглушается.

Произнесите, подражая образцу:

three, throne, thriller, throat, thrust, thread [θred], threat [θret], through [θru:]

Новые слова 👓

three

три

My friend's got three children.

through [θru:]

через, сквозь; насквозь

look through

просмотреть

get through (to)

дозвониться (до)

I can't get through to Smith.

УПРАЖНЕНИЯ

<u>1</u> 👓

Прочитайте диалоги вслух, выучите их наизусть и разыграйте.

1

A. Can I still catch the London train?
B. Just a minute. Let me look at my **timetable**... Yes, you've got eighteen minutes.
A. Only eighteen? That isn't much.

Урок-комплекс 6

B. Take the bus. You can get to the station in ten minutes, if you go by bus. The bus stop's across the road.
A. Right!

---

timetable [ˈtaɪmteɪbl]   расписание

2

A. Excuse me, Ben. Do you know French?
B. Yes, a little. I can't speak it, but I can read.
A. Good. Could you help me, then? I've got a problem. I can't read this letter. It's in French. Can you translate it?
B. Let me look through it ... No problem, it isn't very difficult, I can make a translation for you.
A. Good!

3

A. Listen! I can't get through to Jack. Does he live at the same address?
B. No, he lives at a new address — 43 High Street. It's just across the road from me. I often see him. My children and his son go to the same school.
A. Oh, good. Have you got his new telephone number?
B. Sorry, not on me. Call me at home tonight, or I can ask him to call you, okay?
A. Right.

2 ⊙⊙

Прочитайте текст вслух и переведите его, предварительно выучив новые слова. Перескажите его.

Roy Bradley [ˈbrædlɪ] lives in New York. He's very **rich**. He's got **several factories** and big hotels. Mr Bradley's a good businessman — he does a lot of business and makes a lot of money. Mr Bradley does a lot of business abroad too — in Great Britain, France, Italy, even in Russia.

Урок-комплекс 6

"It's a **risk** to **start** a business in that country. Russia has a lot of problems at the moment, but it's a rich country and it's got a great **future**, I'm sure," he often says to his partners.

Roy's already forty-three, but he's still **unmarried**. He isn't exactly a handsome man, but he isn't ugly. He's just too busy to get married. Roy's got a lot of business partners, but he hasn't got many friends. That's a great pity!

---

rich	богатый
several ['sevrəl]	несколько
several days (times, months, calls, copies)	
factory ['fæktərɪ]	фабрика, завод
risk (*сущ.*)	риск
start	начинать, начинаться

Syn. **begin**

Classes start at half past eight.

to start a business	начать предпринимательскую деятельность, организовать дело
to start a company	организовать компанию (*фирму*)
country ['kʌntrɪ]	страна

a small country, a large country, a rich country, a poor country

this country	страна, в которой находится говорящий
the country (*неисчисл. сущ.*)	сельская или загородная местность

a country cottage, country music

Внимание: предлоги!

I usually go **to** the country for my holiday.	(за город, в деревню)
He lives **in** the country.	Он живет за городом (в загородной местности).

Урок-комплекс 6

future [ˈfjuːtʃə]

будущее

already [ɔlˈredɪ]

уже (*обычно в утверд. предложении*)

It's already time to go.

Уже пора идти.

I'm sorry, it's already too late to put you on the list.

К сожалению, уже слишком поздно вносить вас в список.

Внимание!

Как вам известно, в общих вопросах русск. **уже** передается словом **yet**. Слово **already** в общем вопросе выражает у д и в л е н и е.

Is it time to go **yet**?

Уже пора идти?

Is it time to go **already?**

Разве уже пора идти?

---

unmarried = **not married**

неженатый, незамужняя

Согласны ли вы со следующими утверждениями?

1. Roy Bradley lives in the country.
2. He isn't very rich. He's a school teacher.
3. Mr Bradley doesn't do any business abroad.
4. He's sure it isn't a risk to start a business in Russia.
5. Roy's already forty-five. He's married and has a lot of children.
6. He's got a lot of friends, but he hasn't got many business partners.

Повторите, употребляя подсказанные слова.

1. Ben's already **at school**.
   • at college • at home • at his office • married •
2. It's already time **to go.**
   • to start • to begin • to go back • to go home • to have a break •
3. It's a **rich** country.
   • poor • small • large • great •
4. His **sisters** live in the country.
   • brothers • children • Mum and Dad • friends •

5 ✎

Переведите на английский язык.

1. Я люблю просматривать газеты или слушать новости по радио за завтраком.

2. — Ты не очень занят в эту пятницу? — Нет, я свободен. — Давай поедем за город. — Хорошо.

3. Извини, ты мог бы не занимать телефон с четырех до половины пятого?

4. Вы не могли бы помочь мне перевести это письмо с французского? Оно очень важное.

5. — Я не могу дозвониться до Джима. У него все тот же (the same) номер телефона? — Нет, у него новый телефон, но у меня его нет. Я только знаю его новый адрес.

6. — Ты не можешь сделать перерыв? — Нет еще. У меня много важных бумаг сегодня.

7. Дети Билла уже за городом, а он все еще в Лондоне. Он еще не в отпуске.

8. Мои дети уже ходят в школу. Моему сыну семь лет, а дочери уже девять.

9. Слово enough [ɪ'nʌf] — *достаточно, хватит.*

9.1. **Послушайте и посмотрите:** ⬤⬤

1. That's **enough**. — Достаточно (*этого достаточно*).

2. This money's **enough**. (This money's **enough to buy** that suit.) — Этих денег достаточно. (Этих денег хватит, чтобы купить этот костюм.)

3. Is five minutes **enough**? (Is five minutes **enough to settle** the problem?) — Пяти минут хватит? (Пяти минут достаточно, чтобы урегулировать эту проблему?)

4. Two days **isn't enough to finish** that job. — Двух дней недостаточно (*слишком мало*), чтобы закончить эту работу.

5. I'm sorry, I **haven't** got **enough** time **to talk** to them today. — К сожалению, у меня сегодня слишком мало времени, чтобы поговорить с ними.

Урок-комплекс 6

Как видно из примеров, сочетание отрицания со словом **enough** соответствует русским словам *недостаточно, не хватает, слишком мало*.

9.2. Словосочетание **just enough** означает *как раз, ровно столько, сколько нужно (ни больше, ни меньше)*.

"Have you got **enough** time to have a snack?"

У тебя достаточно времени, чтобы перекусить?

"Yes, **just enough**."

Да, достаточно (*ровно столько, сколько нужно*).

9.3. Место слова **enough** в предложении.

Если слово **enough** относится к *существительному*, оно обычно стоит п е р е д ним:

enough time, enough money, enough facts, enough examples.

Если **enough** относится к *глаголу, прилагательному или наречию*, оно стоит п о с л е них:

с глаголами:

1. You don't **read enough**.　　Вы слишком мало читаете.

2. I don't **sleep enough**.　　Я слишком мало сплю.

с прилагательными и наречиями:

good enough, cold enough, light enough, cheap enough, often enough, slowly enough.*

1. Is your coffee **hot enough**?

Кофе достаточно горячий?

2. This book's **easy enough** for you to read.

Эта книга достаточно легкая для вас (*для вашего чтения*).

3. Do you visit them **often enough**?

Вы достаточно часто их навещаете?

---

* В этом случае **enough** произносится с минимальным ударением.

Урок-комплекс 6

УПРАЖНЕНИЯ

1 🔲

Прочитайте вслух и переведите.

1. I'm sorry, I haven't got enough time to help them today.
2. My friends haven't got enough money to buy a cottage yet.
3. "Shall I repeat it?" "No, that's enough, I understand."
4. Two days isn't enough to have a good look at the city.
5. My French isn't good enough to translate from Russian into French.
6. This film's easy enough to understand.
7. This telly isn't cheap enough for me to buy.
8. "Do you see them often enough?" "No, I'm sorry, I haven't got enough time."
9. It's easy enough to remember.
10. This camera's simple enough to use.

2

Повторите, употребляя подсказанные слова.

1. His **Russian** is good enough to understand films.
   • French • Spanish • Finnish • Japanese •
2. She doesn't **read** enough.
   • sleep • eat • listen to the tapes •
3. Is that money enough to buy **a car**?
   • a motorbike • a bicycle • a flat • a country cottage •
   • a computer •

3 🔲

Выучите диалоги наизусть и инсценируйте их.

1

A. Is fifteen minutes enough **to finish that job**?
B. Yes, just enough.
A. Good. Then let's have a coffee break in fifteen minutes.
B. Right.

   (to discuss it; to solve that problem; to settle it)

Урок-комплекс 6

2

Before the Lesson

A. Excuse me, Mrs Reston. Could I talk to you, please?

B. So sorry, not at the moment. I haven't got enough time before the lesson. But I'm free from two to three after classes. Is that convenient for you?

A. Yes, very. I can come at exactly two.

B. Then see you at two, okay?

A. Right!

4

Переведите на английский язык.

1. — У тебя достаточно времени, чтобы пойти на выставку сегодня?
   — Извини, не сегодня. Я сегодня занят.
   — Тогда во вторник?
   — Да, во вторник у меня достаточно времени.

2. — Этих денег достаточно, чтобы купить этот фотоаппарат? Он очень дорогой. — Да, как раз хватит.

3. — Ты можешь перевести это письмо с русского на французский?
   — К сожалению, мой французский недостаточно хорош, чтобы это сделать.

4. — Твой чай достаточно горячий?
   — Да, он даже слишком горячий.

5. Он слишком мало (недостаточно) читает.

6. Я слишком редко их вижу.

ЗВУКИ И БУКВЫ

10. Согласный звук [ŋ].

Послушайте, посмотрите и произнесите протяжно:

[ˈŋŋŋ ˈŋŋŋ ˈŋŋŋ ˈŋŋŋ]

Согласный звук [ŋ] передаётся на письме буквосочетанием **ng: bang, thing, ring.**

Произнесите, подражая образцу:

song — sang — sung
long — hang — hung
wrong — rang — rung

Прочитайте вслух самостоятельно; следите за тем, чтобы гласный звук не произносился через нос:

fang, bang, song, strong, wrong, ring, thing, bring, young [jʌŋ]

Сравните звуки [ŋ] — [n]:

петь — **sing**	**sin** — грешить
вещь — **thing**	**thin** — тонкий

Произнесите, подражая образцу. Следите за тем, чтобы безударный гласный звук [ɪ] перед [ŋ] произносился четко, не приобретая носового оттенка:

reading, writing, saying, playing, sitting, singing, ringing, morning, evening, Good morning! Good evening!

Новые слова

wrong [rɔŋ]   неправильный, ошибочный

Ant. **right**

the wrong address (telephone number, train, etc.)

Sorry, wrong number!	Извините, вы не туда попали! (*по телефону*)
That's wrong!	Это неверно! (*неправильно*)
He's wrong. (= He isn't right.)	Он неправ.

interesting ['ɪntrɪstɪŋ,   интересный
           ɪntə'restɪŋ]

an interesting book, an interesting film

thing [θɪŋ]   вещь

It's a useful thing, but it's a bit too expensive.	Это полезная вещь, но она дороговата.
He knows a lot of interesting things.	Он знает много интересного.

Урок-комплекс 6

spring   весна

morning ['mɔːnɪŋ]   утро

evening ['iːvnɪŋ]   вечер

Внимание: предлоги!

in the morning	утром
in the afternoon	днем
in the evening	вечером
this morning	сегодня утром
this afternoon	сегодня днем
this evening	сегодня вечером
on Monday morning	в понедельник утром
on Tuesday afternoon	во вторник днем
on Saturday evening	в субботу вечером
on the morning of June 4 ['dʒuːn ðə 'fɔːθ]	4-го июня утром

---

11. <u>Формулы приветствия</u>.

Good ⌐morning!	примерно до 12 часов дня
Good after⌐noon!	примерно до 5—6 часов вечера
Good ⌐evening!	после 5—6 часов вечера

Во всех этих случаях может употребляться менее формальное слово **Hello!**

УПРАЖНЕНИЕ

1

Прочитайте вслух и переведите примеры на новые слова.

1. In the morning, in the evening, at seven o'clock in the morning, late in the evening, this morning, this evening, on Monday morning, on Tuesday evening, on the morning of the fifth of April. Good morning! Good evening!

2. An interesting book, an interesting film, interesting people, interesting events. That's very interesting. It's very interesting.
3. It's the wrong time. It's the wrong train. That's wrong, isn't it? That clock's wrong. Sorry, wrong number. Sorry, you've got the wrong number.
4. This spring, next spring, in (the) spring, every spring, a spring morning.
5. They sell a lot of useful things in that shop.
6. "Are these ⌣your things?" "Yes."
7. This bag's too small for my things.
8. A holiday by the sea is the best thing for you.

12. Звукосочетание [ŋg].

Буквосочетание **ng** произносится [ŋg] перед гласными и согласными **l, r** и **w**: **anger, Congo**, **angle** ['æŋgl], **hungry** ['hʌŋgrɪ].

Послушайте, посмотрите, произнесите, подражая образцу, затем самостоятельно:

finger, anger, hunger, Congo; single, jangle, jungle, England, English; angry, hungry, mongrel ['mʌŋgrl].

Новые слова

England ['ɪŋglənd] Англия

English ['ɪŋglɪʃ] английский; английский язык

Do you speak English?

They're English. Это англичане.

УПРАЖНЕНИЯ

Прочитайте вслух и переведите.

1. "Do you speak English?" "Only a little."
2. Can you say that in English?

Урок-комплекс 6

3. My English isn't good enough to translate from Russian into English. I can only translate from English into Russian.
4. They're Americans, but they live in England.

2

Инсценируйте телефонный разговор.

On the Telephone

A. Hello! 252 3649.
B. Good evening! Is that the **Hungry** Man's **Restaurant**?
A. You've got the wrong number.
B. So sorry!
A. That's all right!

---

hungry [ˈhʌŋgrɪ]   голодный

Are you very hungry?   Ты очень проголодался?

I'm not hungry yet.   Мне еще не хочется есть (я не голоден).

restaurant [ˈrestrɒ, ˈrestrɔnt]   ресторан

at a restaurant   в ресторане

13. Звукосочетание [ŋk].

Послушайте, посмотрите, произнесите. Следите за тем, чтобы звук [ŋ] перед звуком [k] был коротким:

[ˈθɪŋk ˈθæŋk ˈθɪŋk ˈθæŋk]

Звукосочетание [ŋk] передается на письме буквосочетанием **nk**: bank, tank, link, pink.

Новые слова

thank   благодарить

ˈThank you!
ˈThanks!   Спасибо.

— 314 —

Thank you very much!

Thank you ˋever ['evə] so much!

Thanks a lot!

⎫
⎬ Большое спасибо!
⎭

Возможные ответные реплики:

That's 'all ⌄right!
'Not at ˋall!

Пожалуйста!

При отказе от чего-либо (*угощения, предложения и т.п.*) говорят: **'No, ⌄thank you.**

"Have a cup of ⌄coffee?" "No, ⌄thank you."

think

думать

I ˋthink **so**.

Думаю, что да (*кажется, да*).

I **'don't** ˋthink **so**.

I **'think** ˋnot.

⎫
⎬
⎭

Думаю, что нет (*кажется, нет*).

uncle ['ʌŋkl]

дядя, дядюшка

Uncle Sam*

Uncle Ben

---

* Шутливая расшифровка сокращения **US** — США.

Урок-комплекс 6

УПРАЖНЕНИЯ

1 ⊙⊙

Прочитайте вслух, подражая образцу. Следите за интонацией.

1. Thank you! Thanks! Thanks a lot!
   "Thank you very much!" "That's all right."
2. "Have a cup of tea?" "No, thank you."
   "Have some steak?" "No, thank you. I'm not hungry."
   "Shall I give you a lift?" "No, thank you. I can take a bus."
3. "Is the problem very important?" "I think so."
   "Can they settle it soon?" "I don't think so. They need time."

2 ⊙⊙

Инсценируйте диалоги.

1

At the Station

A. Excuse me, are you Mrs Young [jʌŋ]?

B. Yes, I'm Bess Young.

A. Good evening, Mrs Young! I'm Alan Jackson from Bennett & Company. Nice to meet you.

B. Oh, good evening, Mr Jackson! Nice to meet you, too.

A. Are these your things, Mrs Young?

B. Yes.

A. Let me take them to my car.

B. Oh, thank you. **That's very kind of you**.

A. That's all right. Please follow me.

That's very kind of you.   Очень любезно с вашей стороны.

— 316 —

2

At Mr Bennett's Office

(next morning)

*(a **knock at** the door)*

Mr Bennett: Come in!
Secretary: Mrs Young to see you, Mr Bennett.
Mr Bennett: Thank you, Jane.
    (to Mrs Young) Hello, Bess! Do come in! I'm so pleased to see you in London again.
Mrs Young: I'm pleased to see you too, James.
Mr B. **Take a seat,** Bess. A cup of coffee?
Mrs Y. Yes, thanks.
Mr B. *(to the secretary)* Jane, **bring** us **two coffees,** please.
Mrs Y. Oh, you've got some new catalogues, haven't you?
Mr B. Yes, they're for you. They've got some interesting new things in them. Have a good look.
Mrs Y. Thanks a lot.
Mr B. Not at all.

---

knock [nɔk] *(сущ.)*	стук
knock *(глаг.)*	стучать
to knock **at** the door	
Take a seat.	Садитесь!
bring	принести, привезти
Ant. **take**	
Could you bring that cassette on Monday morning?	Ты не мог бы принести эту кассету в понедельник утром?
The schoolbus takes the children to school every morning and brings them back in the afternoon.	Школьный автобус каждое утро отвозит детей в школу и привозит их обратно во второй половине дня.
two coffees	два кофе (*в значении «две порции»*)

Урок-комплекс 6

ГРАММАТИКА

14. Дополнительное придаточное предложение.

14.1. Дополнительное придаточное предложение вводится безударным союзом **that** — *что*.

Послушайте и посмотрите.

1. Please write to Mr Clark **that** the exhibition opens on the fourth of February.

Пожалуйста, напишите господину Кларку, что выставка открывается 4-го февраля.

2. Could you explain to them **that** the problem is very important?

Вы не могли бы объяснить им, что проблема очень важная.

3. The teacher finds **that** your son's English is very good.

Преподаватель считает (находит), что ваш сын хорошо говорит по-английски.

Союз **that** произносится слитно с главным предложением, и перед ним не ставится запятая.

14.2. В разговорной речи союз **that** часто опускается после ряда широко употребительных глаголов и глагольных сочетаний. Некоторые из них вы уже знаете: **think, know, say, tell, see, remember, forget, understand, be sure, be sorry.**

Послушайте и посмотрите. Сравните с русским переводом.

1. I think he's right.

Я думаю, (*что*) он прав.

2. I know they've got a lot of problems at the moment.

Я знаю, (*что*) у них сейчас много проблем.

3. She says she can't get through to Jack.

Она говорит, что не может дозвониться до Джека.

4. Please tell them Mr Bradley's still abroad.

Пожалуйста, скажите им, что г-н Брэдли все еще находится за границей.

5. Don't you see the job's too difficult for him?

Разве ты не видишь, что эта работа слишком трудна для него?

6. Do you remember the Jacksons live at the new address?

Ты помнишь, что Джексоны живут по новому адресу?

7. Don't forget (that) Ben's a poor driver.

Не забудь, что Бен плохо водит машину.

8. I understand (that) it's very important.

Я понимаю, что это очень важно.

9. I'm not sure that's correct.

Я не уверен, что это правильно.

10. I'm sorry you've got the wrong number.

Простите, вы не туда попали.

Запомните!

Словосочетание **they say** может соответствовать русскому *говорят*.

They say it's a very interesting film.

Говорят, это очень интересный фильм.

They say he lives in the country.

Говорят, что он живет за городом.

Внимание! Сравните с русским переводом:

1. I think that's correct.
I don't think that's correct.

Я думаю, что это правильно.
Я думаю, это **неправильно**.

2. I think he knows it.
I don't think he knows it.

Думаю, он это знает.
Думаю, он этого **не знает**.

3. I think they understand that.
I don't think they understand that.

Мне кажется, (*что*) они это понимают.
Мне кажется, (*что*) они этого **не понимают**.

Как вы увидели, в английском языке отрицание переносится в г л а в н о е предложение.

Урок-комплекс 6

УПРАЖНЕНИЯ

1

Повторите, употребляя подсказанные слова.

1. I find that his **English** is very good.
   • Russian • French • Spanish • Italian •
2. Please write to them that the exhibition **opens on Monday morning.**
   • closes on Friday evening • is open till the fifth of April • is still open •
3. I think it's **in this road**.
   • across the road • in Fleet Street • in the next street • on the right • on the left • to the left of that hotel •
4. I know **they live in the country**.
   • she's a good driver • it's a very important problem • they're still in France • it's an interesting book • they're very rich •
5. They say it's **a nice cafe**.
   • an interesting film • a nice place for a holiday • a nice restaurant •

2

Прочитайте вслух и переведите.

1. I think the address is wrong. I don't think the address is right.
2. I think this clock is slow. I don't think this clock is right.
3. I don't think he lives in this road. I think he lives in Green Street.
4. I think it's a risk to start a business in that country. I don't think it's a risk to start a business in that country.
5. She thinks that's a bad mistake. She doesn't think that's a bad mistake.

3

Переведите на английский язык.

1. Я думаю, они могут приехать во вторник утром.
2. Я думаю, они не могут приехать в понедельник вечером.
3. Она говорит, что у них достаточно денег, чтобы начать дело (to start a business).
4. Мне кажется, что у них недостаточно денег, чтобы начать дело.
5. Он думает, что вы его помните. Ему кажется, что вы его не помните.

6. Мне кажется, что у них много интересных вещей на выставке на этот раз (this time).
   Мне кажется, что у них мало интересных вещей на выставке на этот раз.
7. Я думаю, он говорит по-английски. Мне кажется, он не говорит по-английски.
8. Простите, вы не туда попали.

ЗВУКИ И БУКВЫ

15. Долгий гласный звук [ə:].

Послушайте, посмотрите, произнесите:

[↗ə: ↘ə: ↗ə: ↘ə: ↗ə: ↘ə:]

Звук [ə:] передается на письме буквосочетаниями **er, ir (yr), ur** и в отдельных словах **ear**: German ['dʒə:mən], **first, early** ['ə:lı].

Произнесите, подражая образцу:

urn, irk, earl, sir, fir, her

[ə:]

протяжно:	короче:	еще короче:
fur	firm	first
burr	bird	burst
her	herb	hurt

Сравните звуки. Послушайте и прочитайте вслух, подражая образцу:

[ə:] — [ɔ:]	[ə:] — [e]	[ə:] — [əu]
earl — all	burn — Ben	burn — bone
curl — call	bird — bed	turn — tone
Turk — talk	turn — ten	nurse — nose

Прочитайте вслух самостоятельно:

term, burst, curly, stern, Byrd, curt, serf, curb, turn, learn, turning, burning, learning

Новые слова 👓

girl [gə:l]   девочка, девушка

birthday ['bə:θdeı]   день рождения

Урок-комплекс 6

on his birthday	в его день рождения
at a birthday party	
date of birth	дата рождения (*в докумен-тах*)

Запомните!

Обычные формы поздравления по случаю дня рождения:

Happy birthday!	С днем рождения!
Many happy returns [rɪ'tə:nz] **of the day!**	Долгих лет жизни! (*досл.* Много счастливых воз-вращений этого дня!)

---

learn [lə:n]	учить, выучить, заучивать
learn Russian, learn English	учить (изучать) русский язык, английский
learn ... by heart [hɑ:t]	выучить наизусть
early ['ə:lɪ]	ранний
Ant. **late** (*прил.*)	
an early plane, an early flight	
early (*нареч.*)	рано
Ant. **late**	
early in the morning	
I don't like to get up early.	
sir [sə:, sə]	сэр (*вежливое обращение к мужчине; употр. без после-дующей фамилии*)
Yes, sir?	
first (*порядк. числит.*)	первый
сокр. **1st**	
the first of September (1st Sept.)	
September the first (Sept. 1st)	
first (*нареч.*)	сначала, в первую очередь
First listen and then repeat.	
Read it first and then learn it by heart.	
Let me think first.	

surname ['sə:neɪm]   фамилия

His full name's Bert Adams: his first name's Albert ['ælbət] and his surname's Adams.

firm   фирма

Germany ['dʒə:mənɪ]   Германия

German ['dʒə:mən]   немецкий; немецкий язык; немец, немка

Thursday ['θə:zdɪ]   четверг

It's on Thursday, August 1.   Это в четверг, 1-го августа.

It's Thursday today.   Сегодня четверг.

15.1. Три типа чтения гласных букв под ударением.

	1 тип чтения (алфавитный)	2 тип чтения (краткий)	3 тип чтения (гласная + конечная буква *r*; гласная + *r* + согласная)
a	[eɪ] name	[æ] man	[ɑ:] park, car
e	[i:] Peter	[e] pet	person
i	[aɪ] time / type	[ɪ] till / Syd	[ə:] — firm, sir / turn
y			
u	[ju:] music	[ʌ] bus	
o	[əu] note	[ɔ] stop	[ɔ:] form, sport

УПРАЖНЕНИЯ

1

Прочитайте вслух и переведите примеры на новые слова.

1. "I don't think you know that girl." "Yes, I do. Her name's Bertha ['bə:θə]. She's from Germany."
2. My German isn't good enough to speak on the phone. German's very difficult to learn.

Урок-комплекс 6

3. Those texts are easy enough to learn by heart.
4. Is this your first visit to Germany?
   Is this your first time in Germany?
5. Please write your first name and surname, and your date of birth too.
6. "Have you got many business partners in Germany?" "Yes, a lot. Many German firms do business in Russia."
7. I get up very early every day. I like to get up early in the morning.

2 ◯◯

Прочитайте вслух диалоги и инсценируйте их.

1

At the English Lesson

A. Please learn **the text** by heart.
B. By heart?
A. Yes, but first listen to the tape several times and learn to read it.
B. Listen to the tape several times and learn to read it?
A. Yes. Then translate it into Russian and learn it by heart. Repeat it several times at home.
B. Right!

   (the dialogue)

2

Mike's Birthday

A. Do you remember it's Mike's birthday on the **third** of July?
B. Oh, is it on Thursday?
A. Yes, I think so. Let's buy him a nice **present.**
B. I think **a radio set** is the best thing for him. His **radio's** very old.
A. Okay, let's give him a good Japanese **radio set.**
B. Right!

   (a camera)

---

third [θɜːd]   третий
сокр. **3rd**

— 324 —

thirty ['θəːtɪ] тридцать

present ['preznt] *(сущ.)* подарок

3

At a Birthday Party

A. Do come in! I'm so happy to see you on my birthday!
B. Happy birthday to you!
C. Many happy returns of the day! This is for you, Mike.
A. A lovely camera! Thank you very much!
B. I'm **glad** you like it.
A. Oh, yes, very much!

---

glad рад

3 🔾🔾

Прочитайте текст вслух, предварительно выучив новые слова.

Bertha's a German girl and she's got a difficult German surname. She's a student at a medical school in Great Britain. She **also** has **a part time job as** a night **nurse** in a big hospital.

Bertha gets up very, very early every day, has her breakfast, looks through the morning papers or listens to the breakfast news on the radio and goes to the medical school. She's already in her **second year** at the school. On Mondays and Thursdays she goes to the hospital after classes. Her job isn't easy and she doesn't even **earn** much, but she's a very **kind person** and likes to look after people.

Урок-комплекс 6

On Friday evenings Bertha goes to English evening classes.
Bertha isn't married yet, but she's got **a boyfriend called** Roger
['rɔdʒə]. He's a doctor at the same hospital and helps her a lot. Bertha
in her turn, helps him to learn German. His German's already good
enough to read and translate medical books and understand films.
Bertha's a beautiful girl and a very nice person, too. Roger asks her
to marry him and stay in Britain (he earns enough to keep a family).
"Let me finish the school first," she usually **answers**.

---

also ['ɔlsəu]   также, тоже, к тому же, кроме того

Syn. **too**

> I've also got an exam.

> They also need catalogue four.

Внимание!

Слова **too** и **also** в отрицательных предложениях не
употребляются. В отрицательных предложениях русским словам *тоже*, *также* соответствует наречие **either**
['aɪðə(r), 'iːðə(r)].

Утвердительные и вопроси-тельные предложения	*Отрицательные предложения*
1. He speaks German **too**.	He **doesn't** speak German, **either**.
2. "I often use this dictionary."	"I don't often use this dictionary."
"I do, **too**."	"I **don't, either**."
3. Do you need these catalogues, **too**?	**Don't** you need these catalogues, **either**?

---

part (*сущ.*)   часть

a part time job   работа на неполную ставку

a full time job   работа на полную ставку

as   *зд.* как, в качестве

> She's got a job as a doctor.   Она работает врачом.

nurse [nəːs]   медсестра

year [jə:(r), jɪə(r)]   год

   this year   в этом году

   next year   на будущий год (в будущем году)

Запомните!

year   курс (*в высшем и спец. учебном заведении*)

   He's a first year student.   Он первокурсник.

   She's in her third year.   Она на третьем курсе.

form   класс (*в школе*)

   My son's already in the third form.   Мой сын уже в третьем классе.

---

second ['sekənd] (*числ.*)   второй

сокр. **2nd**

second (*сущ.*)   секунда

   Just a second!   Одну секунду!

earn [ə:n]   зарабатывать

   He doesn't earn much.

kind [kaɪnd]   добрый

person ['pə:s(ə)n]   человек (*как о женщине, так и о мужчине*)
мн.ч. **people**

   She's such a nice person!

   They're such nice people!

boyfriend   молодой человек, с которым встречается девушка

girlfriend   девушка, с которой встречается молодой человек

called   по имени; называющийся; который называется

Урок-комплекс 6

He's got a sister called Jane.

У него есть сестра по имени (которую зовут) Джейн.

I usually have lunch in a cafe called "The Black Cat".

Я обычно обедаю в кафе, которое называется «Черный кот».

turn (*сущ.*)

очередь, очередность

Excuse me. It's my turn next!

Извините, следующая очередь моя!

in her (his, my...) turn

в свою очередь

turn (*глаг.*)

поворачивать(ся); повернуть(ся)

Turn left. Turn right.

Turn to the left. Turn to the right.

'turn 'on

включить (*радио, телевизор, свет и т. п.*)

'turn 'off

выключить (*радио, телевизор, свет и т. п.*)

Don't forget to turn off the telly.

marry

жениться, выйти замуж

answer ['ɑːnsə(r)] (*глаг.*)

отвечать

I'm sorry, I can't answer yet.

Внимание: отсутствие предлога!

answer a letter	ответить на письмо
answer a fax	ответить на факс
answer a person	ответить кому-либо

---

answer (*сущ.*)

ответ

The answer's "No"!

an answer **to** a letter (*fax, etc.*)

ответ на письмо (*факс и т.д.*)

Урок-комплекс 6

4

Согласны ли вы со следующими утверждениями.

1. Bertha's a French girl.
2. She lives in France. She's a schoolgirl.
3. She hasn't got a job yet.
4. Bertha doesn't get up very early.
5. On Mondays and Thursdays she goes to the cinema after classes.
6. On Friday evenings she usually goes to the theatre.
7. She earns a lot.
8. She doesn't like to look after people.
9. Bertha's already married, and she's got three children.
10. Roger's a student at the same medical school.
11. His German isn't good enough to read or write. He can't understand German films, either. He can't even understand Bertha!
12. Bertha can't speak English.

5 ✎

Заполните пропуски артиклями.

1. I've got _____ girlfriend called Ruth. She's _____ nurse in _____ big hospital.
2. "Excuse me, is _____ hospital in this road?" "No. Cross _____ road, then turn to _____ left and then to _____ right." "Thanks _____ lot." "Not at all."
3. This is _____ letter from _____ old friend. He's got _____ very difficult surname.
4. Ann and Bob go to _____ same school. Ann's in _____ first form and Bob's already in _____ third.
5. My daughter goes to college. She's _____ second year student.
6. I know him. He's _____ very kind person.
7. Could you turn off _____ telly, please?

6 ✎

Заполните пропуски предлогами.

1. Could you phone me _____ the first _____ March _____ 10 a.m.?
2. Please fill in this form and give it _____ my assistant _____ Thursday.

Урок-комплекс 6

3. "Is the cinema _____ the right?" "No, it's _____ the left _____ that hotel."
4. Sometimes it's difficult _____ me to get up early enough to be _____ time _____ my morning classes.
5. Please write your date _____ birth, too.
6. This is a very important letter _____ London. Have a look _____ it.
7. They say it's your first visit _____ Germany.
8. Many German firms do business _____ Russia.
9. I know they usually have a break _____ four _____ half past four.
10. I'm sure _____ the date, but I'm not sure _____ the time.
11. "Does he often go abroad _____ business?" "I don't think so."
12. "Let's go _____ an early flight." "Fine."

7

Выучите диалог наизусть и разыграйте его.

A. Excuse me, please. Is the hospital in this road?
B. No, turn **to the left** and then ask again. Okay?
A. Okay! Thanks a lot!
B. Not at all.

(to the right; right then left; left then right)

8

Выберите правильное слово: *too* или *either*.

1. He can speak German, and he knows English, _____.
2. "Do you know her surname?" "No, and I don't remember her first name, _____."
3. "I've got an exam on the thirteenth of January." "Oh, have you? Me _____."
4. "I don't think thirteen's an unlucky number." "I don't _____."
5. "I know it's very important." "I understand it _____."
6. "I don't like to get up early." "I don't _____."

9

Переведите на английский язык.

1. — Заходите, заходите! Я так рад видеть вас на моем дне рождения! — С днем рождения!
2. — Это ваш первый визит в Россию? — Да. — Много ли немецких фирм занимаются бизнесом в России? — О, да, много.

3. Боб уже на третьем курсе института, а Ник только первокурсник

4. — Извините, почта находится на этой улице? — Нет. Перейдите дорогу, поверните направо, а затем налево. — Спасибо. — Пожалуйста.

5. Он достаточно зарабатывает, чтобы содержать большую семью.

6. Давай полетим ранним рейсом. Это очень удобно.

7. Сначала прослушайте фонозапись несколько раз и научитесь читать текст. Затем выучите его наизусть.

8. — Вы знаете фирму, которая называется «Адамс и сыновья»? — Нет. — Я тоже их не знаю.

9. Я часто хожу на стадион, который называется «Счастливый спортсмен». Он мне очень нравится.

16. Употребление слова **certainly** ['sɜːtnlɪ] — *пожалуйста, конечно* и оборота **I'm afraid** [aɪm əˈfreɪd] — *боюсь, что .... к сожалению.*

16.1. В нейтральном стиле речи весьма распространенным утвердительным ответом на просьбу или приглашение служит слово **certainly** — *пожалуйста, конечно.*

Послушайте и посмотрите:

1. "Can I use your telephone, please?"
"Certainly."

Можно воспользоваться вашим телефоном?
Пожалуйста.

2. "Could you call back later?"
"Certainly."

Вы не могли бы позвонить попозже?
Конечно.

3. "May I have a look at it?"
"Yes, certainly."

Можно (на это) взглянуть?
Да, пожалуйста.

ПРИМЕЧАНИЯ.

1) Известное вам словосочетание **of course** является более разговорным и более эмоциональным вариантом ответа: *Ну конечно же! Разумеется! О чем речь!* и т. п.

Урок-комплекс 6

2) В современном разговорном языке, особенно в американском варианте, в качестве ответа также употребляется слово **sure** — зд. *конечно, безусловно.*

"May I have your address?"

"Sure!"

16.2. В отрицательном ответе для смягчения отказа обычно употребляются выражения **I'm sorry** или **I'm afraid** — *боюсь, что..., к сожалению.*

1. "Could you lend me your dictionary?"	Ты можешь одолжить мне свой словарь?
"I'm afraid not. I still need it."	К сожалению нет. Он мне все еще нужен.
2. "Can you give me a lift, please?"	Ты можешь меня подвезти?
"I'm afraid not, I can't leave yet."	Боюсь, что нет. Я еще не могу уйти.

16.3. Оборот **I'm afraid** используется также для выражения сожаления, извинения, несогласия с мнением собеседника и т.д., подобно русским словам *к сожалению, боюсь, что.*

I'm afraid so.	К сожалению, да. (*Боюсь, что да.*)
I'm afraid ⸜not.	К сожалению, нет. (*Боюсь, что нет.*)
1. "Are you very busy today?"	Вы сегодня очень заняты?
"I'm afraid so."	К сожалению, да.
2. "It's in this street, I'm sure."	Я уверен, что это на этой улице.
"I'm afraid ⸜not."	Боюсь, что нет.
3. You are wrong, I'm afraid.*	Боюсь, что вы неправы.
4. This coat's too ⸜short for me, I'm afraid.	К сожалению, это пальто мне коротко.

---

* В конце предложения словосочетание **I'm afraid** произносится с минимальным ударением.

Урок-комплекс 6

УПРАЖНЕНИЯ

1 🔉

Выучите диалоги наизусть и разыграйте их.

1

In a Hotel

A. Can I help you, sir?
B. Yes. Can I have a room for three nights?
A. Certainly. May I have your name, please?
B. Oleg Smirnov.
A. Sorry, could you repeat your surname?
B. Certainly. Smirnov — S-M-I-R-N-O-V.
A. Thank you.

2

A Telephone Call

A. Good afternoon. Could I speak to Mr Reston, please?
B. Certainly. Please hold on ... Sorry, I'm afraid he isn't in at the moment. Can I take a message?
A. No, thank you. I can call back later.

2

Составьте микродиалоги, как показано в образце, и разыграйте их.

Дано: Close the door, please.
Требуется: *A.* Could you close the door, please?
          B. Certainly.

1. Fill in this form, please.
2. Spell your surname.
3. Give me a call on the first of October.
4. Ask Ben to come on Thursday morning.
5. Call back a bit later.
6. Come early on Friday.
7. Solve that problem soon.

Урок-комплекс 6

3

К вам обратились с просьбой, которую вы не можете выполнить. Извинитесь и мотивируйте свой отказ, подобрав подходящее высказывание из колонки справа.

Дано: Could I talk to you, please?
Требуется: I'm afraid not. I'm too busy at the moment.

1. Can you finish the job before Thursday?	I still need it.
2. Could you give me a lift?	I don't remember his first name.
3. May I have some copies?	I haven't got enough time today.
4. Can you tell me his full name, please?	The job's too difficult to finish so soon.
5. Can you come to dinner on Friday?	I haven't got any.
6. May I have your camera for two days?	It's my friend's birthday this Friday.
7. Can you solve that problem today?	

4

Проверьте себя. Что бы вы сказали в данных ситуациях (участвуют студенты А, Б и В)?

1

А. Извинившись, спрашивает не на этой ли дороге находится почта.

Б. Извиняется и говорит, что не знает.

А. Повторяет вопрос, обращаясь к студенту В.

В. Объясняет, что нужно перейти улицу, повернуть направо, а потом налево.

А. Благодарит.

В. Говорит «пожалуйста».

2

А. Сообщает, что у него на сегодня очень много дел (things to do). Просит студента Б помочь ему перевести два текста с французского.

Б. Вежливо отказывает, объяснив, что у него сегодня недостаточно времени.

А. Повторяет свою просьбу, обращаясь к В.

В. Соглашается, сказав, что это для него не трудно — у него сегодня много времени.

А. Благодарит.

В. Говорит «пожалуйста».

5

Переведите на английский язык.

1. — Вы очень заняты сегодня? — К сожалению, да.

2. — Вы не могли бы позвонить мне первого февраля? — Конечно.

3. — Я могу подержать твой словарь до четверга? — Пожалуйста.

4. — Можно мне взять ваш номер телефона? — Да, конечно.

5. — У вас достаточно времени, чтобы урегулировать эту проблему сегодня? — К сожалению, нет. Эта проблема слишком важная.

6. — Вы много читаете? — К сожалению, нет. У меня мало времени.

7. Боюсь, что двух дней недостаточно, чтобы закончить этот перевод.

8. Боюсь, что он неправ.

9. — Вы знаете преподавателя по фамилии Беннет? — Боюсь, что нет. Спросите Анну. Она знает много преподавателей в этом институте. — Нет, она его тоже не знает.

ЗВУКИ И БУКВЫ

17. Дифтонг [ɪə].

Послушайте, посмотрите, произнесите:

[eɪ eɪ eɪ eɪ ɪə ɪə ɪə ɪə]

Урок-комплекс 6

Дифтонг [ɪə] может передаваться на письме разными буквосочетаниями:

1. буквосочетанием **ere**: here, sphere;

2. буквосочетанием **eer**: engineer, steer;

3. буквосочетанием **ear**: dear, hear.

Произнесите, подражая образцу, затем прочитайте самостоятельно:

dear, near, fear, spear, beer, steer, engineer, cheer, here, mere, sphere, sin'cere, se'vere, clear, deer, hear, peer

Новые слова 🔊

here
здесь, сюда

I think they're here.
Думаю, они здесь.

Please come here!
Пожалуйста, подойдите сюда!

I'm afraid he isn't here. = I'm afraid he isn't in.

in here
здесь, в этом помещении

It's a bit cold in here!

hear
слышать (*глагол **hear**, подобно глаголу **see** и некоторым другим глаголам восприятия, сочетается с глаголом **can**, который на русский язык не переводится*)

Sorry, I can't hear you!
Извините, я вас не слышу. (*Мне не слышно, я вас плохо слышу.*)

idea [aɪ'dɪə]
мысль, идея

That's a good idea!

museum [mju'zɪəm]
музей

The British Museum
Британский музей

Урок-комплекс 6

dear

дорогой (-ая), милый (-ая); уважаемый *(в обращении)*

My dear friends

Dear Jane

Запомните обычные обращения, употребляемые в деловой переписке:

Dear Mr Bradley	Уважаемый г-н Бредли!
Dear Sirs	Уважаемые господа!
Dear Sir	
Dear Madam	

Последние три обращения употребляются без указания конкретных имен.

---

clear

ясный, понятный

Is that clear?

Ясно?

Внимание: предлог!

It isn't clear **to** me, I'm afraid.

УПРАЖНЕНИЕ

1

Прочитайте вслух и переведите примеры на новые слова.

1. It's here. Please come here! Can you come here? Can I park here? I'm afraid, you can't park here. They usually come here to have lunch. I'm on business here, not on holiday.
2. "Can you hear me?" "I'm afraid not. It's too noisy in here." "I'm sorry, I can't hear you. Could you call back, please?" "Certainly."
3. "Is that clear?" "Not very, I'm afraid." "Is that clear to you?" "I'm afraid not. Could you repeat it please?" "Certainly."
4. An excellent idea! Not a bad idea! Isn't it a good idea!

Урок-комплекс 6

18. <u>Некоторые обороты, начинающиеся со слова</u> **here.** 🔘

Послушайте и посмотрите. Сравните порядок слов.

с существительными	с местоимениями
'Here's my ⟍bus.	'Here it ⟍is.
Вот мой автобус.	Вот он.
'Here are my ⟍friends.	'Here they ⟍are.
Вот мои друзья.	А вот и они.
'Here's Miss ⟍Dene.	'Here she ⟍is.
А вот и мисс Дин.	Вот и она.
	'Here I ⟍am.
	Вот и я.
	'Here you ⟍are.
	А вот и вы.

Запомните! Выражение **Here you are!** также имеет значение *Вот, пожалуйста! Возьмите, пожалуйста.* 🔘

1

A. Can I have that dictionary, please?	Дайте мне, пожалуйста, вон тот словарь.
B. Here you ⟍are.	Пожалуйста! (*Вот, пожалуйста.*)
A. Thank you.	Спасибо.
B. That's all right.	Пожалуйста.

2

A. Ten dollars, please.	(*С вас*) десять долларов.
B. Here you ⟍are.	Пожалуйста.
A. Thank you, sir.	Спасибо.

Урок-комплекс 6

УПРАЖНЕНИЯ

1

Перефразируйте, как показано в образце.

Дано: Here's the post office.
Требуется: Here it is.

1. Here's the car park.
2. Here's the British Museum.
3. Here are my colleagues.
4. Here's my brother John.
5. Here are my documents.
6. Here's your coffee.
7. Here's Mrs Lloyd.

2 ✎

Заполните пропуски одним из слов (выражений), соответствующих русскому слову «пожалуйста».

please   **certainly**   **here you are**

1. "Can I have that camera, _____?" "_____."
2. "Could you call back in fifteen minutes, _____?"
   "_____."
3. "_____ give me that catalogue." "_____."
4. "May I use your telephone, _____?" "_____."
5. "Let me have a look at that letter from Germany."
   "_____."
6. "I also need a Russian-German dictionary." "_____."

19. Слова, обозначающие местоположение: **near, close to, next to, far from.** 💿

near (*прил., нареч.*)   близко, поблизости, недалеко (*чаще употребляется
                                           со словами:* **so, too, very**)

    Oh, is it so near?

near (*предлог*)   близко от, поблизости от,
                                           недалеко от, около

Syn. **close to** ['kləus tu]

Урок-комплекс 6

The car park's **near** the hotel. = The car park's **close to** the hotel.

The hotel's **near** the station. = The hotel's **close to** the station.

My college is **near** my home.

near here   недалеко отсюда

I think they live near here.

next to (*предлог*)   рядом

Please sit next to me.   Пожалуйста, сядьте рядом со мной.

Сравните: near — next to

next to   **near = close to**

He lives near me.   Он живет недалеко от меня.

He lives next to me.   Он живет рядом со мной.

---

far   далеко (*обычно в отрицательных предложениях и вопросах, в утвердительном предложении употребляется со словами:* **so, too, very** *и т.д.*)

1. "Is it far? (Is it very far?)" "No, not very."

2. It isn't very far. It's close to my place.

3. It's **very far**. It's **too far**. It's **so far**!

УПРАЖНЕНИЯ

1

Инсценируйте диалог, заменяя выделенные слова словами, данными в скобках.

In a Car

A. Let's find a place to have a cup of coffee.

B. I know a nice snack bar **next to** the museum.

A. Is it very far?

B. No, it's near here. Can you park here?

A. I'm afraid not. Not in this road.

B. Then turn to the right ... Stop! This is a convenient place to park, isn't it?

A. Oh, yes, very!

(close to; near)

2

Прочитайте текст вслух и перескажите его. Задайте друг другу вопросы по тексту.

Mr Pierce is an **engineer** at a big factory near Sheffield. You can see him here, next to a machine. **Perhaps** the machine's got a **defect** in it, but it isn't clear to him yet.

"I can hear a funny noise in the **engine**," he says to a colleague. "**Oh, dear**! Can you hear it too?"

"Let me listen a bit," his colleague answers. "Yes. I can hear a noise. But it's **nearly** lunch time, Pierce. Let's go to the **pub** and have some **beer** first, and after that you and I can have a good look at the machine and find the defect." ... **To this** Mr Pierce says, "Right. Good idea! **Come on**. Let's go."

---

engineer [endʒɪ'nɪə(r)]　　　　инженер

Урок-комплекс 6

perhaps [pə'hæps] (*вводное слово*)	может быть, возможно (*чаще в начале предложения, запятой не отделяется*)
Perhaps he's here.	Возможно, он здесь.
"Does he know that?"	"Perhaps." "Perhaps not."
defect ['di:fekt, dɪ'fekt]	дефект
engine ['endʒɪn]	мотор, двигатель
Oh, dear!	*восклицание, выражающее огорчение*
nearly ['nɪəlɪ]	почти
My little niece is nearly four.	
It's nearly time to go.	
pub [pʌb]	пивная, закусочная
beer	пиво
to this	*зд.* на это
Come on! ['kʌm ɔn]	Давай! (*разговорное восклицание*)

3

Переведите на английский язык.

1. — Давай поедем в музей.
   — Давай. Это очень далеко?
   — Нет, это здесь рядом. Поворачивай налево...
   Направо... А вот и музей.
   — Я могу поставить машину здесь?
   — Конечно.
2. — Это, возможно, хорошая мысль, но она мне еще не ясна. Вы можете объяснить ее снова? — Конечно. Это очень просто.
3. — Извините, я вас не слышу. Здесь очень шумно. Я могу вам перезвонить минут через пять—десять? — Конечно.
4. — Пожалуйста, дайте мне каталог 4.
   — Возьмите, пожалуйста.
   — Простите, мне еще (также) нужен каталог 5.
   — Вот, пожалуйста.

5. Здесь недостаточно светло, я не вижу дорогу, к сожалению.
6. Эти модели слишком дорогие. Я не могу их купить.

ЗВУКИ И БУКВЫ

20. <u>Дифтонг [ɛə].</u>

Послушайте, посмотрите, произнесите:

[ꜛɛə ꜜɛə ꜛɛə ꜜɛə]

Дифтонг [ɛə] передается на письме несколькими способами:

1. буквосочетанием **ar** + читаемая или нечитаемая гласная: **Mary, care**;

2. буквосочетанием **air**: **fair, hair**;

3. буквосочетанием **ear** (*в отдельных случаях*): **tear, bear**;

4. буквосочетанием **ere** (*в отдельных случаях*): **there**.

Произнесите, подражая образцу:

dare, fair, fare, stairs, stares, pair, glare, mare, 'nightmare

Прочитайте вслух самостоятельно:

care, fair, Mary, 'fairy, 'airless, bare, rare, 'armchair, spare

Новые слова 🔘🔘

air	воздух
airport ['ɛəpɔ:t]	аэропорт
air hostess ['ɛəhəustes]	бортпроводница, стюардесса
'airmail	авиапочта
by airmail	авиапочтой
careful ['kɛəfl]	осторожный, тщательный, внимательный
Be careful.	Будьте осторожны (*Будьте внимательны*).

Урок-комплекс 6

carefully ['kɛəflɪ]   осторожно, тщательно, вни-
                                            мательно

    Drive carefully.

careless ['kɛəlɪs]   небрежный, неосторожный,
                                            невнимательный

    She's so careless!

carelessly ['kɛəlɪslɪ]   небрежно, неосторожно, не-
                                            внимательно

    Don't drive so carelessly!

parents ['pɛərənts]   родители

their [ðɛə(r)] (*притяж. мест.*)   их

    their parents

there [ðɛə(r)] (*нареч. места и
направления*)   там, туда

    over there   вон там (*на расстоянии*)

here   **there**   **over there**

Your stop's there.   *There имеет фразовое уда-
Look over there.*   *рение, сопровождается же-
                                 стом, указывающим мес-
                                 то.*

You can only get there by   *there не имеет ударения.
air.   Если во фразе есть пря-
I usually buy a lot of good   мое дополнение (**a lot of**
books there (= in that   **good books**), **there** ста-
shop).   вится после него.*

Урок-комплекс 6

> **Внимание!**
>
> Не путайте слова **their** и **there**, которые произносятся одинаково [ðɛə(r)].

УПРАЖНЕНИЯ

1

Прочитайте вслух и переведите примеры на новые слова.

1. their parents, their people, their ideas, their answer, their first visit here
2. "Can I get to the airport by bus?"
   "Yes, you can get there on the seventeen bus. The bus stop's over there."
3. Be careful. He's a very careful driver.
   Listen carefully. Read it carefully.
   They do their job very carefully.
4. His test's careless. Don't be careless.
   He drives so carelessly! She types very carelessly.

2

Прочитайте диалог вслух и разыграйте его, можете подставить в него свои собственные имена.

At the Airport

A. Hi, Mary! I'm so happy to see you again!

B. Oh, Jack! I'm happy to see you too!

A. Come on. My car's over there. Let me take your things. Are these your suitcases here?

B. Yes, and the big bag over there, too.

A. Okay. Let me go and fetch it, then.

B. Thanks a lot!

A. Not at all.

Урок-комплекс 6

3 🔘

Прочитайте текст вслух и перескажите его.

Mary and Jane are airhostesses.

Their job's to look after **the passengers** in the plane. You can see them in the **picture**. Mary's **fair-haired** and Jane's **dark-haired**.

The plane's **ready** for the flight and the girls are ready to meet the passengers.

If any of the passengers can't find their seats, Mary and Jane help them.

"I'm sorry, I can't see... Is my seat here, dear?" an old lady asks Mary.

"I'm afraid not," the girl answers. "Your seat's over there. Please follow me."

---

passenger ['pæsɪndʒə]   пассажир

picture ['pɪktʃə(r)]   1. картина, фотография

    in the picture   на картине (*на фото-графии*)

    to take a picture = to take a photo

                                   2. кинокартина

Syn. **movie** ['muːvɪ], **film**

hair (*неисчисл.*)   волосы

fair-haired ['fɛə'hɛəd]   белокурый (-ая)

dark-haired   темноволосый (-ая)

ready ['redɪ]   готовый

    Are you ready?   Вы готовы?

    The documents aren't ready yet, I'm afraid.

4

Согласны ли вы со следующими высказываниями? Обоснуйте свой ответ.

1. Mary and Jane are pilots.
2. Their job is to look after the passengers.
3. Mary's dark-haired and Jane's fair-haired.
4. Their plane isn't ready for the flight.
5. The girls don't help the passengers.
6. The old lady asks Jane to help her.
7. Mary can't help the old lady.

21. Суффикс наречий -ly.

21.1. Большинство наречий образуется от прилагательных прибавлением суффикса **-ly** [lɪ]:

bad	плохой	**badly**	плохо
careful	тщательный	**carefully**	тщательно
careless	небрежный	**carelessly**	небрежно
slow	медленный	**slowly**	медленно

21.2. При образовании наречия из прилагательного, оканчивающегося на букву **y** с предшествующей согласной, буква **y** меняется на букву **i**:

easy — easily

happy — happily

От прилагательных, оканчивающихся на **-le**, наречия образуются следующим образом:

simple — simply ['sɪmplɪ]

21.3. Небольшая группа очень часто употребляющихся наречий совпадает по форме с соответствующим прилагательным:

early	ранний	**early**	рано
late	поздний	**late**	поздно
fast	быстрый	**fast**	быстро

Урок-комплекс 6

22. Основные функции прилагательных и наречий в предложении.

22.1. Как и в русском языке, прилагательное может быть либо о п р е д е л е н и е м, либо п р е д и к а т и в о м (*именной частью сказуемого*):

He's a **happy** man.   (*определение*)

He's **happy**.   (*предикатив*)

22.2. Наречие в большинстве случаев является в предложении о б с т о я т е л ь с т в о м и стоит *после* глагола, к которому относится:

They live **happily**.

Если глагол имеет дополнение, наречие стоит *после* дополнения:

Please read the text **carefully**.

ПРИМЕЧАНИЕ.

Некоторые наречия могут относиться ко всему предложению. Это отражается на порядке слов.

You can **simply** make a call.   Вы можете просто позвонить.

Внимание!

При переводе с русского следует иметь в виду, что краткая форма русского прилагательного среднего рода полностью совпадает с формой наречия:

Это очень **легко**. (*прил.*)   That's very **easy**.
Вы можете **легко** это   You can do it **easily**.
сделать. (*нареч.*)

---

23. Суффикс существительных **-ion**.

Суффикс **-ion** образует существительные от некоторых глаголов. Ударение в этих существительных всегда приходится на предпоследний слог.

explain объяснять — **explanation** [ˌekspləˈneɪʃn] объяснение
discuss обсуждать — **discussion** [dɪsˈkʌʃn] обсуждение
decide [dɪˈsaɪd] решать — **decision** [dɪˈsɪʒ(ə)n] решение
dictate диктовать — **dictation** [dɪkˈteɪn] диктант, диктовка

Урок-комплекс 6

УПРАЖНЕНИЯ

1

Прочитайте вслух следующие предложения. Обратите внимание на формы прилагательных и наречий.

a. 1. Please give a careful explanation. Please explain it carefully.
2. Can't you be careful? Make such decisions carefully.
3. Kate's beautiful. She dances beautifully.
4. That text isn't clear to me. Can you explain it clearly?
5. That book's easy enough for you. You can read it easily.
b. 1. I don't like to get up early. They usually have an early lunch on Sundays.
2. I get home late on Thursdays. You can take a late flight. I'm sorry, it's too late to put you on the list.
3. Table tennis is a very fast game.
Please don't speak so fast. I can't understand.
c. 1. Their idea's very simple. You can simply repeat it in your letter.
2. The problem's simple! I think you can solve it simply.
3. It's easy. You can learn to use a computer easily.

2

Переведите на английский язык.

1. Вы можете легко научиться играть в компьютерные игры. Это очень легко.
2. Мое объяснение достаточно ясно?
3. К сожалению, я не могу объяснить это достаточно ясно.
4. Эйми печатает очень небрежно. Она очень небрежна.
5. Я не люблю медленные игры. Я люблю играть в быстрые игры.
6. К сожалению, я вас не понимаю. Не говорите так быстро, пожалуйста. Вы не могли бы сказать это медленно?

ГРАММАТИКА

24. Оборот **there is / there are.**

24.1. Утвердительное предложение.

Рассмотрим следующие русские предложения:

1. В комнате (стоит) рояль.

Урок-комплекс 6

2. В сегодняшней газете много новостей.

3. В этом городе великолепные музеи.

4. В книге 95 страниц.

Все эти высказывания объединяет одинаковое построение и общая цель. Они начинаются с обстоятельства места и заканчиваются названием предметов (или лиц). В них сообщается о наличии в данном месте какого-либо предмета или лица.

Послушайте и прочитайте перевод данных выше русских предложений на английский язык.

1. **There's** a piano in the room.

2. **There's** a lot of news in today's newspaper.

3. **There are** splendid museums in that city.

4. **There are** 95 pages in the book.

Как видно из примеров, английские предложения начинаются с безударного слова **there** (утратившего здесь свое значение *там*); за ним следует глагол **be**, который согласуется в числе с подлежащим, а в конце предложений стоит обстоятельство места, с которого начинались русские предложения.

There is ['ðɛərɪz] в безударном положении сокращается до **there's** [ðəz], а **there are** ['ðɛər ɑː(r)] — до [ðərə(r)].

Сравните:

что?

There's **a museum** in the next road.

На соседней улице есть (*находится*) **музей**.

где?

The museum's **in the next road**.

Музей находится **на соседней улице**.

Оборот **there is/there are** употребляется и с обстоятельством времени:

There's a new Italian film on tonight.

Сегодня вечером (*показывают*) новый итальянский фильм.

ПРИМЕЧАНИЕ.

Высказывания, начинающиеся со слова **there**, в некоторых случаях перекликаются со знакомыми вам предложениями, содержащими глагол **have (got)**:

There's a hospital in the village. = The village has a hospital in it.
There are eight men in the team. = The team's got eight men in it.

24.2. Отрицательное предложение.

Послушайте и посмотрите:

1. There isn't a car park near here. [ðər_'ıznt ə...]
Здесь поблизости нет стоянки.

2. There aren't any mistakes in the fax. [ðər_'ɑːnt enı...]
В факсе нет ошибок.

Как видно из примеров, в отрицательном предложении используются краткие отрицательные формы глагола **be** — **isn't, aren't**, которые являются первыми ударными словами фразы и поэтому произносятся самым высоким тоном.

При желании п о д ч е р к н у т ь отсутствие предмета, перед существительными во множественном числе и неисчисляемыми существительными используется отрицательное местоимение **no**:

There's no fruit juice in this shop.

There are no mistakes in the fax.

24.3. Общий вопрос и ответы на него.

В общем вопросе глагольные формы **is** или **are** ставятся перед словом **there** и произносятся с ударением самым высоким тоном:

1. Is there a ↗car park near here? ['ız ðər_ə...]
Здесь поблизости есть стоянка?

Возможные ответы.

Yes.

↗Yes, there ↘is.

No.

↗ No, there ↘ isn't.

↗ No, I'm afraid ↘ not.

Урок-комплекс 6

2. Are there any mistakes in the ⌐text?

Возможные ответы.

⌐Yes, there ⌐are.　　　　⌐No, there ⌐aren't.

⌐Yes, there ⌐are some.　　⌐No, there ⌐aren't any.

⌐Yes, I'm afraid so.

Общий вопрос, содержащий отрицание, строится по аналогичному принципу:

Isn't there a ⌐car park near here?　　Разве здесь поблизости нет стоянки?

Aren't there any ⌐letters in today's mail?　　Разве в сегодняшней почте нет писем?

24.4. Присоединенный вопрос.

В краткой вопросительной части присоединенного вопроса используется слово **there**.

1. **There's** some good news in the paper, **isn't there**?
   [ðəz səm...]
2. **There isn't** much time for the discussion today, **is there**?
3. **There are** a lot of exhibits here, **aren't there**?
   [ðər ər ə lɔt...]

УПРАЖНЕНИЯ

1

Прочитайте вслух и переведите.

a. 1. There's a bus stop near the college.
   The bus stop's near the college.
2. There's a bookshop in the next road.
   The bookshop's in the next road.
3. There are several excellent pictures at the exhibition.
   Those pictures are in Room Four.
4. There are two very expensive new computers in my office.
   The new computers are very expensive.

b. 1. There's a discussion at five today.
2. There are two flights from London on Friday evening.

c. 1. "Is there a post office near here?"
   "Sorry, I don't know."

   2. Is there any news from Great Britain today?

   3. "Are there many good museums in that city?"
      "Yes, a lot."

   4. "Are there any exams on Monday morning?"
      "No, there aren't any." "Good!"

d. 1. There isn't much news from Germany today.

   2. There aren't many good films at the festival this time.

   3. There aren't any cars in the road.

e. 1. There's an English lesson today, isn't there?

   2. There aren't many people in the shop, are there?

2

Повторите, употребляя подсказанные слова.

1. There's **an excellent museum** to the right of the hotel.
   • a new theatre • a good cafe • a nice snack bar •

2. Is there **a post office** near here?
   • a car park • a bus stop • a hotel • a bookshop •
   • a hospital •

3. There are a lot of people **in the room**.
   • at the airport • in the cinema • in the theatre •
   • at the exhibition •

4. Are there any flights **to London** on Friday?
   • to England • to Moscow • to France • from New York •
   • from Germany •

5. There aren't any **classes** on Thursday.
   • lessons • exams • discussions •

3

Выразите ту же мысль при помощи оборота *there is / there are*, как показано в образцах.

1. Дано: The village hasn't got a school in it.
   Требуется: There isn't a school in the village.

2. Дано: The college hasn't got enough labs in it.
   Требуется: There aren't enough labs in the college.

  1. The book's got 95 pages in it.

  2. The lab hasn't got enough computers in it.

Урок-комплекс 6

3. Each room in the hotel has got a telephone in it.
4. That city has got several excellent museums in it.
5. The book's got a lot of new ideas in it.

Заполните пропуски.

THERE'S или IT'S?

1. _____ a new hotel in this road.
   _____ a new hotel.
2. _____ good news.
   _____ a lot of news in today's paper.
3. _____ a good film on the telly at seven.
   _____ an Italian film.
4. _____ a very useful discussion.
   _____ discussion at four today. Don't forget.
5. _____ hospital in the village.
   _____ new hospital.
6. _____ bad mistake.
   _____ mistake in the fax.
7. _____ a funny noise in the engine.
   _____ very noisy in here. I can't hear you.

Образуйте общие вопросы из следующих предложений.

1. There are some good theatres in this city.
2. There's enough time for a discussion today.
3. There are a lot of nice places near Moscow.
4. There's a lot of interesting news in today's paper.
5. There are some new ideas in his book.
6. There are a lot of good pictures at the exhibition this time.

6 ✎

Сделайте высказывания отрицательными.

1. There's a bus stop near the hotel.
2. There are some first-year students in the college team.
3. There's a lot of news from France today.
4. There are some flights from London on Thursday.
5. There's a lot of time for lunch today.
6. There are a lot of people in the cinema.

Урок-комплекс 6

Прочитайте диалоги вслух и инсценируйте их.

1

A. Is there enough milk in the **fridge**?

B. Just a moment, let me have a look ... I'm afraid there's no milk there.

A. Isn't there? And is there any cheese?

B. Yes, there is some, but not much.

A. Are there any eggs?

B. Eggs? ... Only four.

A. Are there any vegetables?

B. No, I can't find any. There's only some orange juice.

A. Then let me go and get some food.

B. Oh, please don't. Let's go and have lunch in a cafe.

A. Not a bad idea. Come on, let's go.

---

fridge [frɪdʒ]   холодильник

сокр. от **refrigerator** [rɪˈfrɪdʒəreɪtə]

2

A. Excuse me.

B. Yes?

A. Is there **a garage** near here?

B. Yes, there is.

A. Is it very far from here?

B. No, not very. It's in the next road. First left, second right.

A. Thanks a lot.

B. That's all right.

---

garage [ˈgærɪdʒ, ˈgærɑːʒ]   гараж; станция обслужива-
                                        ния автомобилей

Урок-комплекс 6

Проверьте себя. Вы находитесь в незнакомом месте. Спросите у прохожего, есть ли поблизости:

почта
какие-нибудь кафе
ресторан
радиомагазин
книжный магазин
автобусная остановка
гостиница
станция обслуживания автомобилей

Урок-комплекс 7

ЗВУКИ И БУКВЫ

1. <u>Согласный звук [w].</u>

> На письме звук [w] передаётся буквой **W, w** ['dʌblju:], за которой в некоторых словах следует нечитаемая буква **h**: **we, wife, when, why**.

Произнесите, подражая образцу; не смягчайте звук [w] перед гласным [i:]:

we, west, well, wait, why, while, when, where [wɛə].

Прочитайте вслух самостоятельно:

weal, wheel, weed, witch, which, wheat, waste, whiskey, wake, windy, whale, wale, wade, west

Сравните звуки [w] и [v]:

we — vee, wet — vet, west — vest, wheel — veal, while — vile

Скажите по буквам:

we, waive, wave, which, wage, wake, when, why, where.

Новые слова

we [wi:, wi]   мы

We've got enough time. [wi:v...]

We're late. [wɪə 'leɪt]

We're in time. [wɪər_ɪn 'taɪm]

Внимание!

Присоединённый вопрос в предложениях, начинающихся с **Let's**:

Let's have a break, **shall we**?   Сделаем перерыв, хорошо?

Урок-комплекс 7

way

Excuse me, can you tell me the way to Addison Road?

This way, please!

1. путь, дорога

...как пройти (*проехать*) ...

Сюда, пожалуйста!

Внимание: предлоги!

on the way home, **on** the way **to** the office, **on** the way back
We can discuss it **on** the way back.

I'm **on** my way! | Иду, иду!

---

2. способ, манера что-л. делать

I think that's the right way to do it.

I like the way she talks to her children.

Я думаю, вот так это и надо делать.

Мне нравится, как она разговаривает со своими детьми.

week

this week

next week

See you at the same time next week.

in a week

неделя

на этой неделе

на следующей неделе

Увидимся в это же время на следующей неделе.

через неделю; за (*одну*) неделю

weekday ['wiːkdeɪ]

on weekdays

weekend ['wiːk'end]

будний день

в будние дни, по будням

конец недели; суббота и воскресенье

Внимание: предлоги!

at the weekend; **at** weekends
for the weekend; **for** weekends

в конце недели
на субботу и воскресенье

Let's go to the cinema **at** the weekend, shall we?
We usually play tennis **at** weekends.
We can go to the country **for** the weekend.

Урок-комплекс 7

always ['ɔ:lweɪz] *(нареч. неопр. вр.)*   всегда

Внимание: перевод!

всегда	**always**
как всегда, как обычно	**as usual**
He's **always** late.	Он всегда опаздывает.
He's late **as usual**.	Он как всегда опаздывает.

---

away [ə'weɪ]   наречная частица, выражающая удаление от чего-л., кого-л.

It's ten miles [maɪlz] away from here.   Это в десяти милях отсюда.

They usually go away for their holiday.   Они обычно *(куда-нибудь)* уезжают в отпуск.

"May I take these books away?"   Можно я уберу эти книги?

"Certainly. Take them away."   Конечно. Уберите их.

be away

1. отсутствовать

Ben's away today. (He isn't here.)   Бена сегодня нет.

2. быть в отъезде

He's away on business.   Он в командировке *(уехал в командировку)*.

She's away on holiday.   Она уехала в отпуск.

with [wɪð] *(предлог)*   с, со, у

'with me, 'with you, 'with him, 'with her, 'with us, 'with them

Don't forget to take your camera with you.   Не забудь взять с собой кинокамеру.

Урок-комплекс 7

Stay with us.	Оставайтесь с нами (*также часто употр. в телепередачах, т.е. «не переключайте программу, передача будет продолжена»*).
She lives with her parents.	Она живет у своих родителей (*с родителями*).

Внимание!

Русским словосочетаниям *мы с тобой, мы с ним, они с мужем* и т.п. соответствуют английские **you and I (you and me); he and I; she and her husband** и т.п.

My husband and I often go to the theatre.	Мы с мужем часто ходим в театр.

---

with a key (with a knife [naɪf], etc.)	ключом, ножом и т.п.
I'm afraid I can't open the door with this key.	К сожалению, я не могу открыть дверь этим ключом.
wait	ждать, подождать, дожидаться

Внимание: предлоги!

Wait **for** us!	Подождите нас!
Wait **till** Tuesday.	Подождите до вторника.
Но: Wait your turn!	Дождитесь своей очереди!

---

white	белый; белый цвет
one [wʌn] *(колич. числ.)*	один
fifty-one days	51 день
once [wʌns]	(один) раз

Внимание: отсутствие предлога!

once a week (a month, a year, etc.)	раз в неделю (*месяц, год и т.д.*)
three times a week (a month, etc.)	три раза в неделю (*месяц и т.д.*)

Урок-комплекс 7

once again   еще (*один*) раз

at once   сразу, сейчас же, немедленно

Syn. **right away**

Please talk to them at once. = Please talk to them right away.

УПРАЖНЕНИЯ

Прочитайте вслух и переведите примеры на новые слова.

1. We always discuss such problems with the engineers.
2. We always listen to the eight o'clock news.
3. We're nearly always at home at weekends.
4. "Do you always go away for the weekend?"
   "Not always, only once a month."
5. Excuse me, can you tell me the way to the station?
6. Passengers for London, please come this way.
7. "Can we discuss it once again?"
   "Certainly. Let's do it on the way back, shall we?"
   "Okay."
8. "I can't open it with my key."
   "Let me help you. Do it this way. Look..."
9. "Could you wait for me after classes?"
   "Sure."
10. We always answer your faxes at once.

Повторите, употребляя подсказанные слова.

1. Let's **begin**, shall we?
   • start at once • do it right away • have a break •
   • have some coffee •
2. He's always **in time**.
   • late • elegant • too early • lucky at games •
3. Excuse me, can you tell me the way to the **station**?
   • airport • stadium • museum • City Hospital • ABC cinema •
4. We can have a talk on the way **home**.
   • back • there • to the office • to the bus stop • to the airport •
5. She's away **on holiday**.
   • on business • till Wednesday • till next week • till next month •

— 361 —

Урок-комплекс 7

6. Let's go **away** for the weekend.
   • to the sea • away to the sea • to London • away to Scotland • to the country •
7. I always stay with my **family** at the weekend.
   • parents • friends • children • brother • sister •
8. Don't forget to take **your camera** with you.
   • a map • those papers • these books • those lists • those photos •
9. Please wait **a moment.**
   • a second • a minute • a little • a bit •
10. Could you wait **for me**?
   • for us • for him • for them • your turn •

3 ⊙⊙

Прочитайте диалог вслух и разыграйте аналогичный разговор.

A. Do you usually go away for the weekend?
B. Not always. We usually stay at home or go to the theatre at the weekend. Do ⌡you?
A. I nearly always go away. Sometimes I go to **stay** with my friends in **Brighton over the weekend**. They live near the sea, and there are a lot of beautiful places there. I always take my camera with me.
B. Do you like to take pictures?
A. I love it! It's my hobby. I've got several albums of photos at home. Come and have a look at them some time.
B. With **pleasure**! Thanks a lot.

Brighton ['braɪtən]   Брайтон (*приморский город, популярное курортное место на юге Англии*)

stay over the weekend   остаться на выходные (*субботу и воскресенье*)

pleasure ['pleʒə]   удовольствие

2. Слова **well, good** и **healthy.**

well (*нареч.*)   хорошо (*соотв. прилаг.* **good**)

Does she play tennis well?

He speaks Russian very well. = His Russian's very good.

> **Внимание:** перевод русского слова *хорошо*
>
> *нареч.*
>
> | | |
> |---|---|
> | Вы очень **хорошо** танцуете. | You dance very **well**. |
>
> *прилаг.*
>
> | | |
> |---|---|
> | Это **хорошо**. | That's **good**. |

well (*прилаг.*)	здоровый
be well	быть здоровым
Ant. **be ill**	болеть, быть больным
feel well	чувствовать себя хорошо
I don't feel well today.	Я сегодня *плохо* себя чувствую.

> **Сравните: healthy — well**
>
> | | |
> |---|---|
> | **healthy*** | здоровый (*постоянное качество; может быть как именной частью сказуемого, так и определением*) |
> | He's healthy. He's a healthy man. | |
> | **well** | здоровый (*в данный момент; может быть только именной частью сказуемого*) |
> | Johnny's a healthy baby, but he isn't well today. | |

well (*междом.*)	ну, ну что же
Well, let's begin.	Ну, начнем.
"Please do it today, if you can."	
"Well, all right, then."	Ну что же, ладно!

УПРАЖНЕНИЯ

1

Выберите правильное слово.

GOOD или WELL?

1. Susan's a very _____ cook. She cooks very _____.

---

* Существительное **health** [helθ] — *здоровье* обычно употребляется с притяжат. местоимением или определенным артиклем: **It's bad for your (the) health.** — *Это вредно для здоровья.*

Урок-комплекс 7

2. My sister dances very _____. I like the way she dances. She's a very _____ dancer.
3. My brother's _____ at music. He plays the guitar very _____.
4. There's a very _____ typist called Jane at the office. I know her, she types very _____.
5. His English is _____ enough, I think. He speaks English _____ enough to be a teacher.
6. "You know Bob Jackson, don't you?" "I'm afraid I don't know him very _____."

WELL или HEALTHY?

1. My Dad's nearly eighty, but he's still a _____ man.
2. Tim's away today. He doesn't feel _____.
3. I like it in this village. It's such a _____ place! I always feel _____ here.
4. I'm sorry, I don't feel _____ enough to play tennis today.

2 〔⊙⊙〕

Прочитайте диалог вслух и инсценируйте его.

At the Dentist's

Mr Bailey: Good afternoon. Can I see Mr Adams, please? I've got a bad toothache.
Nurse: May I have your name, please?
Mr B. Bailey. Jack Bailey.
N. Okay, Mr Bailey, this way, please... You can wait your turn here.

ten minutes later

Mr B. Excuse me, nurse, isn't it my turn next?
N. I'm afraid not. It's that little boy's turn first, and then that lady's.
Mr B. And am I after that lady?
N. Yes, that's right. Please wait a bit.
Mr B. Well, okay.

3 ✎

Переведите на английский язык.

1. — Я думаю, у нас слишком мало времени, чтобы обсудить эту проблему тщательно. Давайте соберемся еще раз через неделю, хорошо? — Да, вы правы.

2. — Эйми! Это Дейвид Беннетт. — Да, г-н Беннетт? — Вы могли бы прийти и отпечатать несколько документов? Они нужны мне немедленно. — Конечно, г-н Беннетт. Иду!

3. — Извините, вы не могли бы сказать мне, как проехать к медицинскому институту? — К медицинскому институту? Поезжайте на 15 автобусе. Это две остановки отсюда. — Спасибо.

4. Мы так рады видеть вас. Сюда, пожалуйста. Ваши места вон там.

5. Я всегда покупаю продукты по дороге домой. Это очень удобно. Здесь много хороших магазинов.

6. Вы не могли бы одолжить мне эту книгу? Я могу прочитать ее за неделю (in a week).

7. Мы всегда уезжаем за город на выходные.

8. Моя сестра часто остается у нас на выходные. Она приезжает в пятницу вечером и уезжает в понедельник утром.

9. Пожалуйста, подождите немного.

10. Сегодня здесь много народу. Пожалуйста, дождитесь своей очереди.

11. Он опаздывает, как всегда. Давайте не ждать его!

ГРАММАТИКА

3. Специальные вопросы.

Специальный вопрос — это вопрос, начинающийся с вопросительного слова: *что? где? когда? почему?* и т.п. Как в русском, так и в английском языке на такие вопросы обычно даются краткие ответы.

3.1. Вопросы о времени и месте, начинающиеся со слов **when** [wen] — *когда* и **where** [wɛə] — *где, куда.*

Послушайте, посмотрите, сравните:

спец. вопрос	общий вопрос
1. 'When can you 'call ↘ back?	'Can you 'call ↗back?
Когда вы можете перезвонить?	Вы можете перезвонить?

Урок-комплекс 7

2. 'Where shall I ⁀wait for you?

'Shall I ⌣wait for you?

Где мне тебя подождать?

Мне тебя подождать?

Как видно из примеров, порядок слов после вопросительного слова в специальных вопросах, не относящихся к подлежащему, такой же, как и в общих вопросах. Вопросительное слово стоит под ударением.

Специальные вопросы, в отличие от общих, оканчиваются н и с х о д я щ и м тоном.

Послушайте, посмотрите, произнесите: 🔘

WHEN

1. "When's your birthday?

Когда у тебя день рождения?

"On the third of July."

3-го июля.

2. "When do you usually go on holiday?"

Когда вы обычно уходите в отпуск?

"In August."

В августе.

3. "When shall I come?"

Когда мне прийти?

"Any time."

В любое время.

4. "When can you give me an answer?"

Когда вы можете дать мне ответ?

"Next week."

На следующей неделе.

WHERE

1. "Where's the post office?"

Где находится почта?

"In the next road."

На соседней улице.

2. "Where are the catalogues?"

Где каталоги?

"On my desk."

У меня на столе.

---

desk

рабочий (письменный) стол.

3. "**Where do** you live?"   Где вы живете?
"In Moscow."   В Москве.

4. "**Where does** Mr   Где живет г-н Дейвис?
Davies live?"
"In Liverpool ['lɪvəpu:l]."   В Ливерпуле.

5. "**Where can** I park?"   Где я могу запарковаться?
"Over there."   Вон там.

6. "**Where could** I make   Где бы я мог сделать не-
some calls?"   сколько звонков?
"In the next room."   В соседней комнате.

7. "**Where shall** I wait for   Где мне тебя ждать?
you?"
"In the hotel lobby."   В вестибюле гостиницы.

УПРАЖНЕНИЯ

[1]

Повторите, употребляя подсказанные слова.

1. When can you **come again**?
   • give me a call • have a break • look through the documents •
   • go away for a holiday •
2. When shall I **call you**?
   • meet them • send it off • make some coffee • ask them
   to come • ask him to phone you •
3. When's **your** birthday?
   • her • his • your sister's • your brother's • your son's •

[2]

Выучите диалоги наизусть и разыграйте их.

1

A. When's Mike's birthday? I'm sure it's next month, but I don't
remember the day.
B. **The third of March.**

Урок-комплекс 7

A. Oh, so soon! Next week.
B. Yes. Don't forget to call him.
A. No, of course not!

    (the second of December; the fourth of April)

2

A. When is it convenient for you to have a talk with me, Mr Wilson?
B. Well, next Wednesday at **one thirty**, okay?
A. Right. Till Wednesday, then. Bye!
B. Bye!

    (two thirty; half past one)

Wednesday ['wenzdı, 'wenzdeı]   среда

3

Переведите на английский язык.

1. — Когда мне прийти еще раз? — В среду, пожалуйста, если это вам удобно.

2. — Когда день рождения вашего сына? — В следующий четверг.

3. — Когда мне вернуть эти книги? — Вы можете держать их неделю. Этого достаточно? — Да, этого достаточно, чтобы прочитать их к экзамену.

4. — Когда мы можем закончить эту работу? — Дайте подумать… Через неделю. — Вы уверены? — Да.

4

Повторите, употребляя подсказанные слова.

1. Where's **the station**?
   • the airport • the bus stop • the post office • High Street • Addison Road •

2. Where are **the new catalogues**?
   • the newspapers • his slides • my tapes • the dictionaries •

3. Where do you **live**?
   • go for your holiday • go for lunch • spend your weekends •

Урок-комплекс 7

4. Where can I **park?**
  • get a cup of coffee • get some stamps • make some calls •
  • put my suitcase •
5. Where shall I **wait for you?**
  • put these books • send the photos • leave his money •

---

5 ◎◎

Выучите диалоги наизусть и инсценируйте их.

1

A. Excuse me, where can I get **an empty form?**
B. At that desk over there, please.
A. And where can I fill **it** in?
B. Here, at this table.
A. Right.

(the forms — them; some forms — them)

2

A. Excuse me, officer! Can you help me, please?
B. Certainly, madam.
A. Where's **the car park?** I can't find it.
B. **The car park?** It's just to the left of that big hotel over there.
A. Oh, good. I'm lucky to find it so soon! Thanks a lot.
B. You're welcome!

(the Hospital; the garage; the post office)

You're welcome!   Пожалуйста! (*вежливый*
  ['welkəm]   *ответ на благодарность*)

6

Переведите на английский язык.

1. — Где мне тебя подождать? — На автобусной остановке.
  Только не опаздывай. — Хорошо.
2. — Извините, где я могу сделать несколько звонков? — В
  комнате 5. Там много телефонов.

Урок-комплекс 7

3. — Где ты обычно обедаешь? — В кафе через дорогу. Это приятное место и недорогое.

4. — Где ты ставишь машину? — На стоянке рядом с офисом. Это очень удобно.

ГРАММАТИКА

4. Вопрос о причине, начинающийся с вопросительного слова **why** [waɪ] — *почему.* ◉◉

Послушайте и посмотрите:

1. **Why's** he away?	Почему он отсутствует?
2. **Why is** it so important?	Почему это так важно?
3. **Why are** you so late?	Почему вы так опоздали?
4. **Why doesn't** she help them?	Почему она им не помогает?
5. **Why can't** you stay with us over the weekend?	Почему вы не можете остаться с нами на выходные?
6. **Why haven't** you got any assistants?	Почему у вас нет помощников?
7. **Why are** there so many people over there?	Почему там так много людей?

4.1. В ответах на вопросы о п р и ч и н е часто употребляется слово **because** [bɪ'kɔz] — *потому что,* которое произносится со слабым ударением или без ударения.

1. "**Why** are you so busy today?"	Почему вы сегодня так заняты?
"**Because** I've got a lot of visitors."	Потому что у меня много посетителей.
2. "**Why** can't you go to the cinema with us?"	Почему ты не можешь пойти с нами в кино?
"**Because** I've got an English lesson at four thirty."	Потому что у меня урок английского в 4.30.

Урок-комплекс 7

Полный ответ на такой вопрос представляет собой сложноподчиненное предложение с придаточным причины.

1. I can't go to the cinema with you, **because** I've got an English lesson at four thirty.
2. I'm afraid I can't translate this text, **because** it's too difficult.

4.2. Придаточные предложения с л е д с т в и я вводятся безударным союзом **so** — *поэтому, итак, так что.*

1. The documents are ready, **so** you can send them off right away.
2. It's late, **so** let's take a taxi.
3. It's too early to go, **so** we can still have a cup of coffee.

УПРАЖНЕНИЯ

Прочитайте вслух примеры из правила.

Прочитайте текст и задайте к нему вопросы, начинающиеся с *why.*

Why isn't he Married?

Dick's lazy, so he doesn't like to get up early.

He doesn't like to get up early, so he's often late.

He can't find a good job, because he's lazy and idle.

He doesn't earn much, because he hasn't got a good job.

He can't buy good **clothes**, because he hasn't got enough money.

He hasn't got enough money, because he doesn't earn any.

He doesn't get married, because girls don't like him.

---

clothes [kləuðz]   одежда (*только во множе-ственном числе*)

Урок-комплекс 7

3 ⊙⊙

Выучите диалог наизусть и разыграйте его.

A. Let's begin the discussion. ...**By the way**, where's Jack Bailey? Why is he away?

B. I'm afraid Jack can't come today, because he doesn't feel well. He's got a bad toothache. He's at the dentist's.

A. Oh, too bad. Well, let's start then...

_____

'by the 'way   между прочим, кстати

4 ✎

Выберите правильное слово.

BECAUSE или SO?

1. I can't come to classes, _____ I don't feel well.
2. The text isn't very difficult, _____ you can read and translate it at home.
3. Ben can't go to the country with us, _____ he's got an exam on Monday.
4. I don't need these books at the moment, _____ you can take them away.
5. Let's settle that problem at once, _____ it's very important.
6. My friend always helps me with the translations, _____ he speaks English very well.
7. The shops are still open, _____ I can go and get some food.
8. There are too many people at the exhibition at the weekend, _____ let's go on a weekday.
9. I'm very sorry, I can't come to your party, _____ I'm still busy.
10. There are a lot of beautiful places there, _____ don't forget to take your camera with you.

5. Фонетические особенности специальных вопросов, оканчивающихся безударным подлежащим.

⊙⊙

Послушайте и посмотрите. Обратите внимание на интонацию.

1. Where's the ↘post office?   Where ↘is it?

2. Where are my ⌐keys?   Where ⌐are they?

3. When's the next ⌐flight?   When ⌐is it?

4. Why don't they ⌐write to us?   Why ⌐don't they?

Как видно из примеров, в вопросах, оканчивающихся безударным подлежащим — *личным местоимением*, ударение падает на глагол **be**, вспомогательный или модальный глагол.

УПРАЖНЕНИЯ

Составьте диалоги, как показано в образце, и разыграйте их.

Дано: When's your next class?
Требуется: *A.* When's your next ⌐class?
         B. My next ↗class?
         A. ⌐Yes. When ⌐is it?

1. When's your birthday?
2. When's the next train?
3. Where's the newspaper?
4. Where are the new catalogues?
5. Where's my telephone book?
6. Where are their letters?
7. Where's Allen Road?

Прочитайте диалог вслух, выучите его наизусть и инсценируйте.

On the Phone

D. Hello?
M. Is that you, Dave?
D. Yes, it's me.

Урок-комплекс 7

M. Hi, Dave! This is Mary. Listen, are you very busy at the moment?
D. Not very. **Why?**
M. I can't **start the engine** and I've got two heavy bags with me. Could you give me a lift, please?
D. Certainly. Where are you?
M. I'm at Bailey's bookshop.
D. Where is it?
M. **Green** Street, next to the Italian restaurant.
D. Okay, wait for me there.
M. Fine!

Why?	А что? (*В чем дело?*)
start the engine	завести двигатель (*в машине*)
green	зеленый

3

Прочитайте тексты вслух и перескажите их, предварительно выучив новые слова.

HUSBANDS AND WIVES, OR HAPPY FAMILIES

1

Bill and Wendy Wilson

Bill Wilson's an engineer at a big factory.

He's a tall handsome man with green eyes and dark hair. He and his **wife** Wendy live in Central London. Their flat isn't very big, but they are pleased with it, because it's convenient and there are a lot of shops **nearby**.

Wendy Wilson's a beautiful **woman** with blue eyes and **blond** hair. She dances very well, **sings** and plays the guitar, but she isn't a good cook. So Bill cooks for her. By the way, Wendy's sometimes away from London. She's an airhostess with British Airways. But her husband and she

— 374 —

nearly always find enough time to go to the theatre or visit their friends. They've got a lot of friends and very much like to go to parties.

---

wife [waɪf]	жена
мн.ч. **wives** [waɪvz]	
nearby [nɪə'baɪ]	поблизости, недалеко
woman ['wumən]	женщина
women ['wɪmɪn]	женщины
blond (*прил.*)	белокурый
Syn. **fair-haired**	
sing	петь
song	песня

2

The Whites

Thomas White lives in **West** London with his wife Bess and their three children — two sons and a daughter. Tom's an economist with a big company and earns enough to keep such a big family. Tom's always very busy on weekdays. He stays at his office till half past six and only gets home at seven o'clock.

Perhaps his wife Bess isn't a very beautiful woman, but she's a kind person, an excellent **mother** and a good wife to her husband. And she always **makes** the difficult **decisions** in the family. Tom doesn't like to make decisions, so he finds this very convenient. Bess is an excellent cook, too. She just loves to cook! It's her hobby.

There are a lot of nice cafes, restaurants, pubs and snack bars nearby, but the Whites like to have their meals at home.

Урок-комплекс 7

They often go to Brighton for weekends, because Bess's parents live there. Brighton's a lovely place to go for a weekend or a holiday, so they always have a **wonderful** time there.

---

west (*прил.*)	западный
mother ['mʌðə(r)]	мать
father ['fɑːðə(r)]	отец
make decisions	принимать решения
wonderful ['wʌndəful]	замечательный, чудесный

Дайте развёрнутые ответы на следующие вопросы.

а) 1. Is Bill Wilson a doctor?

2. He's handsome, isn't he?

3. Where do Bill and Wendy live?

4. Have they got a big flat?

5. Why are they pleased with it, then?

6. Wendy isn't a very beautiful woman, is she?

7. Can she dance? Can she sing?

8. Can she play the piano or the guitar?

9. Is she a good cook? Why isn't she?

10. Why is Wendy sometimes away from London?

11. Have they got many friends?

12. Why does Wendy like to go to parties?

б) 1. Where does Tom White live?

2. Has he got a big family?

3. Does he earn much?

4. When does he get home on weekdays?

5. Does Tom make the difficult decisions in the family? Why doesn't he?

6. Where do the Whites like to have their meals? Why do they?

7. Where do they go for weekends?

8. Why do they go there?

Урок-комплекс 7

5 ✏

Какие вопросы нужно было задать, чтобы получить эти ответы?

1. **No**, my friends don't live in Central London.
2. They live **in West London**.
3. **Yes**, they are pleased with their flat.
4. They're pleased with their flat, **because it's convenient**.
5. **No**, Mrs Ellis isn't on holiday yet.
6. She usually goes on holiday **in the autumn**.
7. She usually goes **abroad** for her holiday.
8. Bill's wife's often away from London, **because she's an airhostess**.
9. **Yes,** the Wilsons like to go to parties very much.
10. They usually go to see their friends **at weekends**.
11. **No**, there isn't any orange juice in the fridge.
12. There are a lot of people in the cinema, **because there's a new Italian film on tonight**.

6 ✏

Заполните пропуски предлогами.

1. Many _____ my friends spend their holidays _____ Brighton. A lot _____ people go _____ Brighton _____ summer, because it's a wonderful place _____ a holiday.
2. "When do you usually go _____ the stadium?" "_____ Mondays and sometimes _____ Thursdays, if I have enough time."
3. "Could you wait _____ me _____ classes?" "Sure."
4. "Can you come _____ the country _____ us?" "When?" "_____ the weekend." "_____ pleasure!"
5. "Are you pleased _____ your new flat?" "Yes, very. It's nice and there are a lot _____ shops nearby. And there's a school just _____ the road." "Do your children still go _____ school?" "Yes, they do. Betty's _____ the seventh form and Nick's already _____ the ninth."

7

Ответьте на вопросы о себе. Расскажите друг о друге на основании полученных ответов.

1. Where do you live?
2. Where do your parents live?

Урок-комплекс 7

3. Have you got any brothers or sisters? Where do they live?
4. Do you sometimes go away for the weekend?
5. Where can you go for the weekend?
6. Do you like to stay at home with your family?
7. When do you usually go on holiday?
8. When can your wife (husband) have a holiday?
9. Where do you usually go for your holiday?
10. Can you go there this year?

8

Переведите на английский язык.

1. — Где вы живете? — В западном Лондоне. — А где живут ваши родители? Они живут с вами? — Нет. Моя семья из Шеффилда, и мои родители все еще живут там.
2. — Где вы проводите выходные? — Дома со своей семьей.
3. — Где ты обычно обедаешь? — В китайском ресторане через дорогу. Это хорошее место.
4. — Где я могу найти г-на Адамса? — Он в комнате (№) 4, но сейчас он, к сожалению, занят. Вы не могли бы немного подождать? — Конечно.

ЗВУКИ И БУКВЫ

6. Буквосочетания **wa, wha** и **war, whar**.

6.1. Буквосочетания **wa** и **wha** в ударном положении перед конечной согласной буквой или двумя согласными (за исключением **x, ck, g** и **r**) читаются [wɔ].

Произнесите, подражая образцу:

want, was, what, watch, wash

6.2. Буквосочетания **wa + r** и **wha + r** в ударном положении читаются [wɔ:], если за ними не следует гласная буква: **war, warm, ward, wharf**.

Произнесите, подражая образцу, затем прочитайте самостоятельно:

[wɔ] what, want, waddle, wallet, wasp, waffle, wash, was, Watson [wɔ:] war, warm, ward, wart, warn, wharf, a'ward, re'ward, wall, walk

[wæ] whack, wag, 'waggon, wax, waxen, waggle

Новые слова 👓

watch (*глаг.*)

1. наблюдать (*за*), следить (*за*)

Can you watch Baby for five minutes, please?

Ты не можешь присмотреть 5 минут за ребенком?

2. смотреть, наблюдать

watch television (watch the telly, watch TV)

смотреть телевизор

watch a film (a match) on TV

смотреть фильм (матч) по телевизору

watch (*сущ.*)

наручные часы

It's five **by** my watch.

На моих часах пять.

My watch **is** fast.

Мои часы спешат.

It's five minutes fast.

Они спешат на пять минут.

> **Внимание:** в отличие от русского слова *часы* английские слова **watch** и **clock** и с ч и с л я е м ы е:
>
> a watch, two watches
> a clock, three clocks

walk [wɔ:k] (*глаг.*)

1. ходить

My baby can already walk.

Мой ребенок уже ходит.

2. идти пешком, пройтись пешком

It's so fine! Let's walk to the hotel!

walk (*сущ.*)

прогулка (*пешком*)

go **for** a walk = have a walk = take a walk

пойти на прогулку, погулять, прогуляться

Урок-комплекс 7

It's five minutes' walk (a five-minute walk) to the museum.	До музея пять минут ходьбы.
Ср. It's five minutes' drive (a five-minute drive) from here.	Это в пяти минутах езды отсюда.

warm — тёплый

It's warm in here, isn't it?	Здесь тепло, правда?
I'm warm enough.	Мне достаточно тепло.

wash — мыть(*ся*), умывать(*ся*), стирать

Where can I wash my hands?

УПРАЖНЕНИЯ

1

Прочитайте вслух и переведите примеры на новые слова.

1. I always watch the eight o'clock news on TV.
2. Watch it carefully. Wash it carefully.
   "Where can I wash my hands?" "Over there."
3. Shall we walk or go by bus?
   We can't walk there, because it's too far away.
   We can walk there, because it's near here.
   Let's walk there if it isn't far, shall we?

2

Повторите, употребляя подсказанные слова.

1. I'm afraid your watch is **three** minutes slow.
   • four • five • ten •
2. My watch is **five** minutes fast •
   • three • ten • eleven • thirteen •
3. Let's stay at home and watch **the telly**, shall we?
   • a film • that film • the match • the hockey match •
4. **The exhibition** isn't very far, so we can walk there.
   • the museum • the stadium • my college • his office •
5. It's **five minutes' walk** from here.
   • three minutes' walk • ten minutes' walk • five minutes' drive •
   • fifteen minutes' drive • thirteen minutes' drive •

3 🔘🔘

Прочитайте диалоги вслух и инсценируйте их.

1

A. Shall we watch the telly or go for a walk?

B. Well ... let's have some hot coffee first, I'm not warm enough. It's cold in here, isn't it?

A. Well, then I can go and fetch the coffee here, so we can have the coffee and watch the telly at the same time, and then take a walk, okay?

B. Good idea! By the way, where can I wash my hands?

A. In the **bathroom** over there.

---

bathroom ['bɑ:θrum]   ванная

2

A. It's so warm today! We can walk to the cinema.

B. I'm afraid not.

A. Why not? It's such a lovely day!

B. Because it's nearly thirty minutes' walk from here. We just haven't got enough time. Look at your watch. It's already half past seven.

A. Oh, is it? All right, then. Let's go by car.

ЗВУКИ И БУКВЫ

7. Звукосочетания [sw, tw, kw].

При произнесении звукосочетаний [sw, tw, kw] губы слегка округляются одновременно с произнесением первого согласного звука.

Произнесите, подражая образцу:

[swi:t]	[swɪm]	[swel]
[twɪst]	['twentɪ]	[twaɪs]
[kwɪk]	[kwaɪt]	['kwestʃən]

Звукосочетания [sw, tw] передаются соответственно буквосочетаниями **sw, tw: sweet, twenty.**

Урок-комплекс 7

Звукосочетание [kw] передается на письме сочетанием согласной буквы **Q q** [kju:] с гласной **u: question** ['kwestʃən], **quite**.

Во всех английских словах за буквой **q** следует буква **u**.

Новые слова 👀

swim	плавать (*о человеке, животном, рыбе, но не о судне*)
question ['kwestʃən]	вопрос
ask a question	задать вопрос
Can I ask you a question?	Можно ли вас спросить (*задать вам вопрос*)?
Have you got any questions?	У вас есть вопросы?
I've got a question to ask you.	У меня есть к вам вопрос.
answer a question	ответить на вопрос
"Please answer my question."	Пожалуйста, ответьте на (*мой*) вопрос.
answer a person	ответить кому-л.
quite [kwaɪt]	1. совсем, совершенно, вполне
You're quite right!	Вы совершенно правы!
He isn't quite well.	Он (еще) не совсем здоров (не выздоровел).
Ср. He isn't very well.	Он не совсем хорошо себя чувствует.
	2. довольно, довольно-таки, в меру
It's quite warm today.	Сегодня довольно тепло.
She can swim quite well.	Она плавает довольно хорошо.

Внимание! Место неопределенного артикля:

He's quite a nice man.
She's quite a tall woman.
We read quite a lot.

quick [kwɪk] (*прил.*)   быстрый (*о реакции, о длительности*)

a quick answer, a quick decision; a quick lunch, a quick look

Quick! Be quick!   Быстрее! (Поторопись!)

Let's just have a quick look at that.

Syn. **fast**   быстрый (*о скорости, темпе*)

Сравните: quick — fast

a quick game	игра, не занимающая много времени
a fast game	игра, протекающая в быстром темпе

---

quickly (*нареч.*)   1. быстро, без промедления

Do it quickly! = Do it soon!

2. быстро, в быстром темпе

Please don't speak so quickly! = Don't speak so fast!

twice   дважды, два раза

twice a week   два раза в неделю

once or twice a week   один-два раза в неделю

twelve   двенадцать

twelfth (12th)   двенадцатый

twenty   двадцать

twenty-one times   двадцать один раз

twentieth ['twentɪəθ] (20th)   двадцатый

language ['læŋgwɪdʒ]   язык (*средство общения*)

She's good at languages.

foreign ['fɔrɪn]   иностранный, зарубежный, заграничный

She speaks several foreign languages.

Урок-комплекс 7

quarter ['kwɔːtə(r)]   четверть

It's (a) quarter to twelve.   Сейчас без четверти
                                                               двенадцать.

It's (a) quarter past twelve.   Сейчас четверть пер-
                                                               вого.

УПРАЖНЕНИЯ

1 ⊙⊙

Выучите наизусть английский алфавит.

A a [eɪ]	**J j** [dʒeɪ]	**S s** [es]
B b [biː]	**K k** [keɪ]	**T t** [tiː]
C c [siː]	**L l** [el]	**U u** [juː]
D d [diː]	**M m** [em]	**V v** [viː]
E e [iː]	**N n** [en]	**W w** ['dʌbljuː]
F f [ef]	**O o** [əu]	**X x** [eks]
G g [dʒiː]	**P p** [piː]	**Y y** [waɪ]
H h [eɪtʃ]	**Q q** [kjuː]	**Z z** [zed]
I i [aɪ]	**R r** [ɑː(r)]	

2

Повторите, употребляя подсказанные слова.

1. We usually have English lessons **twice** a week.
   • once • three times • four times •
2. I've got **a question** to ask you.
   • two questions • some questions • a lot of questions •
3. Their questions are quite **easy**.
   • simple • difficult • important • interesting •
4. Why can't she answer **this** question at once?
   • that • my • his • their •
5. Please do it **quickly**.
   • soon • right away • at once • again • once again •

3

Прочитайте диалог вслух и инсценируйте его.

A. Can you tell me the right time, please? My watch is a bit slow.
B. It's **a quarter to twelve** by my watch, but...
A. **A quarter to twelve?** It's time to go to the airport. Be quick! We haven't got much time. Where's my coat?
B. Wait a minute! My watch isn't right. It's ten minutes fast.
A. Oh, good. We've still got some time, then.

(a quarter past twelve; a quarter to eleven; a quarter past ten)

4

Какие вопросы нужно было задать, чтобы получить эти ответы?

1. You can still see that film **at the ABC cinema,** but I'm not quite sure.
2. I'm afraid we can't walk there, **because it's too far away.**
3. **Yes,** we can walk there. It's quite near.
4. **No,** it isn't very far. It's twenty minutes' walk from here.
5. You can always find him **in his office** at twelve.
6. Bob's away today, **because he isn't quite well yet.**
7. We usually go for a walk **after classes.**
8. **Yes, she can.** My daughter swims quite well.
9. Sorry, I can't answer your question right away, **because we haven't got enough facts yet.**
10. You can wait for me **in the lobby.**

8. Звукосочетание [wə:].

Послушайте, посмотрите, произнесите:

[↗wə: ↘wə: ↗wə: ↘wə: ↗wə: ↘wə:]

Звукосочетание [wə:] передаётся на письме буквосочетанием **wor** в начале слова перед согласной буквой: **world, worse** [wə:s], **worst.**

Произнесите, подражая образцу:

work, word, world, worse, worst

Урок-комплекс 7

Новые слова

work *(неисчисл. сущ.)* | **1.** работа *(труд)*

to **do** (hard) work | делать (трудную) работу

Have you got **much** work **to do**? | У тебя много работы?

| **2.** работа *(служба)*

I can't be late for work. | Я не могу опаздывать на работу.

to **start (begin) work** | начинать работу

to **finish (stop) work** | заканчивать работу

to **be at work** | быть на работе

before (after) work | до (после) работы

Syn. **a job** *(исчисл. сущ.)* | **1.** работа *(задание, обязанность)*

One of her **jobs** is to answer telephone calls. | Одна из ее обязанностей — отвечать на телефонные звонки.

| **2.** работа *(место работы)*

a full time (part time) **job** | работа на полную (неполную) ставку

She helps people to find **jobs**. | Она помогает людям устроиться на работу.

homework ['həumwə:k] | домашнее задание (уроки)

I **do my homework** in the evening. | Я делаю уроки вечером.

housework | работа по дому (хозяйству)

to do **the** housework | делать работу по дому

work *(глаг.)* | работать

work hard | много *(упорно)* работать *(учиться)*

He doesn't work hard enough. | Он слишком мало работает (занимается).

Внимание: предлоги!

work **at / in** a factory	работать на заводе/фаб-рике
(a ministry, a research [rɪ'sə:tʃ] centre, a school, a college, a hospital)	(в министерстве, науч-но-исследовательском институте, школе, ву-зе, больнице)
work **with (for)** a company (a firm)	работать в фирме, в компании
He works **for** a computer company.	
She works **with** a small firm.	
work **at** ...	работать над ...
She works hard at her French.	

---

word	слово

Look up the new words in the dictionary.

УПРАЖНЕНИЯ

Выучите диалоги наизусть и разыграйте их.

1

A. When do you usually **finish work**?
B. At seven.
A. At seven? Why do you work so late?
B. I begin late.
A. I see.

    (go home, stop work)

2

A. Hello! Can I speak to Avis, please?
B. She's still at work, I'm afraid. Can I take a message?
A. Well, no, thank you. When can I call back?
B. At **half past six**, please.
A. Right! Bye-bye!

    (half past three; seven; half past seven)

Урок-комплекс 7

3

A. Can you come to the country with us today?
B. I'm afraid not.
A. Oh! Why not?
B. I've got a lot of work to do today.
A. On Saturday! That's a great pity! It's a lovely day!
B. I'm sorry, too. But thanks **anyway.**
A. Next time, perhaps.

---

anyway ['enɪweɪ]   в любом случае, все равно,
                                        как бы то ни было

4

A. Let's go to the country at the weekend, shall we?
B. I'm afraid not. Not this weekend.
A. Why not?
B. I've got **a French** exam on Monday.
A. Oh, have you? Well, work at your French, then, and good luck!

(Spanish, Italian, Russian, Japanese, German)

ГРАММАТИКА

9. <u>Вопросы, начинающиеся с вопросительного слова **what** [wɔt] — *что*.</u>

9.1. **Послушайте и посмотрите:**

1. "What do you usually do at the weekend?"	Что вы обычно делаете по выходным?
"We often go away."	Мы часто уезжаем.
2. "What do you think of their new ideas?"	Что вы думаете об их новых идеях? (= *Каково ваше мнение?*)
"They're quite interesting."	Они довольно интересны.
3. "What can you do, Miss Pierce?"	Что вы умеете делать, мисс Пирс?
"I can type and use a computer."	Я умею печатать и пользоваться компьютером.

4. "What shall we do for the next lesson?"

Что нам сделать к следующему уроку?

"Read text 20 and learn the new words."

Прочитайте текст 20 и выучите новые слова.

5. "What have they got at the new exhibition?"

Что у них на новой выставке?

"Some very nice pictures."

Несколько очень хороших картин.

Запомните: вопрос и ответ с глаголом **mean** [miːn] — *значить, иметь значение, означать.*

"What does "artist" ['ɑːrtɪst] mean?"

Что означает слово "artist"?

"It means "художник".

Оно значит «художник».

9.2. Обратите внимание на то, что некоторые вопросы не всегда переводятся дословно.

1. What's your name?

Как вас зовут?

2. What's the time?

Который час?

3. What's the name of the book?

Как называется эта книга?

4. What's his address?

Какой у него адрес?

5. What's the English for "статья"?

Как по-английски «статья»?

"An article" ['ɑːtɪkl].

6. What do you call it?

Как это называется?

Запомните!

1. Вопрос о профессии, роде занятий:

What do you do?
= What's your profession?
= What's your job?

Кто вы по профессии? (Чем вы занимаетесь?)

"**What** does she do?"

Кто она по специальности?

"She's a typist."

Машинистка.

2. Вопрос, часто употребляющийся в служебной обстановке:

What can I do for you?

Чем могу быть полезен?

Урок-комплекс 7

9.3. Ответ на специальный вопрос с подлежащим, выраженным указательным местоимением.

Послушайте и произнесите:

1. "What's ↘this?"
"(**It**'s) a museum."

2. "Wnat's ↘that?"
"(**It**'s) a new hotel."

3. "What are ↘these?"
"(**They**'re) telephone bills."

4. "What are ↘those?"
"(**They**'re) English textbooks."

5. "**What are these** papers?"

"**They**'re today's faxes."

Что это за бумаги?

Это сегодняшние факсы.

Как вы увидели из примеров, в ответе на вопросы с подлежащим, выраженным *указательным* местоимением, употребляется соответствующее *личное* местоимение.

Внимание: разница в значении!

What's ↘this?	Что это?
What ↘is it?	Что такое? В чём дело?
"What ↘is it, Jane?"	В чём дело, Джейн?
"There's a call for you, Mr Clark."	Вас просят к телефону, г-н Кларк.

УПРАЖНЕНИЯ

Повторите, употребляя подсказанные слова.

1. What do you usually do **in your holidays**?
   • at the weekend • on weekdays • on Saturdays • after work •

Урок-комплекс 7

2. What shall I **do** for the next lesson?
   • read • write • learn • learn by heart •

3. What can you **do**?
   • say • tell us • remember •

4. What's your **name**?
   • first name • surname • date of birth • job • profession •

2

Прочитайте вслух вопросы и дайте на них полные ответы, используя слова, данные в скобках.

1. What's this? (a new catalogue)

2. What's that? (an Italian restaurant)

3. What are these? (my car keys)

4. What are those? (the old models)

5. What's that over there? (a stadium)

6. What are these papers? (my notes)

3

Прочитайте диалоги вслух и разыграйте их.

1

Интервью при приеме на работу

A. Next, please.
B. Good afternoon.
A. Good afternoon. What's your name, please?
B. Judy ['dʒuːdɪ] Watson.
A. Miss or Mrs?
B. Miss.
A. What can you do, Miss Watson?
B. I can type and use a computer.
A. Good. What **else** can you do?
B. I can speak French and German. My German isn't very good, I'm afraid, but I can read and write.
A. Can you write business letters?
B. Yes.
A. Where do you live, Miss Watson?
B. 57, Addison Road. It's near here.
A. What's your telephone number, please?

Урок-комплекс 7

B. 559 0134.

A. Thank you, Miss Watson. We can give you an answer next week.

---

else [els]	еще (*употребляется после вопросительных слов*)
'What 'else?	Что еще?
'Where 'else?	Где еще?
'When 'else?	Когда еще?

2

What Does It Mean?

A. Excuse me, may I ask you a question?
B. Certainly.
A. What does the word "accurate" ['ækjurət] mean? Does it mean "аккуратный"?
B. No, it means "точный". The English for "аккуратный" is "neat".
A. I see. And what's the Russian for "artist"? Does it mean "артист"?
B. No, it means "художник".

ЗВУКИ И БУКВЫ

10. Буквосочетание **ow.**

Буквосочетание **ow** в безударном положении в конце слова читается [əu]: **tomorrow, pillow.** В некоторых словах буквосочетание **ow** читается [əu] и под ударением: **slow.**

Вам уже известны некоторые слова с буквосочетанием **ow: know, slow, slowly, follow, Moscow.**

Прочитайте вслух, подражая образцу и самостоятельно:

a) bowl, 'shallow, 'window, 'yellow, 'hollow, 'willow
b) mole, sole, toad, load, coal, no, so, lo

Новые слова

show (*глаг.*)   показывать

Can you show me the way to the new bookshop?

show (*сущ.*)	шоу, показ, демонстрация, представление, ревю
a TV show	
tomorrow [tu'mɔrəu]	завтра
Tomorrow's my birthday.	
tomorrow night	завтра вечером, завтра ночью
window ['wɪndəu]	окно
Could you open the window a bit, please?	Вы не могли бы приоткрыть окно?

УПРАЖНЕНИЯ

1 ◯◯

Инсценируйте диалоги.

1

In a Shop

A. Yes, sir?
B. Can you show me those black shoes, please?
A. Certainly. What's your size, please?
B. Eight and a half.
A. Just a moment! ... Look at these. They're nice, aren't they?
B. Yes, let me **try** them **on** ... Okay, they're just my size.

_____

try	пытаться, стараться
Let me try again.	Давайте я попробую (*попытаюсь*) еще раз.
Please try to understand us.	Пожалуйста, постарайтесь нас понять.
Try to get through to him.	Попытайся ему дозвониться.
try on	примерять

Урок-комплекс 7

2

In Class

A. What shall we do for tomorrow?
B. Learn the new words, then read and translate text twelve. Don't forget to listen to the tape first.
A. What else?
B. Learn the dialogue by heart.
A. Right. What else?
B. Isn't that enough?
A. Text twelve's quite easy, and there aren't many new words in it.
B. Then look through the next text. It's quite difficult, and there are some useful words in it. Look them up in the dictionary.
A. Right.

2

Переведите на английский язык.

1. — Что мне делать с этим списком? — Оставьте его здесь.
2. — Что ты обычно делаешь по воскресеньям? — Я иногда играю в теннис.
3. — Чем могу быть вам полезен? — Могу ли я поговорить с г-ном Смитом?
4. — Что вы умеете делать? — Я умею печатать. — Что еще вы умеете? — Я знаю три иностранных языка.
5. — Как ваша фамилия? — Дент, Джим Дент. — Кто вы по профессии? — Инженер.
6. — Когда мне прийти еще раз? — В среду, пожалуйста. Приходите в четверть одиннадцатого, если вам это удобно.
7. — Что это? — Это новая больница. — А вон то что? — Это стадион.

ГРАММАТИКА

11. Русскому слову *какой* могут соответствовать следующие английские слова:

What (*перед существительными*)	какой
Which (**which of**)	какой, который,
What kind (of)	какой, какого рода, что за

11.1. **What** — *какой* употребляется, когда речь идет о н а з в а н и и предмета (цвета, размера и т.п.).

1. "**What day** is it today?"	Какой сегодня день?
"Wednesday."	Среда.
2. "**What colour's** ['kʌlə(r)] your car?"	Какого цвета ваша машина?
"Red."*	Красного.
"**What make** is it?"	Какой она марки?
"It's a Ford."	Форд.
3. "**What time** shall I call you?"	В котором часу мне позвонить (*досл.* в какое время)?
"At twelve, please."	В 12, пожалуйста.

11.2. **Which (which of ...)** — *какой, который* употребляется, когда речь идет о в ы б о р е из известного собеседникам ограниченного круга предметов.

1. "**Which** is the platform ['plætfɔːm] for London?"	Какая платформа на Лондон?
"Number one."	Номер 1.
2. "**Which** models shall I send them?"	Какие модели мне им отослать?
(**Which of** the models... **Which of** these models)	(*Какие из моделей... Какие из этих моделей*)
"Models twenty and twenty-one."	Модели 20 и 21.

Сравните: **what — which**

"**What** colour do you need?" "White."	*название*
"**Which** colour do you need, white or blue?" "Blue."	*выбор*

---

* Ответ без слова **colour**.

Урок-комплекс 7

11.3. **What kind (of)** — *какой, какого рода, что за* употребляется, когда речь идет о свойствах, качествах, характеристике предмета.

"**What kind of** books do you like to read?"   Какие книги вы любите читать?

"**Any kind**, if they're interesting."   Любые, если они интересные.

Сравните: what — what kind of

"**What** film's on tonight?"   Какой сегодня вечером фильм? (*название*)

"Good-Bye to Love."   «Прощай, любовь».

"**What kind of** film is it?"   Что это за фильм? (*характеристика*)

"It's a musical ['mju:zɪkl]."   Мюзикл.

УПРАЖНЕНИЯ

1

Прочитайте вслух примеры из правила.

2 🎧

Прочитайте диалоги вслух и инсценируйте их. Обратите внимание на употребление *what*, *which* и *what kind* (*of*).

1

A. We've got **an interesting lecture** today!
B. Oh, have you? What time?
A. Two twenty.

    (an exam, an important discussion, an interesting discussion)

---

lecture ['lekʃə(r)]   лекция

give a lecture **in**   прочитать лекцию по какому-л. предмету (*по курсу*)

a lecture **on** Italian music   лекция об итальянской музыке (*на конкретную тему*)

Урок-комплекс 7

2

At an Office

A. When can we **meet again**?
B. Let me see... Which day's convenient for you, Wednesday or Thursday?
A. Well, I think Wednesday's all right. What time?
B. At twelve, okay?
A. Very good. Till Wednesday, then. Good-bye!
B. Bye!

(discuss that problem, look through those documents, go to that exhibition)

3

At the Station

A. Excuse me, which is the platform for London?
B. Number one.
A. What time does the train leave?
B. A quarter past four.
A. Oh, that's in ten minutes. I haven't got much time.
B. No, you haven't. Be quick. Don't miss the train.

4

In the Department Store

A. Good morning. Can I help you, madam?
B. Yes, please. Could I have a look at one of those suits?
A. Which colour?
B. **Grey,** please.
A. What size?
B. Large.
A. Here you are.
B. Where can I try it on?
A. Over there. This way, please.

---

department store [dɪ'pɑːtmənt stɔː]   универсальный магазин

grey (gray) [greɪ]   серый

Урок-комплекс 7

5

At a Friend's

A. Listen, Jack! What book's over there on that shelf?
B. It's "Two Nights at the Airport".
A. What kind of book is it?
B. A **detective story**. It's quite interesting.
A. Is it? Could I have it for a week?
B. Of course! Here you are.
A. Thanks a lot.
B. Not at all.

---

detective story [dɪ'tektɪv 'stɔːrɪ]	детектив (*книга*)
story	рассказ, история, сюжет
a funny story	анекдот

3

Прочитайте текст вслух, предварительно выучив новые слова, и перескажите его.

You can see a photo of Mike's birthday party on this page.

Mike's twenty-one today. It's a big day in his life and he's got a lot of **guests** at his place, but you can only see five of them in the picture.

Mike isn't married yet, but he's got a girlfriend called Kate. You can see her next to Mike on his left. His parents are on his right. Mike's father's a businessman. His wife, Mike's mother, works with her husband's firm. It's a family business.

Next to Mike's Mum you can see his **aunt**. Her name's Margaret ['mɑːgrət], but they call her Aunt Peggy (Peggy's short for Margaret). She's married to **a professor** of English **literature** and they live in Oxford ['ɔksfəd]. Peggy's husband works in one of the colleges there. The **young** lady at the piano is their daughter Nelly. She isn't a **professional**

pianist, but she's very good at music and can play several **musical instruments**. It's a pleasure to listen to her. Music is her hobby, not her job. She's a **programmer** with a computer company.

You can see a lot of nice dishes on the table and several bottles of **wine**, too. And of course there's a big cake with twenty-one **candles in the middle** of the table.

---

guest [gest]	гость
aunt [ɑːnt]	тетя (*перед именем пишется с большой буквы*)
professor [prəˈfesə(r)]	профессор
literature [ˈlɪtrətʃə(r)]	литература
young [jʌŋ]	молодой
professional [prəˈfeʃnl] (*прил.*)	профессиональный
pianist [ˈpiːənɪst]	пианист
musical (*прил.*)	музыкальный
instrument [ˈɪnstrumənt]	инструмент

medical instruments, musical instruments

programmer [ˈprəʊɡræmə(r)]	программист
wine	вино
candle [ˈkændl]	свеча
in the middle (of)	посреди, в середине

4

Ответьте на следующие вопросы по тексту.

1. What can you see in the photo? What kind of party is it? What kind of day is it for Mike? Are there many guests at Mike's place?
2. Is Mike married yet? Has he got a girlfriend? What's her name? Where is she in the photo?

Урок-комплекс 7

3. What does his father do? What's his mother's job? What kind of business do they have?

4. What's Mike's aunt's full name? What do they call her? What does her husband do? Where do they live?

5. Is their daughter Nelly at the party with them? She's at the piano, isn't she? Does she play well? Can she sing too? What do you think? Is she a professional pianist? What does she do?

6. What's there on the table? What else can you see on the table?

5

Переведите на английский язык.

1. — Давайте встретимся в субботу утром, хорошо? — Да, давайте. В котором часу? — В десять, если это не слишком рано для вас. — Нет. Я обычно встаю в шесть или семь. — Прекрасно. До субботы!

2. — Вы можете позвонить мне в пятницу днем? — Конечно. В котором часу? — В половине третьего, пожалуйста.

3. В котором часу вы обычно отводите своих детей в школу и когда вы их приводите домой?

4. — Давайте пойдем в ресторан в субботу вечером. — Хорошая мысль!

6

Ответьте на вопросы о себе. Расскажите друг о друге на основании полученных ответов.

a. 1. What's your name?
2. Do you work or do you still go to school (college)?
3. What's your job? (What do you do?)
4. Do you go to work (to school, to college) every day?
5. What time do you get home from work (from college, from school)?
b. 1. Are you married?
2. What's your wife's (husband's) name?
3. What are your children's names?
4. What does your wife (husband) do?
5. Do your children go to school?
c. 1. Do you read much?
2. What do you read? (books, newspapers)

3. Do you read the newspapers carefully, or do you just look through them?
4. What kind of books do you like to read?
5. What kind of films do you like?
6. What kind of music do you like?
7. Does your wife (husband) like to read the same kind of books, watch the same kind of films, or listen to the same kind of music?

d. 1. Can you drive?
2. Are you a careful driver?
3. Have you got a car? Is it old or new?
4. What make is it?
5. What colour is it?
6. Where do you keep it?
7. Do you sometimes have problems with your car?

e. 1. What foreign languages can you speak?
2. Do any of your friends speak any foreign languages?
3. Is it difficult to learn English, or do you find it easy?
4. Are you good at languages?
5. When's your next English lesson?
6. What's your homework for the next lesson?
7. Do you usually spend much time on your homework?

ЗВУКИ И БУКВЫ

12. Дифтонг [au].

Послушайте, посмотрите, произнесите:

[ˈau ˈau ˈhau ˈnau]

> Дифтонг [au] передаётся на письме буквосочетаниями **ow** и **ou** в ударных слогах: **now, gown, pound**.

Прочитайте вслух, подражая образцу и самостоятельно:

now, how, cow, cowboy, out, sound, ounce, town, mount, mouse, noun, down

Новые слова

now   сейчас, теперь

He's quite well now.   Сейчас он совершенно
                                 здоров.

Урок-комплекс 7

just now   в настоящий момент, как раз сейчас

    Syn. **at the moment**

    I'm busy just now. Please call back in twenty minutes.

house [haus]   дом

    мн. ч. **houses** ['hauzɪz]

    a tall house

    leave the house (= leave home)   выходить из дому

    I always leave the house at nine.

town   **1.** город

    Brighton's a lovely town.

    2. город *как понятие, противоположное сельской местности*

    town life, country life

Внимание: предлоги и артикли!

in town	в городе
in the country	за городом (в сельской местности)
to town	в город
to the country	за город

I live **in** the country, but I work **in** town.
She usually goes **to** town twice a week.

---

pound   **1.** фунт *(мера веса)*

    2. фунт *(денежная единица Великобритании)*

    £ 5 = five pounds

    It's £ 5.50 = It's five (pounds) fifty.   Это стоит пять фунтов пятьдесят пенсов.

down *(нареч.)*   вниз, внизу

    'Please 'sit ↲down!

    'Do 'sit ↲down!   Садитесь, пожалуйста!
    (= Please take a seat!)

write down = **put down**   записать

   Let me write down your full name.

   Please write it down.

about [ə'baut] *(предлог)*   о, об

   This book's about pilots.   Эта книга о летчиках.

   Let's talk about it now.   Давайте поговорим об этом сейчас.

   Come and see me about it.   Приходите поговорить со мной об этом.

   I'm not quite clear about it.   Мне это не совсем ясно.

about *(нареч.)*   приблизительно, примерно, около

   It's about £ 60.   Это стоит около 60 фунтов.

Сравните: about — nearly

He's **about** forty.   Ему лет сорок (*чуть больше или меньше*).

He's **nearly** forty.   Ему лет сорок (*почти сорок, немного меньше сорока*).

It's **about** 25 miles from here.   Это примерно в 25 милях отсюда.

It's **nearly** 25 miles from here.   Это почти в 25 милях отсюда.

---

out *(нареч.)*   снаружи, вне, наружу

be out   отсутствовать, выйти

Сравните: be out — be away

He's out. (= He isn't in.)   Он вышел (*на некоторое время*).

He's away.   Он отсутствует (*не вышел на работу, уехал и т.п.*).

---

take out   **1.** вынимать

   Let me take out these things.= Let me take these things out.   Давайте я выну эти вещи.

Урок-комплекс 7

2. вывести *(гулять и т.п.)*, повести *(в театр, ресторан и т.п.)*

I take my dog out three times a day.

Mike often takes his girlfriend out to the theatre or cinema.

out of ['ɑut əv]   из *(изнутри)*

Ant. **into** ['ɪntu,'ɪntə]   в *(внутрь)*

    into   **out of**

out of town   за городом, за город

outside ['autsaɪd] *(нареч.)*   снаружи, на улице *(не в помещении)*

    Ant. **inside**   внутри

    Is it very cold outside?   (На улице) очень холодно?

outside *(предлог.)*   вне *(перед, у, рядом и т.п.)*

    Let's meet outside the cinema.   Встретимся у кинотеатра *(на улице, перед кинотеатром)*.

without [wɪ'ðaut] *(предлог)*   без *(имеет силу отрицательного слова)*

without **any** money = with **no** money

without **any** mistakes = with **no** mistakes

УПРАЖНЕНИЯ

1

Прочитайте вслух и переведите примеры на новые слова.

1. a nice little house, an expensive big house, a beautiful tall house
2. They live in an old house out of town.

— 404 —

3. "What time do you usually leave the house?" "At exactly eight."
4. some nice little houses, some beautiful tall houses
5. There are a lot of beautiful houses in this street.
6. We live in the country, but my husband works in town. He usually goes to town by car, but sometimes he takes the train.
7. "Do you think they're still in town?" "I don't think so. I'm sure they're out of town."
8. There are some interesting stories about it in today's papers.
9. When can we talk about it?
10. What else can you tell us about it?
11. "Is it very far?" "About twenty-five miles out of town."

2

Повторите, употребляя подсказанные слова.

1. Can we talk about it **now**?
   • right now • at once • right away • again • once again •
2. Please sit down with us and have **a cup of coffee**.
   • a cup of tea • a hot cup of tea • some juice • some cold juice •
3. They say it's the best **museum** in town.
   • college • school • theatre • restaurant •
4. Let's go out **and take a walk**.
   • and take a short walk • for a walk • for a short walk •

3

Инсценируйте диалоги.

1

In Class

A. May I ask you a question?
B. Yes, please do.
A. What does "downtown" mean? I'm not quite clear about it.
B. "Downtown" means **in** or **to** the central part of a large town or city. There are a lot of shops and places of business there.
A. Could you give us some examples, please?
B. Certainly. You can say "His office is in downtown Chicago." You can also say "Let's go downtown for a walk." Is that clear now?
A. Yes, thank you.

Урок-комплекс 7

2

A. It isn't very cold outside, is it?
B. No, it's quite nice, it's only cold in here.
A. Let's **go for a walk** then, right?
B. Yes, let's.
A. Come on, then.

(have a game of tennis, take a little walk)

3

On the Telephone

A. 522 8749
N. Hello! Is that Bennett and Company?
A. Quite right. Can I help you?
N. Yes. This is Nikitin from Moscow. Can I speak to Mr Finley, please?
A. I'm not sure he's in. Please hold on a minute, and let me **find out**.

. . . .

A. Hello! Are you there?
N. Yes, I'm here.
A. I'm sorry, Mr Finley's out just now. Can you call back in twenty minutes?
N. Certainly!

'find 'out   узнать, выяснить

> **Запомните** выражения, которые часто употребляются при телефонных разговорах.
>
> This is Nikitin. ———————— Говорит Никитин.
> Nikitin ʃhere.
> Are you there?   Вы слушаете?
> Yes, I'm here.   Да, слушаю.

4️⃣ ✏️

Заполните пропуски предлогами.

1. "What time do you usually leave the house _____ the morning?" "_____ eight thirty. I always leave the house _____ good time so as not to be late _____ work."
2. "Shall I help you?" "Yes, please. Could you take those things _____ _____ the box?"

3. "Let's go _____ town _____ six _____ the evening, if it isn't too late _____ you." "Six is okay. Shall we go _____ car or train?" "_____ car, I think."
4. "What do you think _____ that plan?" "It isn't bad, but I'm not ready to talk _____ it just now, I'm afraid. Please give me time to think _____ it carefully. Could you see me _____ it again on Thursday?" "Certainly."
5. Just a minute! Don't go _____ me! I'm not quite ready yet.
6. "What do you usually do _____ the weekend?" "We often go away _____ the country. If we stay _____ town, we usually go out _____ a restaurant or a party. We don't like to stay _____ home _____ the evenings."
7. "Is it very cold outside?" "Not very. Let's go out _____ a walk, shall we?" "Fine."
8. I'm sorry, I can't be _____ time today, so don't wait _____ me — begin the discussion _____ me.

13. Звукосочетание [auə].

Послушайте, посмотрите, произнесите:

[ˌauə ˈauə ˌauə ˈauə]

Звукосочетание [auə] передаётся на письме буквосочетаниями **our** и **ower**: our, flower.

Произнесите, подражая образцу:

our, flour, sour, shower, tower, flower

В быстрой речи звукосочетание [auə] часто редуцируется до [aə].

Новые слова 🔊

our [auə(r)] (*притяжат. мест.*) — наш

hour [ˈauə(r)] — час (= 60 мин.)

half an hour [ˈhɑːf ən ˈauə]
a half hour — полчаса

an hour and a half [ən ˈauərə_nd ə ˈhɑːf]
one and a half hours — полтора часа

a quarter of an hour [ə ˈkwɔːtər_əv ən ˈauə] — четверть часа

Урок-комплекс 7

Can I call back in a quarter of an hour?

No, in half an hour, please.

the rush hour [ðə 'rʌʃ 'auə]   час пик (*время наиболее оживленного уличного движения*)

in the rush hour   в час пик

14. Формы личных и притяжательных местоимений.

Личные местоимения		Притяжательные местоимения
именит. падеж	косв. падеж	
I	me	my
you	you	your
he	him	his
she	her	her
it	it	its
we	us	our
you	you	your
they	them	their

УПРАЖНЕНИЯ

1

Прочитайте вслух и переведите.

1. our parents, our children, our friends, our house
2. some of our colleagues, some of our partners, some of our exhibits
3. Could you call back in half an hour?
4. "Is it very far?" "About two hours' drive from here."
5. I think we can finish our discussion in an hour and a half.
6. I don't like to drive in the rush hour.

2

Заполните пропуски нужным местоимением.

1. _____ sister and I live in town. _____ parents live out of town.
2. We've got two children, a son and a daughter, _____ names are Nick and Judy.

Урок-комплекс 7

3. Let me help you with _____ form. I can see it's difficult for you to fill it Jin in Russian.
4. My business partners are still in town. We can visit _____ at _____ hotel.
5. _____ aunt and uncle live in the country. We like to visit _____ at _____ place.

ГРАММАТИКА

15. Вопросы, начинающиеся с вопросительного слова **How** [hau] — *как, каким образом.* ⊙⊙

Послушайте и посмотрите:

1. How do you get to college?

Как ты добираешься до института?

By bus.

На автобусе.

2. How can I get to town?

Как я могу доехать до города?

By train.

На поезде.

3. Excuse me, **how** do you spell your name?

Простите, как пишется ваша фамилия?

УПРАЖНЕНИЯ

1 ⊙⊙

Прочитайте диалоги вслух и инсценируйте их, предварительно выучив новые слова.

1

A. Excuse me, how do I get to **the new stadium**?
B. **The new stadium**? Let me see... You can take the twenty-two bus. It's the third stop.
A. Thanks a lot.
B. That's all right.

(the station, the post office, Albert Road)

stadium   стадион

Урок-комплекс 7

2

A. Excuse me, how can I get to Green Street?
B. Keep **straight on**, then turn left at the **traffic lights**.
A. Is it very far?
B. Oh, no! Just five minutes' walk from here.

---

straight [streɪt]	прямой; прямо
Go straight on.= Go straight ahead [ə'hed].	Идите (поезжайте) прямо.
Keep straight on. = Keep straight ahead.	Продолжайте идти (ехать) прямо.
traffic ['træfɪk]	уличное движение
heavy traffic	сильное движение
traffic lights	светофор
traffic jam	затор, «пробка»
get into a traffic jam	попасть в «пробку»

3

A. How do you get to college, Ben?
B. Well, I occasionally try to walk two or three stops, but I don't do that often, it's too far.
A. So how do you get there, then?
B. ♪How? Oh, by bus or **underground**.

---

underground ['ʌndərgraund]	метро
an underground station	станция метро

4

A. Do you **travel** much?
B. Yes, a lot.
A. This is your first visit to Moscow, isn't it?
B. Yes, it is.

A. How do you like it here?
B. Very much. But it's a bit too cold!

---

travel ['trævl] *(глаг.)*	путешествовать, ездить на дальние расстояния
travel by train (plane, ship, etc.)	
travel on business	путешествовать, ездить по делу
travel for pleasure	путешествовать ради удовольствия
travel first class	ездить первым классом
travel business class	ездить бизнес классом
travel economy [ɪ'kɔnəmɪ] class	ездить вторым классом (*преимущественно в самолете*)

2 ✎

Переведите на английский язык.

1. — Как мне доехать до аэропорта? — Двадцатым автобусом.

2. — Как мне добраться до городского музея? — Вы можете дойти туда пешком (walk). Идите прямо, потом поверните направо у светофора. — Это очень далеко? — Примерно 15 минут ходьбы.

3. — Как ты обычно ездишь на работу? — На машине. Если движение слишком сильное, я езжу на метро. Я не люблю водить в часы пик, а станция метро как раз через дорогу от нашего дома. Это очень удобно.

15.1. Запомните формулы приветствия.

В официальной обстановке при первом знакомстве друг другу обычно говорят: **How d'you ˋdo?**

A. How d'you do, Mr Green?
B. How d'you do, Mr Benson?

Урок-комплекс 7

При дальнейших встречах обычно используются другие приветствия: **Good morning! Good evening! Hello!** и т. п.

Знакомые люди, поздоровавшись, часто говорят друг другу:

How ⌐are you?   Как поживаете?

Возможны следующие ответы:

(I'm) fine, thanks!   Quite all right.

I'm very well, thank you!   Not too bad, thanks.

Обратите внимание на интонацию. 👓

A. Hello, Kate. How ⌐are you?
B. Fine, thanks. And how are ⌐you, Tim?
A. I'm very well, thank you.

3   👓

Инсценируйте диалоги.

1

A. Good morning, Mrs Brown.
B. Good morning!
A. This is Mr Petrov, my new assistant.
B. How d'you ⌐do?
C. How d'you ⌐do?

2

At a Restaurant

P. Good evening, Mrs Brown. How ⌐are you?
F. Good evening, Mr Petrov. Quite all right, and how are ⌐you?
P. Oh, very well, thank you! This way, please. Our table's over there, near the window.
F. A ⌐nice place, isn't it?
P. Yes, I like it. It's quite new, and the **cooking**'s usually very good.
F. Oh, I'm sure it is.
P. Have a look at the **menu**. It's got an English translation in it.
F. Can I have some Russian food, please?
P. Very good, Mrs Brown. Let ⌐me **order** the meal, then.

Урок-комплекс 7

cooking	*зд.* кухня *(готовка)*
menu ['menju:]	меню
on the menu	в меню
order *(глаг.)*	заказывать

ГРАММАТИКА (продолжение)

15.2. Вопросительные словосочетания, начинающиеся со слова **How**. ⊙⊙

Послушайте и посмотрите:

1. "How soon can they give an answer?"

Как скоро они могут дать ответ?

"In a week, I think."

Я думаю, через неделю.

2. "How often do you have your English lessons?"

Как часто у вас уроки английского?

"Twice a week."

Два раза в неделю.

3. "How far's the station?

Как далеко находится станция?

"About half an hour's walk from here."

Примерно в получасе ходьбы отсюда.

4. "How old's your son?"

Сколько лет вашему сыну?

"Twelve."

Ему 12 лет.

(He's twelve years old.)

5. "How much is that bag?"

Сколько стоит эта сумка?

"Five pounds."

5 фунтов.

6. "How many foreign languages do you know?"

Сколько иностранных языков вы знаете?

"Two. French and German."

Два — французский и немецкий.

Обратите внимание на интонацию в вопросах с безударным подлежащим — личным местоимением:

'How ⌐old is he?

'How ⌐big are they?

Урок-комплекс 7

'How ⸜much is it?   'How ⸜far is it?

'How ⸜much are they?

15.3. Словосочетание **how well** — *как, насколько хорошо.*

1. "**How well** do you swim?"	Как *(насколько хорошо)* вы плаваете?
"Quite well."	Довольно хорошо.
2. "**How well** does he speak Russian?"	Как *(насколько хорошо)* он говорит по-русски?
"Not very well, I'm afraid."	К сожалению, не очень хорошо.

УПРАЖНЕНИЯ

Повторите, употребляя подсказанные слова.

1. How far's the **airport**?
   • station • underground station • bus stop •
2. How much is this **coat?**
   • suit • suitcase • book •
3. How big's your **flat**?
   • house • office • country cottage •
4. How well do you **speak English**?
   • play tennis • play the guitar • cook • swim • dance •
5. How old **are you**?
   • is he • is she • are they • is your son • are your children •

2

Выучите диалоги наизусть и инсценируйте их.

1

A. Excuse me, how do I get to the British Museum?
B. **Go straight ahead**. It's on the right. You can't miss it.
A. How far is it?
B. About ten minutes' drive from here.
A. Thanks.
B. Not at all.

(keep straight on;   go straight on)

2

A. Do you **speak English**?
B. Yes, I do.
A. How well do you **speak** it?
B. Not very well. Just a little.

(speak Russian, play the piano, play the guitar, play chess)

3

In a Shop

A. Look at this coat. Do you like it?
B. Yes, it's nice. How much is it?
A. About fifty pounds.
B. That's not much.
A. Don't you think so?
B. No. It isn't much, and it **looks** expensive.

___

look   зд. глагол-связка в значении «выглядеть»

3

Составьте диалоги, как показано в образце, и разыграйте их.

Дано: How much is this coat?
Требуется: *A.* How much is this ⌐coat?
         B. 'This ⌐coat?
         A. ⌐Yes. How ⌐much is it?

1. How old are your children?
2. How old's your daughter?
3. How old's your niece?
4. How much are these **gloves**?
5. How much is this suitcase?
6. How far's the underground station?
7. How big's your new flat?
8. How big's their house?

___

gloves [glʌvz]   перчатки

Урок-комплекс 7

4

Переведите на английский язык.

1. — Как он говорит по-английски? — Довольно хорошо.

2. — Как часто вы проводите выходные за городом? — К сожалению, не очень часто.

3. — Как скоро они могут закончить эту работу? — Думаю, через неделю.

4. — Сколько у них детей? — Двое. — Сколько им лет? — Сыну двенадцать, а дочери уже семнадцать.

5. — Сколько стоит этот костюм? — 40 фунтов.

16. Словосочетание **a long way** — *далеко*.

long	длинный, долгий

a long story (list, street, discussion, walk)

a long way	далеко (*чаще в утверд. предложении, иногда в общем вопросе*)

Сравните:

Утвердительное предложение

1. It's **a long way to** the airport.	До аэропорта далеко.
2. He lives **a long way from** us.	Он живет далеко от нас.
3. The museum is **a long way from** here.	Музей далеко отсюда.

Общий вопрос

Do you live **far from** here? = Do you live **a long way from** here?	Вы живете далеко отсюда?

Отрицательное предложение

It isn't **far from** here. (= It's near here.)	Это недалеко отсюда. (Это близко отсюда.)

УПРАЖНЕНИЯ

Повторите, употребляя подсказанные слова.

1. It's a long way from **here**.
   • there • us • our house • your hotel • my place •
2. It's a long way to the **office**, isn't it?
   • airport • station • underground station • new hospital •
3. Is it a long way to **your college**?
   • your house • his school • your place of work • your place in the country •

1. **Задайте вопросы к следующим предложениям**
(2 варианта);

2. **Сделайте высказывания отрицательными.**

Дано: The park's a long way from here.
Требуется: **a.** Is the park far from here?
Is the park a long way from here?
b. The park isn't far from here.

1. He works a long way from here.
2. The stadium is a long way from my house.
3. The village is a long way from the sea.
4. Their parents live a long way from them.
5. The hotel is a long way from the station.
6. Our house is a long way from the underground station.

Переведите на английский язык.

1. Я живу далеко отсюда.
2. Он работает далеко от этого места.
3. Это очень далеко? Это далеко отсюда?
4. Это далеко от станции метро?
5. Вы живете далеко от центра города?
6. Это недалеко отсюда. Она живет недалеко отсюда.
7. Я обычно паркую свою машину недалеко от моего офиса.
8. Это довольно близко.

Урок-комплекс 7

17. Выражения It takes long, It takes a long time и вопрос How long does it take?

Выражения **It takes long** и **It takes a long time** имеют значение *занимать (требовать) много времени*.

Подлежащим в них является местоимение **it**. **It takes a long time** употребляется в утвердительных предложениях, а **It takes long** в отрицательных предложениях и вопросах. Вопрос *Сколько времени нужно (уходит и т. п.)* переводится **"How long does it take?"**

1. It takes a long time to learn a foreign language well.	Чтобы хорошо выучить иностранный язык, требуется много времени.
2. It doesn't take me **long** to get to college.	У меня не уходит много времени на то, чтобы добраться до института.
3. Does it usually **take** you **long** to do your homework?	У вас обычно уходит много времени на домашнее задание?
4. It doesn't take long to ask a question, but **it** often **takes a long time** to answer it.	На то, чтобы задать вопрос, не требуется много времени, но много времени часто занимает ответ.

УПРАЖНЕНИЯ

Повторите, употребляя подсказанные слова.

1. It always takes a long time **to do your work carefully**.
   • to learn a foreign language well • to explain things carefully • to answer difficult questions •
2. It doesn't take me long **to do my homework**.
   • to get to work • to get home by bus • to get to my place in the country • to look through the morning paper •
3. How long does it take you **to get home?**
   • to do your English homework • to get to your college • to make lunch •

2

Инсценируйте диалог.

A. Do you often go to the country for the weekend?

B. Oh, yes, in the spring we do. We've got a summer cottage in the country, and we stay there quite often.

A. Oh, do you? Is it far from Moscow? Does it take you long to get there?

B. No, not very. It's just **a forty-minute drive**. Come with us next time!

A. Oh, thanks! That's very kind of you.

(forty-five minutes by train, twenty-five minutes by car, an hour by bus)

3

Какие вопросы нужно было задать, чтобы получить эти ответы?

1. It takes **thirty minutes** to get to Green Street from here.
2. It usually takes me **an hour and a half** to do my English homework.
3. My brother knows **three** foreign languages.
4. You can get to my office **by underground**.
5. The station's **about half an hour's drive from here**.
6. The car park's **to the left of that hotel**.
7. My daughter's **eleven years old**.
8. They've got **two** children.
9. He speaks English **very well**.
10. I usually play tennis **twice a week**.

4

Переведите на английский язык.

1. — Аэропорт далеко отсюда, а у нас мало времени. — Сколько времени нужно, чтобы доехать туда на автобусе? — Около часа. — Тогда давайте возьмем такси.

2. — Вы живете далеко от вашей работы? — Нет, не очень. — Как вы туда добираетесь? — Иногда я иду туда пешком, если у меня достаточно времени, но обыч-

Урок-комплекс 7

но я еду на машине. — Здесь движение не очень сильное, не правда ли? — Нет, оно очень сильное, но не в это время. В шесть часов у нас пробки на дорогах. Я не люблю водить машину в это время.

3. — Сколько времени у вас обычно уходит на то, чтобы сделать домашнюю работу по английскому языку? — У меня уходит много времени, если я работаю тщательно.

5

Ответьте на вопросы о себе. Расскажите друг о друге на основании полученных ответов.

a. 1. What time do you usually leave the house in the morning?
2. How long does it take you to get to work (to college, to school)?
3. Is your work (college, school) a long way from your house?
4. How do you get there? Do you sometimes have enough time to walk?
5. How long do you stay at work (at college, at school)?
6. Where can you have a meal if you're hungry?

b. 1. How many foreign languages do you know?
2. Do many of your friends know foreign languages?
3. Do you need foreign languages for your work?
4. Is English difficult for you, or is it easy?
5. Is it interesting to learn a foreign language?
6. How often do you have English lessons?
7. What time do your classes begin?
8. How long does it take you to do your homework carefully?
9. Do you sometimes listen to the radio news in English? Is it very difficult for you to understand?
10. Do you watch any television programmes in English? How do you like them?

c. 1. Where do you usually spend the weekend?
2. Do you sometimes go out of town?
3. How often do you spend the weekend in the country?
4. Have you got a cottage out of town?
5. How far is it?
6. How can you get there from town?
7. How long does it take you to get there?
8. What kind of place is it?
9. Do you take any friends with you?

d. 1. Are you married?
2. How old is your wife (husband)?
3. How many children have you got?
4. Do your children go to school?
5. Is their school near your place?

6. Is your house in a street with a lot of traffic?
7. Can your children walk to school alone, or do you take them there?
8. Do they cross any streets on their way?
9. How much time do you spend with your children?

6

Прочитайте текст вслух и задайте друг другу вопросы по его содержанию. Перескажите текст от лица каждого из персонажей.

As you know,* my name's Alex Dale, and I'm an economist. I live in the country, but I work in town.

I get up very early on weekdays, have breakfast at half past seven, look through the morning papers and leave the house at eight.

I usually go to work in my car. On my way to town I stop at the house of Alfred Ross, my friend and colleague. We work for the same company, and always go to work **together**. Alfred gets into my car and I drive on. The **price** of **petrol**'s very high in this country, so we use our cars in turn. That's very convenient, and helps us to **save** money.

It usually takes us half an hour to get to the office, but if the traffic is very heavy, it takes us about an hour, and we always try to leave the house in good time so as not to be late for work.

I'm not married yet, so I sometimes spend the weekends with Alfred and his family. The Rosses have got three children. Sammy and Nick go to school (Sammy's twelve years old, and Nick's fourteen). Their daughter Judy's twenty-one and she goes to college. She studies medicine at a medical school. Alfred's wife Nancy is **a trained nurse**, but she can't **go out to work**, because she's too busy about the house.

Alfred's an excellent **accountant**, and he works hard. He earns enough money to keep such a large family, but it isn't easy, of course. "Life's full of problems!" he often says. I've got a problem too: Shall I get married? I've got a girlfriend. Her name's Deb Fennell. I'm sure you remember her. She's a lovely young girl, and I'm always happy to see her.

---

* **As you know** — как вам известно

Урок-комплекс 7

together [tə'geðə(r)]   вместе

price   цена

   a high price   высокая цена

Внимание: предлог!

We can't buy the machine **at** that price.   (*по этой цене*)

---

petrol ['petrəl]   бензин

   Syn. **gas** (*am.*)

   petrol station   бензозаправочная стан-
                                                              ция

   petrol pump   бензоколонка

save   **1.** спасать

                                                              2. экономить

   ... to save money (time)   ... чтобы сэкономить
                                                              деньги (*время*)

a trained nurse   квалифицированная медсе-
                                                              стра

train (*глаг.*)   обучать, обучаться, трени-
                                                              ровать, тренироваться

go out to work   работать, состоять на рабо-
                                                              те, поступать на работу
                                                              (*преимущественно о жен-
                                                              щинах*)

accountant [ə'kauntənt]   бухгалтер

18. Звукосочетание [aɪə].

Послушайте, посмотрите, произнесите:

[ˌaɪə ˈaɪə ˌaɪə ˈaɪə]

Звукосочетание [aɪə] (часто редуцируется до [aə]) передается на письме буквосочетанием **ire, yre**: **fire, tyre**.

Произнесите, подражая образцу, затем самостоятельно:

   fire, tired, mire, shire, tyre

Урок-комплекс 7

Новые слова

tired ['taɪəd]	усталый, уставший
be tired	устать, быть усталым
I'm very tired.	Я очень устал.
get tired	уставать
tyre	шина, камера
a flat tyre	спущенная камера

УПРАЖНЕНИЯ

1 ⊙⊙

Прочитайте вслух, подражая образцу.

1. Are you tired? I'm not very tired.
2. We're too tired to go on with our discussion now.

2 ⊙⊙

Инсценируйте диалог, заменяя выделенные слова словами, данными в скобках.

On the Road

A. We've got a flat tyre!
B. Are you sure?
A. No, not really.
B. Let's **find a place to park and see then**.
A. Right!

(stop and have a look; stop here and look at it)

_____

not really	не очень, не совсем

19. Некоторые случаи употребления слова **all** — *весь, все.* ⊙⊙

19.1. Употребление слова **all** с существительными.

а) **All** *относится к подлежащему.*

1. All the students are on holiday now.	Все студенты сейчас на каникулах.

Урок-комплекс 7

Not all the students are on holiday now.

Не все студенты ...

2. All these shops usually open at nine.

Все эти магазины обычно открываются в девять.

Not all these shops ...

3. All my friends love music.

Все мои друзья любят музыку.

Внимание: употребление артикля после слова *all*.

All the children can speak English.
All children like toys.

Все (*эти*) дети умеют говорить по-английски.
Все дети (*вообще*) любят игрушки.

б) All *относится к дополнению.*

1. I use all these dictionaries.

Я пользуюсь всеми этими словарями.

2. "Do you like all the pictures?"

Тебе нравятся все (*эти*) картины?

"No, **not all**, only some."

Нет, не все, только некоторые.

Сравните:

I don't use **all these dictionaries.**

Я пользуюсь не всеми этими словарями

I don't use **any** of these dictionaries.

Я не пользуюсь этими словарями (*ни одним из этих словарей.*)

19.2. Употребление **all** с местоимениями.

а) All *относится к подлежащему.*

1. They all live in France.

Они все живут во Франции.

2. Do you all speak English?

Вы все говорите по-английски?

б) All *относится к дополнению*.

1. I'm happy to see **you all**.

2. We like **them all**.

3. Take **them all**.

Внимание! **Порядок слов в предложениях с глаголом** *be* **и модальными глаголами:**

1. They are **all** here.	Они все здесь.
2. We are **all** tired.	Мы все устали.
3. You can **all** come on Friday morning.	Вы все можете прийти в пятницу утром.
4. It's all important (clear, useful, useless, okay, etc.).	Все это важно (ясно, полезно и т.д.).
5. That's all very interesting (important, etc).	Все это очень интересно (важно и т.д.).

Запомните:

all the time	все время
all day (all day long)	весь день
That's all.	Все. Вот и все. Это все.
Tell me all about it.	Расскажите мне об этом подробно.

19.3. После **all** может употребляться предлог **of**.

all of them = they all   **all of us** = we all

all of you = you all

1. I remember **all of them**. = I remember **them all**.
2. **All of us** can come and help you. = **We** can **all** come and help you.
3. Not **all of them** are here yet.

Сравните:

all of them	**any of** them
some of them	**many of** them
five of them	**a lot of** them
	each of them

Урок-комплекс 7

УПРАЖНЕНИЯ

1

Прочитайте вслух примеры из правила.

2 🔘🔘

Прочитайте и обсудите текст, предварительно выучив новые слова.

I don't like parties very much. **In fact** I don't like them **at all**, and I can explain why. **When** people go to a party, they **want** to have a good time, see their old friends and meet new people, listen to good music, perhaps sing and dance. But usually after all the guests say hello to **each other**, they begin to eat and drink at once, so when it's time to dance, they are all too heavy to get up from their seats. Isn't it **boring** to sit and just eat and drink all the time! The **hostess** usually **prepares** a lot of food for the party, and is very sorry if her guests don't eat it all. She thinks the dishes aren't good enough, **poor thing!** Television is a problem too. If there's an interesting match, all the men want to watch it, but of course the women don't. They want to see a film, or hear a pop **singer**. "What a dull party!" "How boring!" "I'm so tired!" they all say to each other when they go home.

Are they right? What do you think? What's your idea of a good party?

---

in fact	собственно говоря
at all	совсем не (*в отрицательных предложениях*)

Сравните: at all — quite

It isn't clear **at all**.	Это *совсем* не ясно.
It isn't **quite** clear.	Это *не совсем* ясно.
I don't like it **at all**.	Мне это *совсем* не нравится.
I don't **quite** like it.	Мне это *не совсем* нравится.

---

when (*союз*)	когда (*вводит временное придаточное предложение**)

---

*   Если придаточное предложение, вводимое союзом **when** (**if** и т.п.), стоит перед главным предложением, оно отделяется запятой.

When it's warm outside, I walk to college.

I don't like to drive when the traffic's too heavy.

When I'm in London, I usually stay in that hotel.

want [wɔnt]   хотеть

My son wants to be a programmer.

Do you want to go to the cinema with us?

Come on! I don't want to miss the lecture.

Where do you want to go for your holiday?

each other [ˈʌðə(r)] (*мест.*)   друг друга, друг другу и т.п.

They love each other.

They can't live **without** each other.   ... друг без друга

We don't understand each other, I'm afraid.

They don't even look **at** each other.   ... друг на друга

boring   скучный, нудный

hostess   хозяйка (*дома*)

host [həust]   хозяин (*дома*)

prepare [prɪˈpeə(r)]   **1.** подготовить, приготовить

Сравните:

prepare documents (bills, etc.)	подготовить (составить) документы (счета и т.п.)
get the documents (the bills, etc.) ready	подготовить (привести в порядок, принести) документы (счета и т.п.)

---

                                                 2. подготовиться (к)

prepare **for** a discussion, etc.

poor thing   бедняга

singer   певец, певица

Урок-комплекс 8

1. Прошедшее время группы **Simple (Past Simple).**

1.1. Общая характеристика.

1. Прошедшее время группы **Simple** употребляется для того, чтобы рассказать о действиях, событиях или состояниях, имевших место в прошлом:

Он подошел к телефону и набрал номер.
Они долго жили во Франции.
Когда я был ребенком, мы каждый год ездили на юг.
В молодости он был спортсменом

В силу своего значения **Past Simple** часто употребляется с такими обстоятельствами времени, как *вчера, в прошлый раз, ... тому назад* и т.п., а также с временным придаточным предложением (... *когда я там был*), или даже косвенным указанием на то, что действие произошло в прошлом: *Я купил эту книгу на выставке (т. е. когда был на выставке)*. Эта временная форма характерна для повествования, когда события излагаются последовательно.

Запомните обстоятельства времени, часто употребляющиеся с Past Simple.

yesterday ['jestədɪ]	вчера
yesterday morning (afternoon, evening)	вчера утром (днем, вечером)
the day before yesterday	позавчера
last night [last 'naɪt]	вчера вечером, этой (прошлой) ночью
last week	на прошлой неделе
last month	в прошлом месяце

last year	в прошлом году
last Thursday	в прошлый четверг
last February	в феврале прошлого года (*в феврале этого года, если разговор происходит после февраля*)
last time	в прошлый раз
the other day	на днях (*о прошлом*)
in 1993	в 1993 году
ago [ə'gəu]	(тому) назад

five minutes ago	пять минут назад
a week ago	неделю (месяц, год) на-
a month ago	зад
a year ago	

long ago (a long time ago)	давно
not long ago	недавно

1.2. По способу образования прошедшего времени группы **Simple** (второй формы глагола) и причастия II (третьей формы глагола) все английские глаголы делятся на две большие группы: с т а н д а р т н ы е глаголы, образующие эти формы по определенным правилам, и н е с т а н д а р т н ы е, образующие эти формы различными способами*.

1.3. <u>Past Simple глагола **be**</u>.

Глагол **be** образует свои формы в прошедшем времени группы **Simple** наиболее нестандартным образом. В отличие от всех прочих глаголов, он имеет в Past Simple две формы: **was** [wɔz, wəz] для единственного числа и **were** [wə:, wə] для множественного:

a) *Утвердительная форма* (**was/were** *безударны*)

---

* Первой формой глагола является инфинитив.

Урок-комплекс 8

1. I **was** at home yesterday evening.
2. Ben **was** here five minutes ago.
3. She **was** away on holiday last month.
4. The decision **was** very important.
5. **There was** a nice programme last night.
6. We **were** wrong, I'm afraid.
7. You **were** right, I think.
8. They **were** all tired.
9. **There were** a lot of people at the exhibition last Saturday.

б) *Отрицательная форма* (**wasn't/weren't** *имеют ударе-*
ние)

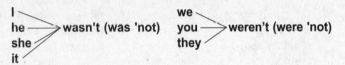

1. I w**asn't** at work last Monday.
2. Mr Davies **wasn't** in this morning.
3. They **weren't** in town last weekend.
4. There **wasn't** any interesting news in yesterday's papers.

в) *Общий вопрос* (**was/were** *имеют ударение*)

1. "**Was** it interesting?" "Oh yes, it **was**."
2. "**Were** you in town last week?" "No, I **wasn't**."
3. "**Were there** any faxes from London yesterday?"
   "Yes, **there** **were** some.

г) *Специальный вопрос*

1. Why **was** she late?
2. Where **were** you yesterday evening?
3. How many people **were** there at the party?
4. Why **wasn't** he in time?
5. Why **weren't** they pleased?

д) *Общий вопрос со сказуемым в отрицательной форме*

1. Wasn't it correct?	*Разве* это было неправиль-но?
2. Weren't there any questions?	*Неужели* не было никаких вопросов?

УПРАЖНЕНИЯ

Прочитайте рассказ вслух, предварительно выучив новые слова. Обратите особое внимание на формы глагола *be*.

LONG, LONG AGO...

(Some Photos from the Family Album)

It was a long time ago. Tim was young and handsome then, and his wife Betty was beautiful, **though** she wasn't very slim. It was summer, and the **weather** was so lovely! They were on holiday in Spain. It was such a nice time! It wasn't very hot, but the **water** in the sea was warm enough to swim. Their little **seaside** hotel was quite pleasant, and it wasn't very expensive. There was a good restaurant there, and the meals were cheap. Tim and Betty were happy, because they were **in love** with each other.

Tim: Where were we in that picture, dear? Was it our holiday in Spain?

Betty: Yes, it was. And wasn't it a lovely time! Do you remember?

T. I was twenty-seven then, wasn't I?

B. Yes, you were. And I was eighteen.

T. Mmm... You're wrong, dear, I'm afraid. You were twenty-one already.

B. What!? Twenty-one? I was just eighteen, I say!

T. Yes, yes, dear, I'm sorry, of course you were eighteen. You simply weren't slim enough for a girl of eighteen, were you?

B. What!? I wasn't slim enough? I was! I was beautiful and slim!

T. Yes, dear! Of course you were. This is just a very old photo. And we were so young and happy, weren't we?

B. Oh, yes, we were. And weren't we lucky to marry each other?

T. Of course, dear! You're the best wife in the **world**! And you're always right. Let's go and have lunch.

Women are always right, aren't they?

Урок-комплекс 8

though [ðəu]   хотя

weather ['weðə(r)]   погода

water ['wɔːtə(r)]   вода

    hot water, cold water

seaside   взморье

    at the seaside (= by the sea)   на море *(где?)*

    to the seaside (= to the sea)   на море *(куда?)*

    We often go to the seaside for our holidays.

    We like to spend our holidays at the seaside.

to be in love (with)   быть влюбленным (в)

world   мир *(т.е. наша планета)*

world economy [ɪ'kɔnəmɪ]   мировая экономика

    in the world   в мире

    on the world market   на мировом рынке

2

Измените высказывания, как показано в образце.

Дано: I'm at home **now**. (two hours ago).
Требуется: I was at home two hours ago.

1. There's a very nice show on the telly **this evening.** (last night)
2. We're all very busy **today.** (the day before yesterday)
3. The traffic is very heavy **in the afternoon.** (yesterday afternoon)
4. They're away on holiday **till next month.** (last month)
5. The weather's fine **today.** (last week)
6. There are a lot of people in the museum **today.** (last Sunday)

3

Сделайте высказывания отрицательными.

1. They were in time, as usual.
2. The answer was correct.
3. There were a lot of people in the hotel lobby.
4. I was hungry before the lunch break.
5. Their Russian translation was very good.

6. The discussion was very long.
7. His questions were very simple.
8. The station was a long way from our house.

4 ✎

Выберите правильную форму.

WAS или WERE?

A. Where _____ you yesterday evening? You _____ (not) at home, _____ you?
B. I _____ at the cinema.
A. Oh, _____ you? What _____ on?
B. "A Lucky Husband".
A. _____ it interesting?
B. Oh, no! It _____ (not) interesting at all. It _____ very boring!

5 ✎

Переведите на английский язык.

1. — Ты был в отъезде (away) на прошлой неделе? — Нет, я был болен. — Да? А как ты сейчас? — Спасибо, хорошо.
2. — Фильм был интересный? — Нет, он был слишком длинный и скучный.
3. — Он был не совсем прав. — Да нет же, он был совершенно прав. — Ты уверен? — Да, я вполне уверен.

ГРАММАТИКА
(продолжение)

1.4. **Past Simple** стандартных глаголов.

Стандартные глаголы на письме образуют форму **Past Simple** *(вторую форму глагола)* прибавлением к основе окончания **-ed** (или **-d**, если основа оканчивается на букву **e**), которое произносится [d] после звонких звуков, [t] после глухих и [ɪd] после звуков [t] и [d].

[d]	[t]
play — **played** [pleɪd]	help — **helped** [helpt]
live — **lived** [lɪvd]	ask — **asked** [ɑːskt]
open — **opened** ['əupnd]	cross — **crossed** [krɔst]
fill — **filled** [fɪld]	work — **worked** [wəːkt]
remember — **remembered**	watch — **watched** [wɔtʃt]
[rɪ'membəd]	

Урок-комплекс 8

[ɪd]

test — **tested** ['testɪd]
mend — **mended** ['mendɪd]
wait — **waited** ['weɪtɪd]
rent — **rented** ['rentɪd]
correct — **corrected** [kə'rektɪd]
want — **wanted** ['wɒntɪd]

Запомните следующие правила орфографии:

1. Односложные глаголы с кратким гласным звуком, который передаётся на письме одной буквой, в форме **Past Simple** удваивают конечную согласную букву: **stop — stopped** [stɒpt]. Глагол **travel** также удваивает конечную согласную: **travelled** ['trævld]. Если краткий гласный звук передаётся д в у м я буквами, конечная согласная буква не удваивается: **look — looked** [lukt].

2. Глаголы, оканчивающиеся на букву **-y** с предшествующей с о г л а с н о й буквой, меняют **-y** на **-i**: **study — studied** ['stʌdɪd], **try — tried** [traɪd].

3. Глаголы, оканчивающиеся на букву **-y** с предшествующей г л а с н о й буквой, образуют форму **Past Simple** по общему правилу: **play — played** [pleɪd], **stay — stayed** [steɪd]. Исключение: **pay — paid** [peɪd].

УПРАЖНЕНИЯ

1

Прочитайте вслух, подражая образцу, и переведите.

[d]

1. I lived in a small town fifteen years ago.
2. Mr Brown phoned you ten minutes ago.
3. They showed us a lot of interesting things at the exhibition.
4. Miss Flynn prepared all the documents carefully and filed them last Friday.
5. I listened to the radio till about half past three yesterday.
6. The doctor examined him very carefully last time.

[t]

1. She typed some letters and helped a colleague with a difficult translation.
2. I stopped work at four yesterday, and fetched my daughter home from school.

Урок-комплекс 8

3. My sister worked hard at her English when she was at college.
4. I watched television till twelve the day before yesterday.
5. We liked all the singers.
6. They asked me a lot of questions.

[ɪd]

1. I repeated my questions several times.
2. We translated the text into English at the last lesson.
3. They visited several factories in Moscow last month.
4. We tested the machine and repeated the test several times.
5. John wanted to talk to you about it.
6. We were all very tired, and decided to take a break.

2

Произнесите форму Past Simple следующих стандартных глаголов.

1. type, help, finish, tape, smoke, fetch, look, park, cook, ask, discuss, talk, wash, watch, walk, cross, work, like, thank, miss, dance
2. file, listen, open, close, phone, settle, explain, use, fill, film, prepare, show, remember, answer, love, ski (ski'd), try, play, study, copy, turn, call, settle, excuse, earn, solve, live
3. mend, test, visit, repeat, translate, skate, wait, want, post, dictate, start, decide, correct

3

Напишите следующие стандартные глаголы в форме Past Simple и прочитайте их вслух.

1. stay, play, study, copy, try, marry
2. stop, lag, drop, sip, clap, travel

4

Измените высказывания, как показано в образце.

Дано: He works at a technical college. (five years ago)
Требуется: He worked at a technical college five years ago.

1. We test the new machines at the factory. (last week)
2. He finishes work very late. (the day before yesterday)
3. She listens to her teacher carefully. (at yesterday's lesson)
4. I answer a lot of letters. (on Monday)
5. He walks to the office. (yesterday morning)

Урок-комплекс 8

6. We discuss a lot of problems. (last week)
7. They want to go to the theatre. (last Saturday)

5

Переведите на английский язык.

1. — Я хотел задать вам несколько вопросов вчера, но вас не было на месте. — Очень жаль. Мне тоже хотелось с вами поговорить.
2. Вчера была хорошая погода. Утром мы два часа (for two hours) катались на лыжах, а днем мы все играли в хоккей.
3. Мы очень внимательно изучили все эти документы на прошлой неделе. Потом мы ответили на письмо г-на Смита и постарались объяснить ему наши новые идеи. Мы также ответили на все вопросы о его следующем визите в Москву в ноябре.
4. Мы обсудили все эти вопросы в прошлый раз.
5. Мне очень понравилось вчерашнее шоу.
6. Они давно решили все свои проблемы.

ГРАММАТИКА
(продолжение)

1.5. **Past Simple** нестандартных глаголов.

Нестандартные глаголы образуют форму **Past Simple** *(вторую форму)* и **Participle II** *(третью форму)* различными способами, которые видны из следующего списка:

Основные формы нестандартных глаголов

Infinitive	Past Simple	Participle II
be	was/were	been
see	saw [sɔ:]	seen
come	came	come [kʌm]
do	did	done [dʌn]
go	went	gone
bring	brought [brɔ:t]	brought
buy	bought [bɔ:t]	bought
think	thought [θɔ:t]	thought
catch	caught [kɔ:t]	caught
teach	taught [tɔ:t]	taught

begin	began [bɪ'gæn]	begun [bɪ'gʌn]
sing	sang	sung [sʌŋ]
swim	swam [swæm]	swum [swʌm]
run	ran	run
drive	drove [drəuv]	driven ['drɪvn]
eat	ate [eɪt, et]	eaten ['i:tn]
fall	fell	fallen
forget	forgot	forgotten [fə'gɔtn]
give	gave	given ['gɪvn]
know	knew	known [nəun]
speak	spoke	spoken
take	took	taken
write	wrote	written ['rɪtn]
find	found	found
get	got	got
have	had	had
hear	heard [hə:d]	heard
hold	held	held
learn	learnt [lə:nt]	learnt
make	made	made
mean	ment [ment]	meant
meet	met	met
pay	paid	paid
read	read [red]	read [red]
say	said [sed]	said
sit	sat	sat
sell	sold [səuld]	sold
tell	told [təuld]	told
feel	felt	felt
keep	kept	kept
sleep	slept	slept
leave	left	left
lend	lent	lent
send	sent	sent
spend	spent	spent
spell	spelt	spelt
stand	stood [stud]	stood
understand	understood [ˌʌnder'stud]	understood
let	let	let
put	put	put

Послушайте и посмотрите:

1. Last year we **went** to Italy for our holiday.
2. We **met** at exactly ten and **began** the discussion at once.
3. Mrs Flynn **sent** them a fax the day before yesterday.

Урок-комплекс 8

1.6. В утвердительном предложении в **Past Simple** глагол **have** имеет во всех своих значениях о д н у форму — **had** для всех лиц.

1. I **had** a lot of friends at college.
2. John **had** a busy day yesterday.
3. They **had** a holiday last month.
4. We **had** very good seats at the theatre.

1.7. Вопросительные и отрицательные предложения в **Past Simple** как со стандартными, так и с нестандартными глаголами образуются при помощи вспомогательного глагола **do** в прошедшем времени — **did** для всех лиц. Основной глагол стоит в форме *инфинитива.*

1. "**Did** you **go** to the exhibition last Saturday?"
   "No, I **didn't**. I went to see a friend."
2. "**Did** he **see** you about it yesterday?"
   "Yes, he **did**."
3. "Why **didn't** you **come** to the country with us?"
   "I **didn't** feel well."
4. "When **did** she **call**?"
   "An hour ago."
5. "You **didn't talk** to Mr Brown this morning, **did** you?"
   "Yes, I **did**."

1.8. Вопросительные и отрицательные предложения с глаголом **have** в **Past Simple** образуются по тому же принципу:

1. "**Did** you **have** a car at that time?" "No, I **didn't**."
2. "**Did** they **have** an exam last Friday?" "Yes, they **did**."
3. When **did** you **have** your holiday last year?
4. We **didn't have** enough time to prepare all the documents.
5. You **had** a lot of work to do last week, **didn't** you?

1.9. В прошедшем времени группы **Simple** часто употребляется наречие **last** — *последний раз* (антоним — **first** — *впервые, в первый раз*), который обычно стоит в предложении перед основным глаголом. В специальных вопросах **last** может стоять и в конце предложения:

1. I **last** went to the theatre two weeks ago.	Последний раз я был в театре (ходил в театр) две недели тому назад.
2. I **first** went to the theatre when I was five years old.	Я первый раз пошел в театр, когда мне было пять лет.

3. I **last** had a letter from him a week ago.	Последний раз я получил от него письмо неделю тому назад.
4. When did you **last** go on holiday? (= When did you go on holiday **last**?)	Когда вы последний раз были в отпуске?

УПРАЖНЕНИЯ

1

Прочитайте текст вслух, обращая внимание на глаголы в Past Simple. Задайте друг другу вопросы по тексту.

A Leap-Year Birthday Party

My friend **was born** on the 29th of February. So he has a birthday every **leap year, that is,** every four years. It was the 29th of February last week, and he gave a big party. A lot of people came to **wish** him many happy returns of the day.

The party began early. The guests sat down at the table at exactly six, and **as** we **drank his health** we sang "Happy birthday to you!"

It was a very nice party. We had a lot of **delicious** food and wine, and we danced and sang, and even played games. I didn't stay late. I left the place at eleven, got home at twelve, and went to bed at once.

I slept very well. The next morning I **rang** him up and said: "I had such a lovely time at your place last night. Thank you ever so much! What a pity you can't have a birthday party every year!" "I don't want to get old so quickly!" he answered.

'leap year	високосный год
was born	родился
that is	то есть
wish	желать, пожелать
as	*зд.* в то время как ...
drink (drank, drunk)	пить
drink a person's health	пить за здоровье кого-л.
delicious [dɪ'lɪʃəs]	очень вкусный

Урок-комплекс 8

ring (rang, rung)

1. звонить

2. звонить по телефону

Syn. phone, call

2 ⊙⊙

Прочитайте рассказ, обращая особое внимание на формы глаголов в Past Simple, затем расскажите о каком-либо неудачном дне в вашей жизни.

A Bad Day

I **woke up** very late yesterday. I only got up at a quarter to eight, and I didn't have enough time to do my **morning exercises** or take **a shower**. I washed my hands and face and **dressed** quickly. I had a light meal and gave my son some money for his school lunch. "Can I have some money for an ice-cream, too, Daddy?" he asked. "Don't ask silly questions!" I said **angrily**. "Why did I say that?" I thought at once. As I drove to the office, **I went through a red light**, and a policeman stopped me and **fined** me. I was five minutes late for work and met my boss at the door. He saw me, but didn't talk to me. I didn't have much work to do, but I felt very tired in the afternoon. When I got home, I spoke angrily to my wife and son. I had **supper**, watched a football match on the telly and went to bed.

---

wake up (woke, woken)	просыпаться; будить
exercise ['eksəsaɪz]	упражнение
morning exercises	утренняя зарядка
shower ['ʃauə(r)]	душ
take/have a shower	принять душ
dress (глаг.)	одеваться
Syn. **get dressed**	
angry	сердитый
be angry (with)	сердиться, рассердиться на кого-л.
Why are you angry with me?	
angrily	сердито
go through a red light	проехать на красный свет
fine (глаг.)	штрафовать
supper	ужин

Урок-комплекс 8

3

Измените высказывание, как показано в образце.

Дано: It takes me about an hour to get to college. (yesterday)
Требуется: It took me about an hour to get to college yesterday.

1. I go to work on the ten bus. (yesterday morning)
2. We send them our catalogues by airmail. (two days ago)
3. We often see each other in the lab. (last month)
4. It takes me twenty minutes to do my morning exercises. (yesterday)
5. I hear the news on the radio. (this morning)
6. He feels bad, I'm afraid. (last week)
7. I wake up very early. (yesterday)
8. We've got a lot of work. (last month)
9. What time do you have lunch? (yesterday)
10. She's got a very old typewriter. (last year)
11. We haven't got enough time to discuss all the problems. (last time)

Прочитайте рассказ, перепишите его в прошедшем времени, опустив слова, которые не подходят по смыслу, и перескажите его.

A Weekday

I usually wake up at seven and always get up at once. I begin my day with my morning exercises. It takes me half an hour to do them. Then I take a shower and **shave**, dress and **do my hair**. After that I have breakfast. Then I take my dog out for a short time. I leave the house at nine o'clock and walk to the underground station. It takes me twenty minutes to get to the office by underground. Work begins at half past nine. I look through the morning mail and answer the letters and faxes. Then I discuss **various** problems with my colleagues.

Our lunch break's at one, and we all go to the canteen. I have a light lunch, so it doesn't take long, and I usually have enough time to have a smoke and talk to my friends **before** work begins again. A lot of people ring me in the afternoon, and my secretary often asks me to answer the calls. That keeps me busy till half past four, when I have a tea break. After that I usually **hold** a short **meeting** with my colleagues, and we discuss our plans for the next day. I finish work at six, and sometimes a friend drives me to the park, where we have a game of tennis. I'm quite good at tennis, so I teach him to play. We go home together because we live near each other. That is my usual weekday.

---

shave	бриться
do my hair	причесываться
before (*союз*)	прежде чем; перед тем, как
various ['vɛərɪəs]	различный, разнообразный (*может быть только определением*)

I've got various notes and telephone numbers in this notebook.

Syn. **different** ['dɪfrənt]	**1.** разный, различный
Those are two different problems.	Это две разные проблемы.
at different times	в разное время
in different places	в разных местах
	2. иной, другой, отличающийся

That's a different question.

She's quite a different person now.

Внимание: предлог!

Their plan's different **from** yours.	Их план отличается от вашего.

---

meeting ['miːtɪŋ]	собрание, совещание
hold a meeting	проводить совещание, собрание

5 ✎

Сделайте высказывания отрицательными.

1. We understood the film.
2. They wrote an answer at once.
3. We spoke about these problems at the meeting.
4. I slept very well last night.
5. You told us about the meeting yesterday afternoon.
6. It took me a long time to get there.
7. They lived a long way from here.
8. She had a lot of work to do the day before yesterday.

9. I had an exam last week.
10. We always had discussions after the lectures.
11. Jack had some problems with his car.

Образуйте присоединенные вопросы на основании следующих утверждений.

1. He spoke about it last time, ... ?
2. They wrote to you last week, ... ?
3. He didn't go through a red light, ... ?
4. You had a good holiday at the seaside, ... ?
5. They had a good time at the party, ... ?
6. We had a talk about it last week, ... ?
7. They didn't have many questions to ask you, ... ?

7

Какие вопросы нужно было задать, чтобы получить эти ответы?

a. 1. **Yes**, I forgot to call them yesterday.
   2. **No**, we didn't miss the ten o'clock train.
   3. **Yes**, they bought various catalogues.
   4. **No,** I didn't have a car five years ago.
   5. **Yes**, I had a lot of friends at school.
   6. **Yes**, he had a lot of work to do last week.
b. 1. He last went to London **in February**.
   2. The students understood the English film **very well**.
   3. It took them **three days** to finish the job.
   4. I stayed **in the Centre Hotel** when I was in London.
   5. She saw me about it **last Wednesday**.
   6. We lived **in Canada** ten years ago.
   7. It took me **an hour and a half** to get there.
   8. They began the discussion **at exactly ten**.
   9. I bought this book **in the bookshop in Green Street**.
   10. We last had a meeting **a week ago**.

8

Ответьте на вопросы о себе. Расскажите друг о друге на основании полученных ответов.

a. 1. When were you born? Where were you born?
   2. Where did you live when you were a child?
   3. Where do you live now?

Урок-комплекс 8

b. 1. When did you go to school?
   2. Did you like it at school?
   3. Did you have many friends there?
   4. When did you leave school?
   5. How old were you when you left school?

c. 1. When did you go to college?
   2. What college was it?
   3. When did you go to work?
   4. What's your job now? Are you happy with it?

d. 1. Did you go out last weekend, or did you stay at home?
   2. What did you do?
   3. What time did you go to bed?

e. 1. When did you last go to the theatre?
   2. What did you see?
   3. How did you like it?
   4. Did you have good seats?

f. 1. When did you last have a holiday?
   2. Where did you go?
   3. Did you have a good holiday?
   4. What did you do **during** your holiday?
   5. How did you like your holiday?

---

during [ˈdjuərɪŋ]   во время, в течение (*предлог времени*) (*в ответ на
вопрос «когда?»*)

I read a lot of books during the holidays (= in the holidays).

9

Переведите на английский язык.

1. — Когда вы обычно уходите в отпуск? — Я всегда отды-
хаю летом, потому что я преподаватель. Преподаватели
всегда уходят в отпуск летом.

2. — Когда вы отдыхали в прошлом году? — В январе.
— Что вы делали во время отпуска? — Я ходил на лыжах и катался на коньках. Вечером я иногда ходил в
кино, а иногда смотрел телевизор.

3. — У вас есть машина? — Да, у меня хорошая машина. Я
ею очень доволен. — Когда вы ее купили? — Два года
тому назад. — А как вы ездили на работу, когда у вас не
было машины? Вы ведь живете за городом, не правда
ли? — Я ездил поездом и на метро. У меня уходило на
это очень много времени.

4. — Где вы живете? — В центре города. — Это далеко отсюда? — Нет, это совсем близко. Я хожу в институт пешком в любую (in any) погоду, но вчера я поехал домой на автобусе, потому что у меня было мало времени.

5. В прошлое воскресенье была хорошая погода. Я встал в семь часов, сделал зарядку, позавтракал и пошел погулять. Когда я пришел домой, было два часа. Обед был на столе. Мы с женой пообедали и посмотрели телевизор. Передача (программа) была очень интересной. Нам она очень понравилась. Вечером мы пошли в кино и посмотрели новый фильм. Мы легли спать в одиннадцать часов.

6. Когда вы обычно приходите домой? Когда вы пришли домой вчера?

7. Что вы обычно делаете по вечерам? Что вы делали вчера вечером?

8. Какие передачи вы обычно смотрите по телевизору? Какую передачу вы смотрели позавчера?

9. Как часто вы ходите в театр? Когда вы последний раз были в театре?

10. Когда вы последний раз были в кино?

ГРАММАТИКА

2. Модальный глагол **can** в прошедшем времени группы **Simple.** 🔘🔘

Модальный глагол **can** в **Past Simple** имеет форму **could** [kud].

2.1. В у т в е р д и т е л ь н о м предложении **could** употребляется главным образом в значении *уметь*:

1. The children **could** swim because they lived by the sea.	Дети умели плавать, потому что они жили у моря.
2. When I was young, I **could** play hockey.	В молодости я умел играть в хоккей.
3. Her son **could** already read when he was four.	Ее сын уже умел читать, когда ему было четыре года.

ПРИМЕЧАНИЕ.

В значении *мочь, иметь возможность* **could** употребляется в утвердительном предложении реже, так как не показывает, действительно ли было совершено действие, о котором идет речь, или нет. Ясно только, что была возможность его совершить.

When I was on holiday, I **could** play tennis nearly every day.	Когда я был в отпуске, я мог (имел возможность) почти каждый день играть в теннис.

В тех случаях, когда хотят подчеркнуть, что возможность удалось реализовать, действие **смогли** выполнить, по-русски говорят *смог, сумел,* а в английском языке используют оборот **be able** *быть в состоянии,* плюс инфинитив смыслового глагола с частицей **to**.

1. I **was able** to answer all their questions.	Я смог ответить на все их вопросы.
2. I'm so glad you **were able** to come.	Я так рад, что вы смогли прийти.

2.2. В отрицательных предложениях и общих вопросах **could** употребляется без ограничений, как в значении *уметь,* так и в значении *мочь:*

1. When John first came to Russia three years ago, he **couldn't** speak Russian at all.	Когда Джон впервые приехал в Россию три года тому назад, он совершенно не умел говорить по-русски.
2. We **couldn't** settle all the problems last time.	Мы не смогли урегулировать все проблемы в прошлый раз.
3. I'm sorry, I **couldn't** get through to him.	Извините, но я не мог к нему дозвониться.
4. Could he answer all your questions?	Он смог ответить на все ваши вопросы?
5. Couldn't you take a taxi?	Разве вы не могли взять такси?

2.3. **Could**, как и **can,** часто сочетается с глаголами восприятия. В таких сочетаниях **can** и **could** на русский язык не переводятся:

1. Can you hear me well?	Ты меня хорошо слышишь?
2. We had bad seats, so we **couldn't** see well.	У нас были плохие места, поэтому нам было плохо видно.

Урок-комплекс 8

УПРАЖНЕНИЯ

1 ⊙⊙

Прочитайте вслух и переведите.

1. My daughter could play the piano when she was only six.
2. Old Tim could dance very well when he was young.
3. I couldn't go to the theatre yesterday.
4. I didn't ring you, because I couldn't remember your telephone number.
5. We could see the game quite well from our seats.
6. Couldn't you hear me when I phoned you?
7. We couldn't speak English at all last year.
8. He didn't speak clearly, so a lot of people couldn't understand him.
9. They asked me the way in English, and I was able to show it to them.
10. The boy couldn't tell us the way, because he didn't understand English.
11. I was glad I was able to finish my homework before the movie began.
12. I was so sorry I couldn't finish my homework before the movie began.
13. I could hear you very clearly, but you couldn't hear me.
14. Could you watch the game on the telly yesterday?

2 ⊙⊙

Прочитайте вслух текст, обращая внимание на употребление глагола *can* и оборота *be able*. Задайте вопросы друг другу по содержанию эпизода и инсценируйте его в классе.

Anne Parker, a young British **scientist**, is on a visit to Moscow to **attend** a **conference**. Peter Smirnov, her Russian **counterpart**, was able to get some tickets for the Maly Theatre for Saturday, and he wanted to take his British colleague, but he **fell ill** at the last moment and couldn't go. So Anne went without him. When she was back at her hotel after the theatre, she rang Peter.

Anne: Hello! Is that you, Peter? This is Anne.
Peter: Hello, Anne! How did you like the **play**?
A. Oh, it was excellent. But how are you?
P. Well, the doctor doesn't let me go out yet, but I'm quite all right. Now tell me about the play.

Урок-комплекс 8

A. Oh, it was **marvellous**. I'm so sorry you weren't able to go with me.

P. Yes, it ⌐was a ⌐pity. But tell me, were the seats good?

A. Yes, I could see and hear very well. And I could understand the actors quite well, they spoke very clearly.

P. Oh, your Russian's excellent!

A. No, Peter, not yet. I can say quite a lot of things now, but I can't always understand people.

P. Last year you could only say some very simple words in Russian. Don't you remember?

A. Of course, I do! I couldn't understand people at all. Well, now it's ⌐my turn to get tickets for the theatre. What about next Saturday?

P. Fine. Thanks a lot!

A. Not at all.

---

scientist ['saɪəntɪst]	ученый (*в области естественных и точных наук*)
attend [ə'tend]	присутствовать на
conference ['kɔnfrəns]	конференция
go **to** a conference	
be **at** a conference	
counterpart ['kauntəpɑ:t]	коллега, представитель другой организации
fall ill (fell, fallen)	заболеть
Syn. **get ill**	
play пьеса	
marvellous ['mɑ:vələs]	чудесный, прекрасный, удивительный

3. Вопросы типа: **Do ↗you? Did ↗you? Have ↗you?** — *А вы? А ты?* [◉◉]

Прочитайте вслух, подражая образцу, и переведите. Обратите внимание на разницу в интонации между вопросами типа *А вы?* и т.п. и кратким переспросом *Да? Разве?*

1

A. I had a lot of work to do last week. Did ↗you?(= And ↗you?)

B. No, I wasn't very busy.

A. ♪Weren't you?
B. No, I wasn't.

2

A. We always go out on Sundays. Do ♪you?
B. No, we don't,
A. Oh, ♪don't you? ♪Why not?
B. My husband likes to spend the weekends at home.

3

A. Have you got any holiday plans?
B. Not yet. Have ♪you?
A. Yes, I have. I want to go to the seaside.
B. Oh, ♪do you?

ГРАММАТИКА

4. <u>Вопросы о подлежащем и определении подлежащего.</u> 🔘

4.1. Вопрос о подлежащем начинается со слов **who** [hu:] — *кто*, **what** — *что*, **which** — *который*:

1. Who's got an answer?	У кого есть ответ?
2. Who lives in that house?	Кто живет в этом доме?
3. Which is your car?	Которая (какая) машина ваша?
4. Which is their son?	Который их сын?
5. What's on at the cinema?	Что идет в кинотеатре?

4.2. Русскому вопросу *кто из (что из)* соответствует английский **which of.**

1. Which of them can speak English?	Кто из них умеет говорить по-английски?
2. Which of you knows his new address?	Кто из вас знает его новый адрес?
3. Which of these books is interesting?	Какая из этих книг интересная?

Урок-комплекс 8

4. Which of these cassettes is his? Какая из этих кассет его?

После слов **who** и **what** предлог **of** не употребляется.

4.3. Основная особенность вопроса о подлежащем заключается в том, что вопросительное слово в нем само становится подлежащим, и поэтому порядок слов вопроса не отличается от порядка слов повествовательного предложения.

Эта особенность наиболее наглядно видна, когда сказуемое стоит в **Present** или **Past Simple**. Поскольку вопросительное слово само становится подлежащим, за ним следует основной глагол, а вспомогательный глагол **do (did)** не употребляется:

Ted	often **goes** abroad on business.
Who	often **goes** abroad on business?
He	**went** to Canada last month.
Who	**went** to Canada last month?

1. Who told you that? Кто вам это сказал?

2. What comes first, the film or the lecture? Что идет сначала — фильм или лекция?

3. What went wrong with the engine? Что случилось с двигателем?

4. What helped you to finish the job so soon? Что помогло вам так быстро закончить эту работу?

4.4. На вопрос о подлежащем чаще всего дается краткий ответ. Обратите внимание на интонацию*.

1. "Who knows that man?" "ꜜI do."

2. "Which of you's ready?" "ꜜI am."

3. Who can come and help me with this job tomorrow?" "ꜜWe can."

---

* Вспомогательный или модальный глагол произносится без ударения, но в полной форме, так как является последним словом в предложении.

Урок-комплекс 8

ПРИМЕЧАНИЕ.

Существительное необязательно подкрепляется в ответе модальным или вспомогательным глаголом.

1. "Which of you has a computer at home?" — "Miss Lloyd (has)."

2. "Who works in this room?" — "Our assistants (do)."

УПРАЖНЕНИЯ

1 ⊙⊙

Прочитайте вслух и переведите вопросы к подлежащему.

a. 1. "Who wants to go to the cinema with us?" "ᴝI do."
   2. "Who left the keys on my desk yesterday?" "ᴝI did."
   3. "Who teaches you English?" "Miss Parker."
   4. "Who else needs that dictionary?" "Nick does."
   5. "Who called me yesterday afternoon?" "Mrs Lloyd and Mr Clark."

b. 1. "Which of you listened to the breakfast news this morning?" "ᴝI did."
   2. "Which of you watched yesterday's hockey match?" "We ᴝall did."

c. 1. "What's the news?" "No news."
   2. "Who's away today?" "Jim and Sally."
   3. "Who isn't busy now?" "ᴝI'm not."

d. 1. "Who can't translate it?" "ᴝI can't, I'm afraid."
   2. "Which of you can stay till eight?" "ᴝWe can."

e. 1. "Who's got English classes today?" "ᴝWe have."
   2. "Who had problems with this translation?" "ᴝI did."

2

Ответьте на вопросы о себе. Расскажите друг о друге на основании полученных ответов.

1. Which of you likes classical music?
2. And who likes pop music or jazz?
3. Which of you's got musical instruments at home?
4. Which of you plays the piano or the violin?
5. Who can sing?
6. Which of you can dance well?
7. Which of you likes animals?
8. Who's got a pet at home?
9. Which of you is a good athlete?

Урок-комплекс 8

10. Who can play tennis (table tennis, volleyball, football, hockey)?
11. Who can swim well?
12. Which of you can drive?
13. Who's got a car?
14. Which of your family can drive, too?

ГРАММАТИКА
(продолжение)

4.5. Вопрос об определении подлежащего начинается с вопросительных слов и словосочетаний **what, what kind (of), which, how many, how much** и строится так же, как и вопрос к подлежащему.

The 24 bus	**goes** to the city centre.
Which bus	**goes** to the city centre?

A lot of time	usually **goes** on explanations.
How much time	usually **goes** on explanations?

ПРИМЕЧАНИЕ.

Как вам известно, с этих же вопросительных слов начинаются вопросы к словам, не входящим в группу подлежащего.

Сравните:

дополнение   подлежащее

How many [people] **did** [you] ask to the party?

подлежащее

How many [people] came?

4.6. Вопросительное слово **whose** [hu:z] — *чей* начинает вопрос о принадлежности.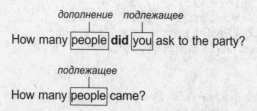

1. Whose money's this?

Чьи это деньги?

2. Whose children left their toys here yesterday?

Чьи дети забыли (оставили) здесь вчера свои игрушки?

Поскольку ответы на специальные вопросы в разговорной речи по преимуществу краткие, в ответе на

Урок-комплекс 8

вопрос о принадлежности часто используется существительное в притяжательной форме (**Ben's, my
wife's**) или так называемая абсолютная форма притяжательных местоимений.

Притяжательные местоимения

Относительная форма (употр. с существительным)		Абсолютная форма (употр. без существительного)	
my	our	mine	ours
your	your	yours	yours
his	their	his	theirs
her		hers	
its		its	

1. **"Whose** keys are these?" "Mine."
2. **"Whose** turn is it?" "That lady's."
3. **"Whose** secretary speaks "Mr Bennett's."
   three foreign languages?"

УПРАЖНЕНИЯ

1

Прочитайте вслух и переведите.

1. "What kind of things do they sell in that shop?"
   "All kinds of things for babies."
2. "What kind of people attended the conference?"
   "Economists and businessmen."
3. "How many people spoke at the conference?"
   "Fifteen."
4. "How many students want to learn French?"
   "Seven."
5. "Whose children can play the piano?"
   "Mine."
6. "Whose friend works at that hospital?"
   "Ben's."

2

**Какие вопросы нужно было задать, чтобы получить эти от-
веты?**

1. **Five** students need rooms in the hostel.
2. They need **five** rooms.
3. You can ask **the airhostess** about it.

Урок-комплекс 8

4. **Ben** asked the airhostess about it.
5. Jack needs **file 17-B**.
6. **Jack** needs that file.
7. There were **twenty** people in the room.
8. Only **twenty** people worked for our company three years ago.
9. **Jim's** parents live in that town.
10. I know **Jim's** parents.
11. **Nelly's** house is near here.
12. Her house is **near here**.

5. Местоимение **other** [ˈʌðə (r)] — *другой, другие.* 👓

5.1. **The other** + существительное **в ед.ч.** означает *другой (из двух)*:

1. The museum's at **the other end** of the road.	Музей находится на другом конце улицы.
2. We've got two nurses. Jane's busy now, but **the other girl** can help you.	У нас две медсестры. Джейн сейчас занята, но другая девушка может вам помочь.

The other + существительное **во мн.ч.** означает *все другие, остальные*:

1. They kept all **the other copies** last time.	В прошлый раз они оставили у себя все остальные экземпляры.
2. Miss Ellis came at eight. **The other secretaries** came at nine.	Мисс Элис пришла в восемь. Остальные секретари пришли в девять.

ПРИМЕЧАНИЕ.

В этом значении перед **other** может также употребляться притяжательное местоимение.

Did you like **his other** pictures?	Вам понравились его другие (остальные) картины?

5.2. **Another** + исчисл. существительное **в ед.ч.** означает *другой (из многих предметов или лиц), иной, какой-нибудь еще*. В этом значении местоимение **other** на письме сливается с неопределенным артиклем **an**.

1. Let's go to **another restaurant**.	Давайте пойдем в другой ресторан.

— 454 —

2. That's quite **another problem.** (= That's quite a different problem.)

Это совсем другая проблема.

3. Let's leave it till **another** time (= till **some other** time).

Давайте оставим это до другого раза.

5.3. Подобно русскому слову *другой* **the other** и **another** могут употребляться без последующего существительного, если ясно, о чем идет речь.

1. There were two important letters in yesterday's mail. One was from Germany, **the other** was from France.

Во вчерашней почте было два важных письма. Одно из Германии, другое из Франции.

2. "I don't like this book."

Мне не нравится эта книга.

"Take **another**."

Возьми (какую-нибудь) другую.

В этом употреблении слово **other** имеет форму множественного числа — **others** *другие, остальные.*

1. Only John's away. **The others** are here. (The other students ...)

Отсутствует только Джон. Остальные здесь.

2. I don't like these tapes. Have you got **any others**? (...any other tapes?)

Мне не нравятся эти записи. У тебя есть какие-нибудь другие?

3. Where are all **the others?** (... all the other people?)

Где все остальные?

5.4. Слова **other** и **another** могут соответствовать русскому слову *еще.*

1. What **other** films did you see at the festival?

Какие еще фильмы вы посмотрели на фестивале?

(*Ср.* What else did you see?)

(*Ср.* Что еще вы посмотрели?)

2. Have you got **any other** ideas?

У вас есть еще какие-нибудь (какие-нибудь другие) соображения?

3. Any other questions?

Еще (какие-нибудь) вопросы?

Урок-комплекс 8

4. Have **another** cup of coffee.   Возьмите еще чашечку кофе.

5. I waited **another** week.   Я прождал еще неделю.

6. I've got **another** three books to read.   У меня есть еще три книги для чтения.

ПРИМЕЧАНИЕ.

Местоимения **each other** и **one another** являются синонимами и означают *друг друга, друг другу* и т.п.

We often write to **each other**.   Мы часто пишем друг другу.

They always wait for **one another** after classes.   Они всегда ждут друг друга после занятий.

УПРАЖНЕНИЯ

1

Прочитайте вслух и переведите.

1. other shops, other people, other countries, other languages, other events, other interesting things
2. some other problems, some other questions, some other examples
3. another visit, another question, another cup of coffee, another year, another month
4. Have another cup of tea!
5. Let's stay another week, shall we?
6. Could you come some other time, please?
7. I didn't have any other questions to ask him.
8. They visited France, Germany and some other countries.
9. There was no other way to solve the problem.
10. What other models did they show at the exhibition?
11. What other things do they sell there?
12. It's time to begin. Where are all the others?

2

Прочитайте рассказ вслух и перескажите его.

A Joke

This **happened** at a lesson in a village school. All the children were from farmers' families. The teacher was very young. "Now let me explain a new **grammar rule**," she said to her class.

"A **noun**," she went on, "is the name of a thing, a person or an animal. Do you understand?"

"Yes, Miss!" all the children answered.

"Then which of you can give me an example of a noun?"

"I can!" a little girl said.

"Well, what's your example?"

"**Cow!**" the little girl answered.

"Good!" the teacher said. "And can you give another example?"

"Of course," was the answer. "Another cow."

---

joke	шутка, анекдот
happen	случаться, происходить
grammar ['græmə(r)]	грамматика; грамматический
'grammar rule	грамматическое правило
noun	существительное
cow [kau]	корова

3

Заполните пропуски словами *other, another, the other, the others, each other*.

1. The Smiths have two children. One is already at college, and _____ still goes to school.
2. I want to read some _____ books by that writer.
3. Couldn't you find _____ way to solve that problem?
4. What _____ pictures did you like?
5. Do you have any _____ questions to ask me?
6. I don't like it here! Let's find _____ place to have a snack.
7. Only Alice was late. All _____ were in time.
8. We had two important messages in yesterday's mail. One was from London, and _____ was from Rome.
9. Let's discuss it some _____ time, shall we?
10. We try to speak English to _____ _____.
11. We liked it there very much and decided to stay _____ week.

Урок-комплекс 9

1. Настоящее время группы **Continuous (Present Continuous).**

Настоящее время группы **Continuous** употребляется, когда речь идет о неоконченном процессе, продолжающемся в данный момент. Продолжительность действия значения не имеет.

1.1. **Present Continuous** образуется из настоящего времени вспомогательного глагола **be** и причастия I смыслового глагола. Причастие I образуется из основы глагола + окончание -**ing** [ɪŋ] (так называемая **ing**-форма): **go — going, show — showing, look — looking, watch — watching.***

1. The telephone **is ringing**.	Звонит телефон.
2. You**'re listening** to the morning news.	Вы слушаете утренний выпуск новостей.
3. "Where's Bob?"	Где Боб?
"He**'s having** lunch."	Он обедает.
4. Who**'s calling,** please?	Кто говорит? (Кто звонит?)
5. "What **are** you **doing**?"	Чем занимаешься? (Что ты делаешь?)
"I**'m watching** the telly. Are you?"	Смотрю телевизор. А ты?

---

* Одно из значений **ing**-формы соответствует русским причастиям: *танцующий, работающий, смеющийся, улыбающийся* и т.п.

1.2. **Present Continuous** употребляется независимо от того, протекает ли процесс непрерывно или прерываясь.

1. I'm reading an interesting book.	Я читаю интересную книгу (*не окончил читать, нахожусь в процессе чтения, хотя в данный момент, возможно, занят другим делом*).
2. They're learning English.	Они учат английский.

Сравните: Present Continuous — Present Simple

1. "I can't undestand them. What language **are** they **speaking**?"	Я их не понимаю. На каком языке они говорят?
"Scottish."	На шотландском.
2. "What languages **do** you **speak**?"	На каких языках вы говорите? (Какими языками вы владеете?)
"French and German."	На французском и немецком.

ПРИМЕЧАНИЕ.

Глаголы, выражающие состояние, чувство или восприятие, но не действие или процесс, в форме **Continuous** не употребляются. В их числе такие глаголы, как **be** — *быть*, **have (got)** — *владеть, иметь*, **see**, **hear, know, understand, remember, like** и другие.

1.3. При образовании **ing**-формы соблюдаются следующие правила орфографии и произношения:

1. Конечная «немая» буква **e** опускается: **give** — **giving, come** — **coming, dance** — **dancing, continue** — **continuing.**

Это правило не относится к глаголам, оканчивающимся на ч и т а е м у ю букву **e** или **ee: be** — **being** ['bi:ɪŋ], **see** — **seeing** ['si:ɪŋ)].

2. У *односложных* глаголов с кратким гласным звуком типа **sit, swim**, **stop** и т.п. конечная согласная буква удваивается:

sit — **sitting, swim** — **swimming, stop** — **stopping.**

Запомните *двусложные* глаголы, у которых удваивается конечная согласная буква:

begin — **beginning, travel** — **travelling.**

Урок-комплекс 9

3. Конечная буква **y** сохраняется независимо от того, какая буква стоит перед ней:

try — **trying, say** — **saying, study** — **studying**.

У глаголов, оканчивающихся на звук [ɪ], в **ing**-форме отчетливо произносится д в а [ɪ]:

studying ['stʌdɪɪŋ], **copying** ['kɔpɪɪŋ].

4. У глаголов, оканчивающихся на буквы **ie**, при образовании **ing**-формы буквы **ie** меняются на букву **y** и добавляется -**ing**:

die (*умирать*) — **dying, lie** (*лежать*) — **lying**

УПРАЖНЕНИЯ

Прочитайте текст вслух и перескажите его. Задайте друг другу вопросы по тексту.

It's half past eleven in the morning. Mrs Fielding's working in the **kitchen**. She's making dinner for her family. She always makes dinner at that time.

Her husband's at work, but he isn't working just now. He's having coffee during the coffee break. He always has a coffee break at half past eleven.

Their son Robert's at a class in his college. Is he thinking of his work? Of course not! He's looking at a new student next to him. He doesn't know her yet, but he sees she's got a lovely face and beautiful blue eyes!

It's nine on Saturday evening, and Robert's in a **disco** with his new friend, the girl with the beautiful eyes. The room's full of people. Some are dancing, others are just standing there and watching. A girl's talking to the **disc jockey**. Two young men are drinking beer. They're all having a nice time.

---

kitchen ['kɪtʃɪn]	кухня
disco ['dɪskəu]	дискотека
disc jockey ['dɪsk dʒɔkɪ]	диск-жокей

2

Напишите ing-форму от следующих глаголов и прочитайте вслух.

1. meet, mend, test, fetch, listen, show, explain, do, ask, answer, read, tell, work
2. write, translate, drive, give, smoke, take, make, have, prepare, dance
3. stop, put, sit, get, swim, begin, travel
4. study, copy, play, say, stay, pay, try
5. lie, die

3

Прочитайте вслух и переведите, обращая внимание на употребление времён.

1. Listen! The teacher**'s explaining** a very difficult thing.
   She always **explains** difficult things carefully.
2. My best friend lives a long way from me, so I can't visit him very often, but we usually **call** each other twice a week.
   "Hello! I can't hear you. Who**'s calling?**"
3. John **speaks** three foreign languages.
   Just now he**'s speaking** French on the telephone.
4. I always **drive** my wife to work.
   The road's bad today, so **I'm driving** very carefully.

4

Инсценируйте диалоги.

1

On the Telephone

A. Hello, 241 03 36.
Y. Good morning. Can I speak to Mr Brown, please?
A. Who's calling, please?
Y. This is Mr Young, from Fielding and Co.
A. Just a minute, Mr Young ... Yes, I'm **putting** you **through**.

---

put through   соединить (*по телефону*)

Урок-комплекс 9

2

A. Excuse me, can you help me with a translation?

B. Well, no, not just now, I'm afraid. I'm preparing a very important document. Please come this afternoon, about three or so, if that isn't too late, but give me a ring first.

A. Oh, yes, that's quite convenient for me. Thanks a lot.

3

S. Hello!

P. Hello. Is that Mrs Simons?

S. Quite right! What can I do for you?

P. Good morning, Mr Simons. Petrov from Moscow speaking. I've got some questions to ask you about our **contract**. Can I see you about it today?

S. Yes, certainly! What time?

P. Any time you say.

S. What about three this afternoon?

P. Fine!

S. I can send the car to your hotel at two thirty to bring you here. Is that all right?

P. Oh, that's very kind of you. Thanks a lot.

S. Not at all. Till this afternoon, then.

---

contract ['kɔntrækt]   контракт

5

Переведите на английский язык, обращая внимание на употребление Present Continuous и Present Simple.

1. Он всегда очень осторожно водит машину.
2. Почему ты так неосторожно ведешь машину?
3. — Джейн на месте? — Нет, она обедает.
4. Мы обычно обедаем в половине второго.
5. Я всегда слушаю утренние новости за завтраком.
6. Девять часов. Вы слушаете утренние новости.
7. — Вы изучаете японский? — Да. — Какими еще языками вы владеете? (На каких еще языках вы говорите?) — Французским и испанским.
8. Включите телевизор. Выступает (говорит) президент (the President).

— 462 —

Урок-комплекс 9

9. — Чем вы сейчас заняты, мисс Эллис?
— Я пишу ответ на вчерашнее письмо из Германии.
— Ясно. А чем занят Джек?
— Он просматривает утреннюю корреспонденцию.
— Хорошо. А что делает г-н Адамс?
— Он разговаривает по другому (another) телефону.

ГРАММАТИКА

2. Вопросы о предложном дополнении (*о ком? о чём? с кем? для чего?* и т.п.).

Английские вопросы о предложном дополнении, в отличие от большинства аналогичных русских вопросов, начинаются не с предлога, а с вопросительного слова. Предлог остаётся на том же месте, что и в утвердительном предложении, и произносится в полной форме.

Сравните:

1. You can **talk to** the secretary about it.
Who can I ⤵**talk to** about it?

2. I'm **waiting for** Dr. Clark.
Who **are** you ⤵**waiting for**?

1. Where are you ⤵**from**? — Откуда вы?

2. Where do you ⤵**come from**? — Откуда вы родом?

3. Which hotel does he usually ⤵**stay at**? — В какой гостинице он обычно останавливается?

4. What are you ⤵**talking about**? — О чём вы говорите?

5. What are you ⤵**looking for***? — Что ты ищешь?

6. What's this ⤵**thing for**? — Для чего эта вещь?

---

* **look for** — искать.

Урок-комплекс 9

ПРИМЕЧАНИЕ.

В сокращенных вопросах предлог произносится с ударением.

'What ⌐for?   Зачем?   'Who ⌐with?   С кем?

'What a⌐bout? О чем?   'Where ⌐from? Откуда?

УПРАЖНЕНИЯ

1

Прочитайте вслух, подражая образцу, и переведите.

1. Who can I ⌐talk to?
   Who can I ⌐talk to about it?
   Who ⌐else can I talk to about it?
2. What shall we look at ⌐now?
   What ⌐else shall we took at?
3. Who did you go to the ⌐theatre with?
4. Who's she ⌐talking to?
5. What are they ⌐talking about?
6. Who are you ⌐waiting for?
7. What are they ⌐looking for?
8. What do you ⌐need that for?
9. Where does he ⌐come from?
10. Where are you ⌐from?
11. Which school did you ⌐go to?

2

Какие вопросы нужно было задать, чтобы получить эти ответы?

1. You can talk about it to **the chief engineer**.
2. His new book's about **children**.
3. This book's by **an American writer**.
4. This tetter's for **you**.
5. I'm looking for **my telephone book**.
6. They're waiting for **John**.
7. Bob's listening to the **new tapes**.
8. They're talking about **our plan**.

9. He's married to **my cousin**.
10. I'm from **Russia**.
11. We discussed it with **Mr Smith**.

3

Переведите на английский язык.

1. — Для кого эта корреспонденция? — Для г-на Адамса.
2. — С кем я могу об этом поговорить? — С секретарем.
3. — С кем еще вы можете это обсудить? — С нашими деловыми партнерами.
4. — Что ты ищешь? — Свои ключи от машины (car keys).
5. — Простите, кого вы ждете? — Главного инженера.
6. — О чем они говорят? — К сожалению, я не понимаю.
7. — Что мне еще посмотреть (look at) здесь? — Те модели, вон там.
8. — Какую фонозапись ты слушаешь? — Двадцатую.
9. — Откуда он? — Из Соединенных Штатов.

ГРАММАТИКА

3. Простая форма герундия (**travelling, making** и т.п.). 👓

3.1. Герундий — очень употребительная форма английского глагола, не имеющая постоянного соответствия в русском языке.

Герундий — это название действия, в котором сочетаются свойства как глагола, так и существительного.

По форме герундий совпадает с причастием I (**ing**-форма): **see — seeing, decide — deciding** и т.п., но его значение и функции совершенно иные*.

Значение герундия приблизительно соответствует значению русских отглагольных существительных типа *изучение, рисование, коллекционирование*, однако в русском языке количество отглагольных существительных ограничено (*петь — пение*, но *покупать — делать покупки*), в то время как в английском языке герундий можно образовать практически от любого глагола. Поэтому герундий переводится на русский язык различными способами:

---

* Правила орфографии см. на с. 459, 460.

Урок-комплекс 9

1. Travelling by sea is very pleasant, but it takes a long time.

Путешествовать морем очень приятно, но это занимает много времени. (*Путешествие* морем...)

2. After **leaving** school I went to college.

После *окончания* школы я поступил в институт. (*Окончив* школу,...)

3. Bob's thinking of **starting** a small business.

Боб думает о том, чтобы *создать* малое предприятие. (Боб думает о *создании*...)

Как видно из примеров, в предложении герундий занимает то же место, что и существительное. Так, подобно существительному, герундий может стоять после предлога, поэтому в английском языке с помощью герундия после предлога можно назвать д е й с т в и е, чего нельзя сделать в русском языке.

1. I'm not thinking **of buying** a new car yet.

Я пока не думаю покупать новую машину.

2. He couldn't write a sentence **without making** a mistake.

Он не мог написать ни одного предложения без того, чтобы не сделать ошибку.

ПРИМЕЧАНИЕ.

Герундий часто используется в коротких объявлениях, запрещающих какое-либо *действие*:

No smoking! Не курить!

No parking! Стоянка запрещена!

No fishing! Ловить рыбу запрещается!

3.2. Глагольные свойства герундия заключаются в том, что он может иметь прямое дополнение и обстоятельство, выраженное наречием:

прям. доп.　обстоят. (нареч.)

I like **doing** my job carefully.

3.3. Запомните глаголы, после которых употребляется т о л ь к о г е р у н д и й, а не инфинитив:

finish	заканчивать, закончить
keep (keep on)	продолжать, не прекращать
go on	продолжать
give up	перестать, бросить, отказаться от...
enjoy [ɪn'dʒɔɪ]	получать удовольствие от...

1. He **finished speaking** and sat down.

Он закончил выступление и сел на место.

2. You **keep making** the same mistake.

Вы продолжаете делать одну и ту же ошибку.

3. The telephone **kept ringing**.

Телефон звонил, не переставая.

4. Shall I **go on reading**?

Продолжать читать?

5. He **went on working**. (= He went on with his work.)

Он продолжал работать.

6. It's a pity you can't **give up smoking**.

Жаль, что вы не можете бросить курить.

7. I always **enjoy listening** to him.

Я всегда с удовольствием его слушаю.

Keep going! Don't stop!

3.4. После глаголов **love, like, begin** и **start** может употребляться как герундий, так и инфинитив с частицей **to**, примерно с одинаковым значением:

1. Lucy **loves meeting** new people. = Lucy **loves to meet** new people.

Урок-комплекс 9

2. I don't **like driving** in the rush hour. = I don't **like to drive** in the rush hour.

3. Do you **like travelling**? = Do you **like to travel**?

4. She **started teaching** English when she was twenty-two. = She **started to teach** English when she was twenty-two.

5. The girl **began singing**. = The girl **began to sing**.

3.5. После глагола **stop** употребление герундия или инфинитива меняет смысл высказывания:

They stopped talking.	Они прекратили разговаривать.
They stopped to talk.	Они остановились, чтобы поговорить.

УПРАЖНЕНИЯ

1 ⊚⊚

Прочитайте вслух примеры из правила.

2 ⊚⊚

Прочитайте вслух и переведите.

1. Learning foreign languages is a very interesting thing.
2. We're thinking of buying a summer cottage.
3. What about spending a week out of town?
4. "What about going out tonight?" "Not a bad idea."
5. "Could you ring me before leaving the house?" "Certainly."
6. The policeman fined him for driving without lights.
7. We finished discussing our contract very late.
8. "Sorry to keep you waiting." "That's all right."
9. It isn't difficult to give up smoking. I did it several times.
10. It's a pity I couldn't see Ann. I always enjoy talking to her.
11. I always enjoy meeting new people.
12. Who enjoys going to the dentist?!
13. I love travelling. Do ↗you?
14. "I don't like working in the evenings." "I don't, either."
15. "When did you begin learning English?" "Let me see ... about four months ago."
16. Please stop talking, and let's begin our lesson.

Урок-комплекс 9

Прочитайте тексты вслух, обращая внимание на употребление герундия, и обсудите их.

1

Douglas and Lucy

Douglas ['dʌɡləs] was a student only three years ago. He studied languages at London **University** and he was the best student in his year. He didn't think of teaching as a profession at that time, but after **graduating** he couldn't find a good job for quite a long time. So he tried teaching.

Now he's a teacher and he finds his work very interesting. He is young and full of **energy** and he knows his **subject** very well. The students simply love him.

When Douglas gets home, he tells his wife Lucy all about the students. She likes it, but sometimes she thinks that Douglas speaks a little too much about his work.

Lucy likes going to parties, but Douglas doesn't. Lucy enjoys talking to other people, having a good meal, listening to music and dancing. But Douglas thinks it's all boring. He says women talk too much, and he can't enjoy listening to music when other people are eating and talking. He only likes visiting his friends. They are teachers, too, and when they meet, they always talk about teaching problems.

Some time ago Lucy enjoyed these discussions and even **took part** in them. Now she thinks there are other interesting things in life, not only teaching. Is she right?

What about you? Do you like talking about your job?

What do you think of a teacher's work?

Do you think it's interesting? Is it difficult to be a good teacher?

---

university [ˌjuːnɪˈvɜːsɪtɪ]	университет
graduate [ˈɡrædʒueɪt]	окончить высшее учебное заведение
He graduated **from** Moscow University five years ago.	Он окончил Московский университет пять лет тому назад.

Урок-комплекс 9

energy ['enədʒɪ]	энергия
subject ['sʌbdʒɪkt]	1. тема, вопрос
on the subject	по этому вопросу

What else can you say on the subject?

2. учебный предмет, дисциплина

Which subject do you like best?

take part — принимать участие

2

For many people the weekend is the best time of the week. You can do a lot of things at the weekend, useful and pleasant at the same time.

Some people like to go to the theatre or the cinema at the weekend, others like visiting their friends or giving parties, because they can sleep late on Sunday and have a good **rest**.

I like spending the weekend out of town. When you go to the country, you can forget all your problems and just enjoy taking long walks, lying in the sun and swimming in the summer, or skiing in the **winter**.

Of course it's very convenient to go to the country by car, but if you haven't got a car, you can travel by train and stay out of town till evening.

My friend Jack has got a car and he often takes my wife and me out to the country in his car. We all enjoy it very much.

Occasionally he tries to teach me to drive, but I'm not very good at driving, I'm afraid, and I'm not thinking of buying a car yet.

Jack doesn't often drink at parties. "If you drive, don't drink, and if you drink, don't drive," he says.

---

rest *(сущ.)* — отдых, состояние покоя

Сравните: rest — holiday

Let's have a rest if you're tired.	Давайте отдохнем, если вы устали.
I want to take a holiday in July.	Я хочу отдохнуть (взять отпуск) в июле.

---

winter — зима

Урок-комплекс 9

4

Прочитайте рассказ вслух и перескажите его.

A Joke

Billy was in the third form at school. He didn't like going to school, because he was lazy. He liked playing football and going to the cinema or watching the telly. One day he rang up the school secretary and said: "Please **let** Billy Fennell's teacher **know** that Billy can't go to school today. I think it's flu. He's got a headache and a high **temperature**." "Oh, has he?" said the secretary. "And who's that calling, please?" "My father," answered Billy.

---

let ... know	дать (кому-л.) знать
temperature ['temprətʃə(r)]	температура

5

Переведите на английский язык.

1. После окончания школы я поступил в университет. Пять лет спустя (later) я окончил университет и начал преподавать английский.
2. Вы не могли бы перестать курить?
3. Я совсем не знаю этого места. Давай остановимся спросить дорогу.
4. Билл — очень слабый студент. Он не может написать ни слова без того, чтобы не сделать ошибку. Я каждый раз (each time) исправляю его, но он продолжает делать те же самые ошибки.
5. Мы закончили обсуждать контракт очень поздно, поэтому я не смог вам позвонить.
6. — Вы можете покурить. — Нет, спасибо. Я бросил курить месяц назад. — Да? Я тоже не курю.
7. — Я всегда получаю большое удовольствие, слушая старый джаз. А вы? — Да, я тоже.
8. Когда я вошел, они продолжали разговаривать.

4. Запомните сочетания **go + ing**-форма:

go skating	(ходить) кататься на коньках
go skiing	(ходить) кататься на лыжах

Урок-комплекс 9

go swimming   (ходить) плавать

   1. Last winter we went skiing nearly every weekend.

   2. Let's go skating tomorrow, shall we?

   3. I didn't go swimming this morning, because the water was too cold.

go shopping   ходить по магазинам, ходить за покупками

   Syn. **do the shopping**

   We went shopping after lunch.

   I do all my shopping on the way home.

   Who does the shopping in your family?

go sightseeing ['saɪtsiːɪŋ]   осматривать достопримечательности

   Syn. **see the sights** [saɪts]

   see places of interest

   We want to go sightseeing this afternoon. Come with us.

УПРАЖНЕНИЯ

Ответьте на вопросы о себе. Расскажите друг о друге на основании полученных ответов.

a. 1. Do you like travelling?

   2. When did you travel last?

   3. Did you travel on business or for pleasure?

   4. Did you go sightseeing?

   5. What places of interest did you see?

   6. Is it interesting to go sightseeing with a **guide**? Why? (Why not?)

b. 1. Do you enjoy skiing?

   2. How often do you go skiing?

   3. Where do you go skiing?

   4. Who do you go skiing with? Do you like to go skiing alone?

   5. Can you swim?

   6. Do you only go swimming in the summer, or do you go to a **swimming pool** in the autumn and winter, too?

c. 1. Which of your family does the shopping?

   2. When do you usually go shopping, on weekdays or on Saturdays?

   3. Do you make a shopping list before you go to the shops?

   4. Do your children like to go shopping with you?

   5. Do you take your dog with you when you go shopping?

d. 1. How do you spend your free time?
  2. Do you like to stay at home and watch television?
  3. Do you enjoy meeting people or do you like being alone?
  4. Do you like reading?
  5. If you start a book, do you always finish reading it, or do you stop at once if it isn't interesting?

---

guide [gaɪd]	**1.** гид, экскурсовод
	2. путеводитель (*сокр. от* **guide book**)
swimming pool [pu:l]	плавательный бассейн

Переведите на английский.

1. Я люблю путешествовать. Когда я в прошлом году ездил в Италию, я ходил осматривать достопримечательности почти каждый день и привез домой массу интересных фотографий. Фотография — мое хобби.

2. Мы с друзьями любим проводить выходные за городом. Зимой мы ездим кататься на лыжах, а летом плаваем и много гуляем.

3. — Где Джейн? — Она ушла за покупками 5 минут назад.

4. — Билли дома? — Нет, он пошел кататься на коньках час назад. — В такую плохую погоду? — Да, он ходит кататься на коньках и на лыжах в любую (any) погоду.

5. <u>Место слова **both** [bəuθ] — *оба, обе* в предложении.</u>

5.1. <u>Употребление **both** с существительными.</u>

1. Both teams are doing very well.	Обе команды выступают очень хорошо.
2. Both my sisters live in Italy. (= My sisters **both** live in Italy.)	Обе мои сестры живут в Италии.
3. He attended **both** conferences.	Он присутствовал на обеих конференциях.
4. We couldn't discuss **both** problems at the same time, could we?	Мы ведь не могли обсуждать обе проблемы одновременно.
5. I need **both** catalogues.	Мне нужны оба каталога.

Урок-комплекс 9

ПРИМЕЧАНИЯ.

1) После **both** может стоять предлог **of**. В этом случае существительное употребляется либо с определенным артиклем, либо с притяжательным или указательным местоимением:

both teams = **both of** the teams

both my sisters = **both of my** sisters

both conferences = **both of these** conferences

2) Подобно русскому *оба (обе)* слово **both** может употребляться самостоятельно, если ясно, о чем идет речь.

1. "Which picture do you want to buy?" **"Both."**
2. "Which bag's yours?" **"Both. (Both** are mine.)"
3. I liked **both**. (I liked **both** films.)
4. Let me have **both**.
5. Take them **both**.

5.2. Употребление **both** с местоимениями*.

we both = both of us

you both = both of you

they both = both of them

1. **We both** love travelling. = **Both of us** love travelling.
2. **They both** speak Russian. = **Both of them** speak Russian.
3. **You both** work for the same company, don't you?

Внимание! Порядок слов в предложениях с глаголами *be, have* **и модальными глаголами:**

1. **We**'re **both** watching the telly.
2. **They** were **both** born in France.
3. **We** can **both** stay and help you.
4. **They** could **both** speak excellent Russian.
5. **You**'ve **both** got good ideas.

---

*	Употребление **both** с местоимениями сходно с употреблением **all**. См. с. 424.

Урок-комплекс 9

5.3. В соответствующих отрицательных высказываниях может употребляться слово **neither** ['naɪðə(r), 'niːðə(r)] — *ни один (из двух)*.

1. Neither question is very important.

Ни один из вопросов большого значения не имеет.

2. Neither of them knew the way.

Ни тот ни другой не знал дороги.

3. "Is she British or American?"

Она англичанка или американка?

"**Neither**. She's from Canada."

Ни то ни другое. Она из Канады.

Как видно из примеров **1** и **2**, сказуемое предложения стоит в утвердительной форме, так как слово **neither** само является отрицанием.

5.4. Если слово **neither** не является подлежащим, оно может быть заменено словом **either** ['aɪðə(r), iːðə(r)] + сказуемое в отрицательной форме.

I need **neither** of these catalogues. = I **don't** need **either** of these catalogues.

УПРАЖНЕНИЯ

1

Повторите, употребляя подсказанные слова.

1. They're both **busy**.
   • ready • here • happy • right • wrong • at work •
2. We were both **away**.
   • on holiday • away on holiday • out of town • here • there •
3. They're both **working**.
   • waiting • having lunch • having a tea break •
4. We can both **speak German**.
   • understand you • answer your question • play the guitar •
   • come and help you • look at those papers carefully •
5. Could you both **come again**?
   • talk to her • see him about it • visit her in hospital • help me to prepare those documents •
6. We both **knew that**.
   • forgot it • understood him • liked his idea • enjoyed the party • enjoyed sightseeing • enjoyed talking to him •

Урок-комплекс 9

7. Neither of us **remembered him**.
• knew that • understood it • could translate it • took part in
it •

2

Употребите слово *both* в каждом предложении, прочитайте
вслух и переведите.

a. 1. My assistants are having lunch at the moment.
2. His children go to school.
3. Miss Ellis answered their faxes yesterday.
4. We enjoyed our stay there.
5. They love sightseeing.
6. You went skiing yesterday, didn't you?
7. We leave the house at half past eight.
b. 1. We were away last week.
2. You can speak English, can't you?
3. They were here five minutes ago.
4. You are doing very well.
5. They could play tennis very well when they were young.
6. We are speaking about the same thing!
7. They were born in Scotland.

3 ✎

Переведите на английский язык.

1. Они оба ушли в отпуск в сентябре.

2. Я спросил их обоих, но никто из них (ни тот ни другой)
не мог вспомнить ее фамилию.

3. Вы оба можете приехать на следующей неделе, если это
вам удобно.

4. — Где вы были в воскресенье утром? Я не мог вам дозвониться. — Мы оба ездили кататься на лыжах.

5. Я задал ему оба вопроса. Он не смог ответить ни на
один.

6. — Какая команда вам понравилась? — Обе. Они обе
выступают очень хорошо.

6. Сочетания both... and..., either... or..., neither... nor.

6.1. **Both... and...** — *и... и..., как... так и...* ⊙⊙

1. Both Mary **and** Ted   И Мери и Тед, как обыч-
were late, as usual.   но, опоздали.

2. I like **both** skiing **and** skating.

Я люблю и ходить на лыжах и кататься на коньках.

3. Our company does business **both** at home **and** abroad.

Наша компания ведет дела как внутри страны, так и за рубежом.

4. Learning foreign languages is **both** useful **and** interesting.

Изучать иностранные языки и полезно и интересно.

6.2. **Either ... or ...** — *или... или... (либо... либо...).*

1. Let them come **either** on Monday afternoon **or** on Tuesday morning.

Пусть они приедут или в понедельник во второй половине дня, или во вторник утром.

2. Either call them **or** send them a fax.

Либо позвоните им, либо пошлите им факс.

3. You can go there **either** by plane **or** by train.

Вы можете поехать туда либо самолетом, либо поездом.

4. I can wait for you **either** at the bus stop **or** outside the cinema.

Я могу подождать тебя либо на автобусной остановке, либо перед кинотеатром.

6.3. **Neither ... nor ...** — *ни... ни..., не... не...*

1. Neither my wife **nor** I enjoyed the play.

Ни моей жене, ни мне пьеса не понравилась.

2. Neither the BBC **nor** ITV is (are) showing any sport today.

Ни Би-би-си, ни Ай-ти-ви не показывают сегодня спортивных программ.

3. Alex **neither** drinks **nor** smokes.

Алекс не пьет и не курит.

4. I can **neither** sing **nor** play the piano.

Я не умею ни петь, ни играть на рояле.

Урок-комплекс 9

УПРАЖНЕНИЯ

Прочитайте вслух примеры из правила.

Употребите *both* в каждом предложении, прочитайте вслух и переведите.

1. We liked the music and the singers.
2. He's a good student and an excellent athlete.
3. The play was boring and very long.
4. I need an English-Russian and a Russian-English dictionary.
5. We need doctors and trained nurses.
6. Ted and Jerry were away on holiday.
7. I can swim and play tennis.
8. You can come on Wednesday and Friday.
9. I talked to Mary and Anne yesterday.

Соедините два высказывания в одно, как показано в образце.

Дано: He couldn't swim. And he couldn't play tennis either.
Требуется: **а)** He could neither swim nor play tennis.
              б) He couldn't either swim or play tennis.

1. They didn't speak English. And they didn't speak French.
2. Mike can't come on Wednesday. And he can't come on Thursday either.
3. They don't sell telephones in that shop. And they don't sell fax machines either.

Инсценируйте диалог.

A. I can't find Nick either at the office or at home. Where is he?
B. I don't know exactly. He's either away on business or on holiday. Anyway he's out of town.
A. I see.

5 🔘🔘

Прочитайте текст вслух и перескажите его от лица Люси и Дугласа. Расскажите о том, как вы проводите свой отпуск.

Like many other people, Lucy and Douglas take their holidays in the summer. They both like to travel in their car in the holidays. Both Lucy and Douglas are excellent drivers, so they can drive in turn.

They either go far away from London, and see a lot of beautiful places on their way, or go travelling abroad.

Last year they travelled in France. They visited big cities and small towns and did a lot of sightseeing. They stayed either at hotels or at **tourist camps**. It was a wonderful **journey** and they both felt happy. Lucy and Douglas brought a lot of films home. Making films is Lucy's hobby and she's **really** good at it. By the way, Douglas gave her a nice new camera for her birthday right before their holidays. Now they often **invite** their friends to see their films of France.

---

tourist camp	туристический лагерь
journey ['dʒə:nɪ]	путешествие, поездка
go on a journey	отправиться в путешествие

Their journey from Russia to Italy took two days.

Syn. **trip**	поездка (чаще короткая)
a business trip	деловая поездка, командировка

Сравните:

journey, trip	конкретное путешествие, поездка
travelling	путешествие — занятие, вид деятельности

Запомните:

1. Did you have a pleasant journey (trip, flight)?	Вы хорошо доехали (долетели)?
2. Have a pleasant journey (trip, flight)!	Счастливого пути!

Урок-комплекс 9

really [ˈrɪəlɪ]	действительно, на самом деле
What do you really think of it?	Что ты на самом деле об этом думаешь?
I'm really sorry!	Мне действительно очень жаль.
I really enjoyed that.	Мне действительно это понравилось.
"John's back in London."	Джон вернулся в Лондон.
"Oh, really?"	Да? (В самом деле? Правда?)
invite [ɪnˈvaɪt]	приглашать

7. Употребление оборота **there is/there are** с причастиями.

7.1. В предложениях, начинающихся с оборота **there is/there are**, после подлежащего может стоять причастие I (**ing**-форма).

1. There are some people crossing the road over there.	Вот там несколько человек переходят дорогу.
2. There's a woman waiting for a bus at the bus stop.	На остановке женщина ждет автобус.

7.2. Понятие *осталось* может быть выражено при помощи слова **left** — причастия II от глагола **leave** — *оставлять*.

1. There's (there are) five minutes left.	Осталось пять минут.
2. There isn't much time left.	Осталось мало времени.

В специальных вопросах, оканчивающихся на слово **left**, оборот **there is/are** не употребляется.

1. How many copies are left?	Сколько экземпляров осталось?
2. How much money's left?	Сколько осталось денег?
3. What's left?	Что осталось?

УПРАЖНЕНИЯ

Прочитайте тексты, предварительно выучив новые слова. Найдите предложения, начинающиеся с *there is/are*, в которых после подлежащего употреблено причастие I. Перескажите тексты.

You can see a beautiful **square** in the picture. There's a **monument** to a great writer standing in the middle of the square, and there are tall houses on all **sides**. There are a lot of **trees** in **front** of the houses. You can't see many people in the square: there are some children playing **round** the monument, and a woman telling her son about the writer. You can see she knows a lot about him.

Two blocks away there's a busy street with heavy traffic.

There are a lot of people standing on the **pavement**. The light's red, so they're waiting to cross the road. There are a lot of cars and **lorries running** in both **directions**.

There's a policeman standing in the middle of the road. He's **controlling** the traffic. There's another policeman talking to a careless driver at the **corner** of the street.

square [skwɛə(r)]	площадь
in the square	на площади
monument (to) ['mɔnjumənt]	памятник (кому-л.)
side	сторона, бок
on all sides	со всех сторон
at the side	сбоку
on the right-hand side of the page	на правой стороне страницы
tree	дерево

Урок-комплекс 9

front [frʌnt]	перед, передняя часть, фасад
in front of	перед
in front of the houses	перед домами
round	вокруг
two blocks away	в двух кварталах отсюда
pavement ['peɪvmənt]	тротуар
lorry ['lɒrɪ]	грузовик
run (ran, run)	1. бегать (*о человеке*)
	2. ездить (*о машинах*)
direction [dɪ'rekʃ(ə)n]	направление
in this direction	в этом направлении
control [kən'trəul]	управлять; *зд.* регулировать
corner	угол
turn the corner	завернуть за угол

Внимание: предлоги!

at/on the corner	**на** углу
The chemist's at the street corner.	
in the corner	**в** углу
The piano's **in** the corner of the room.	
round the corner	**за** угол, **за** углом
The bus stop's just round the corner.	
the (top) **right-hand** corner	(верхний) **правый** угол
the **left-hand** corner	**левый** угол (страницы)

---

2 ⟦⊙⊙⟧

Инсценируйте диалог.

At the Airport

N. Mrs Fielding, isn't it? My name's Nikitin. I'm from the Volga Company.

F. How do you do, Mr Nikitin.

N. How do you do. Did you have a good flight?

F. It was quite all right, thank you. It was so nice of you to meet me, Mr Nikitin. Can you help me to get a taxi? It's my first visit to Moscow, you know, and I don't know Russian at all.

N. Oh, that's quite all right! There's a car waiting for us. This way, please.

Прочитайте текст вслух и найдите в нем предложения, начинающиеся с *there is/are*. Задайте друг другу вопросы по тексту.

The **researcher's** thinking ... There's a mistake in his paper, but he can't find it. And there isn't much time left! There are a lot of books, a pad, some pens and other things on his desk. There are some **sandwiches** and a cup of coffee in front of him, but he's thinking too hard, and his coffee's already cold...

---

researcher [rɪ'sə:tʃə(r)]   научный работник, исследователь

sandwich ['sænwɪdʒ]   бутерброд с двумя кусками хлеба

think hard   думать напряженно

Заполните пропуски предлогами.

1. There are a lot _____ trees _____ front _____ the house.
2. You can't park the car _____ a street corner.
3. Please put the date _____ the top right-hand corner _____ the page.
4. "Could you show me the way _____ the underground station?" "I'm just going there. Come _____ me." "Oh, thank you. Is it a long walk _____ here?" "No, it's just _____ the corner."
5. Please don't forget to post my letter _____ the way back.
6. There's a beautiful monument standing _____ the middle _____ the square.
7. There aren't many people _____ the square _____ the moment.
8. There's a garage _____ the side _____ the house.
9. "Excuse me, who are you waiting _____?" "Mr Clark. He wanted to talk _____ me."

Урок-комплекс 9

5 🔘🔘

1. Прочитайте текст вслух, предварительно выучив новые слова.

2. Расскажите, что вы узнали о типичном английском доме.

3. Расскажите о своем доме (квартире).

When Alfred and Nancy Ross got married, they lived in a small **top-floor** flat, because they didn't have enough money to buy a house. But like many other people in England, they wanted to buy their **own** house.

They both worked hard to save money for a house, and before Nancy **had** her first baby, they bought a small **two-bedroom house** in the **suburbs** of London. It was nice and comfortable, but the family kept **growing**, and five years later they **moved** to another house **where** they live now.

Their house is typically English. It's neither very large nor very small. There are two **floors** in it, the **ground floor** and the first floor.

On the ground floor there's a **hall**, a **sitting room**, a **dining room** and a kitchen. On the first floor there're four bedrooms and two bathrooms. In front of the house there's a small **garden** where Mrs Ross grows **flowers**. **Gardening** is her hobby and she's very good at it. There's another garden at the back of the house.

At the side of the house there's a garage where the Rosses keep their cars. Both Alfred and Nancy have their own cars, Nancy usually goes shopping in her car.

---

floor	этаж (с внутренней стороны дома)
Syn. **storey**	этаж (чаще с внешней стороны дома)
a two-storey (storied) house	двухэтажный дом
the ground floor	первый этаж
the top floor	верхний этаж
We live on the **second** floor.	Мы живем на **третьем** этаже.

own [əun]	собственный
They live in **their own house**.= They live in **a house of their own**.	
she had her first baby	она родила первого ребенка
bedroom	спальня
dining room	столовая
sitting room	гостиная
living room	общая комната
a hall	прихожая
nursery ['nə:sərɪ]	детская
nursery school	детский сад
suburbs ['sʌbə:bz]	пригород
in the suburbs	в пригороде
outskirts ['autskə:ts]	окраина
on the outskirts	на окраине
grow (grew [gru:], **grown)**	1. расти
	2. выращивать
where *(союз)*	где
move [mu:v]	1. двигаться
	2. переезжать
to move **to** a new place	переехать на новое место
to move **in**	въехать
to move **out**	выехать
garden	сад
gardening	садоводство
flower ['flauə]	цветок

Урок-комплекс 9

8. Краткие утвердительные и отрицательные предложения типа **So do I, Neither do I, Nor do I.** 👓

Послушайте и посмотрите. Прочитайте, подражая образцу:

1. "I like that idea."	Мне нравится эта идея.
"**So do** ↗I."	Мне тоже.
"**So does** ↗he."	Ему тоже.
2. "We enjoyed the play."	Мы получили большое удовольствие от пьесы.
"**So did** ↗I."	Я тоже.
3. "I'm so tired!"	Я так устал!
"**So am** ↗I."	Я тоже.
("**So is** ↗he.")	(И он тоже.)
4. "I **didn't** like the film at all."	Мне совершенно не понравился фильм.
"**Neither did** ↗I."	Мне тоже.
(= "I **didn't** either.")	
5. "I **can't** remember his address."	Не могу вспомнить его адрес!
"**Neither can** ↗I."	Я тоже.
= "**Nor can** ↗I."	
= "I **can't** either."	
"**Neither can** ↘John."	Джон тоже (не может вспомнить).

УПРАЖНЕНИЕ

Составьте аналогичные микродиалоги и разыграйте их. Используйте следующие фразы.

1. I'm always busy on Thursdays.
2. I really enjoyed the party.
3. I didn't like their idea at all.
4. I do all my shopping on the way home.
5. I haven't got a house of my own yet.
6. I'm very hungry.
7. I'm not very hungry.
8. Last winter I went skiing nearly every weekend.
9. I can't remember his surname.
10. I love travelling.
11. I'm not ready to go yet.
12. I didn't understand him.
13. We want to go sightseeing.

Урок-комплекс 10

ГРАММАТИКА

1. <u>Настоящее время группы **Perfect (Present Perfect)**.</u>

1.1. В английском языке существует особая форма настоящего времени, когда говорят о действии, уже совершившемся к моменту разговора, имея в виду его значение для настоящего.

I, you, we, they	have	made, seen, done, been...
he, she, it	has	

Present Perfect образуется из вспомогательного глагола **have** в настоящем времени и третьей формы основного глагола — причастия II. Вспомогательный глагол **have** изменяется по лицам, причастие II является неизменяемой частью глагольной формы.

1. I**'ve made** all my calls. (I **have made** ...)
2. He**'s come**. (He **has come**.)
3. "**Has** she **been** here?" "Yes, she **has.**" ("No, she **hasn't.**")
4. I **haven't read** any of his books.

В русском языке формы, соответствующей **Present Perfect**, нет, так как о совершившемся действии по-русски можно говорить только в *прошедшем* времени:

1. I**'ve brought** you an interesting book.	Я принес вам интересную книгу.
2. He**'s finished** his work.	Он закончил свою работу.
3. Have you **done** your homework?	Вы приготовили домашнее задание?
4. She **hasn't read** the newspaper.	Она не читала газету.

Урок-комплекс 10

Обратите внимание на то, что мысль, заключенную в русском переводе, можно выразить и в настоящем времени при помощи других слов:

Я принес для вас интересную книгу. = Книга для вас здесь.
Он закончил свою работу. = Его работа готова.
Вы приготовили домашнее задание? = Вы знаете урок?
Она не читала газету. = Она не знает новостей.

1.2. Сравнение **Present Perfect** и **Past Simple**.

Present Perfect	Past Simple
Действие уже совершилось. *Важен факт его совершения* к настоящему моменту, а не время (и даже не место).	Действие произошло в прошлом, «ушло в прошлое». Время в прошлом указывается или подразумевается.
1. Ted**'s gone** to Canada. (He's in Canada or on his way there.) Тед уехал в Канаду. (Он в Канаде или на пути туда.)	**1.** "**When did** he go?" "Last week." (He **went** to Canada last week.) Когда он уехал? На прошлой неделе. (Он уехал в Канаду на прошлой неделе.)
2. Have you **come** with your wife? (Is your wife here with you?) Вы приехали с женой?	**2. Last time** he **came** with his wife. В прошлый раз он приехал со своей женой.

В силу своего значения **Present Perfect** не сочетается ни с обстоятельствами времени, относящимися к прошлому (**yesterday, last week, a long time ago** и т.п.), ни с вопросительным словом **when**.

1.3. В значении *съездить, побывать* в **Present Perfect** употребляется глагол **be** с последующим предлогом **to**:

1. I**'ve been** to England twice.	Я был в Англии два раза. (Я дважды ездил в Англию.)
2. Have you **been** to Paris ['pærɪs]?	Вы бывали в Париже?

Сравните: be — go

He**'s been** to London.	Он *бывал* в Лондоне (ездил в Лондон).
He**'s gone** to London.	Он *уехал* в Лондон.

Урок-комплекс 10

УПРАЖНЕНИЯ

1 🔾🔾

Прочитайте вслух и переведите, обращая внимание на употребление времен.

a. 1. I've written an answer to their letter.
   I wrote an answer to their letter yesterday.
2. She's been to France three times.
   She's gone to France for a week.
   She went to France a week ago.
3. We've seen all the exhibits here. Let's go to another room.
   We saw a lot of interesting exhibits last time.
4. Ann and Bob are here. The others have left.
   They left half an hour ago.

b. 1. "I'm looking for Jane. Have you seen her?" "Yes." "When did you see her?" "Before lunch break."
2. "Have they answered our fax?" "Yes, they have. Here's their answer. Have a look."
3. "Have we discussed all the questions?" "No, there are some left."
4. Have you made all your calls? If not, take your time, we can wait.
5. "Have you travelled much?" "Yes, I've been to eleven different countries." "Oh, have you?"

c. 1. "I haven't seen all the models." "Neither have I."
2. "Nancy hasn't come. I think she's ill." "I don't think so. She's late as usual."
3. Excuse me, I haven't asked all my questions.
4. Alex hasn't gone home. He's still in his office.

2 🔾🔾

Прочитайте тексты вслух и переведите их, обращая внимание на употребление Present Perfect.

1

The typist has typed some letters. "I've typed all the letters now, Mr Price," she says to the manager. "What shall I do next?" "Thank you," the manager says. "Let me have them, please. I want to read them again before I **sign** them."

---

sign [saɪn]   подписывать

Урок-комплекс 10

2

The researcher has made a very important test. He hasn't made any mistakes. He's so happy! He can finish writing his paper on the subject now.

3

The policeman has stopped a careless driver. "Your **licence**, please," he says. The driver can't find it! "Have you **lost** your licence?" the policeman wants to know. "No, no! I haven't lost it," the driver tries to explain. "I think I've left it at home." "Are you sure?" the policeman asks.

---

a (driving) licence ['laɪsəns]   водительские права

lose [luːz] **(lost, lost)**   терять, потерять

---

3 ⊙⊙

Прочитайте вслух и инсценируйте следующие диалоги. Объясните употребление времён.

1

A Business Talk

A. You've **received** our answer, haven't you?
N. Yes. We received it last week, and we've studied it very carefully.
A. Well, how do you like our new ideas?
N. They're very interesting, but I've got some questions to ask you.
A. **Go ahead**!

---

receive [rɪ'siːv]   получать (*офиц.*)

Syn. **get**

Go ahead!   Пожалуйста! Начинайте!
(*зд.* Спрашивайте.)

2

A. What a beautiful lamp! I haven't seen it before.
B. I only bought it yesterday. Do you really like it?
A. Oh yes, it's just wonderful. Where did you buy it?
B. In that new department store round the corner. It only opened last week.
A. Did it? I haven't been there yet.
B. I just went to have a look, but when I saw this lamp, I liked it so much that I bought it at once.

3

A. Have you seen the new **ballet** at the Bolshoi yet?
B. No, not yet. Have you?
A. Yes. I went last Sunday.
B. Well, what did you think of it?
A. I liked it so much that I want to go again.
B. Let's go together, then, shall we?
A. Fine. I can **see about** the seats.
B. Oh, that's very kind of you!
A. That's all right!

---

ballet ['bæleɪ]   ' балет

see about...   позаботиться о...

Could you see about the tickets, please?

Раскройте скобки, употребив глагол в нужном времени.

1. "Do you want to go to the exhibition with us?" "No, thank you. I (be) there twice and (see) all the pictures. I first (go) there on the opening day."
2. "What you (look) for?" "My keys. I'm afraid I (lose) them."
3. I (not read) this book. What's it about?
4. "What you (read)?" "A very interesting collection of short stories."
5. "Is Nelly here?" "No, she (go) home. She (leave) ten minutes ago."
6. "Excuse me, who you (wait) for?" "Mr Adams." "He (not come) yet, I'm afraid."

7. We (be) to Germany three times. We last (go) there a year ago.
8. "Have a cigarette?" "No, thank you. I (give up) smoking."
9. I (make) all my calls. We can go.
10. I'm sorry, I (not bring) your book. I (leave) it at home.

5

Переведите на английский язык.

1. — Я звонил Джеку несколько раз, но ни он, ни его жена не отвечали на звонки. — Они уехали в Италию. Разве ты не знаешь? — Нет. Когда они уехали? — На прошлой неделе.

2. — Я принес тебе интересную книгу. — Да? О чем она? — Это сборник коротких рассказов американских писателей. Ты читал его? — Нет. Большое спасибо. Я обожаю короткие рассказы.

3. — Ты смотрела новый фильм? — Какой фильм? — «Стюардесса». Я его уже видел, и он мне так понравился, что я хочу пойти еще раз. Я купил два билета. Пойдем вместе? — Прекрасно. Спасибо тебе большое.

4. — Они ответили на наше письмо? — Да. Мы получили их ответ позавчера. — Дайте мне на него взглянуть. — Вот, пожалуйста.

ГРАММАТИКА
(продолжение)

1.4. Употребление **Present Perfect** с некоторыми наречиями неопределенного времени и частотности.

В силу своего значения настоящее время группы **Perfect** часто сочетается с такими наречиями, как **already** — *уже* в утвердительном предложении и в общем вопросе (с оттенком удивления); **yet** — *еще* в отрицательном предложении, *уже* — в общем вопросе; **just** — *только что*; **ever** ['evə(r)] — *когда-нибудь, когда-либо*; **never** ['nevə(r)] — *никогда**.

---

* Наречие **ever** употребляется главным образом в вопросительных предложениях.
Наречие **never** само является отрицанием, поэтому глагол-сказуемое в предложениях с этим наречием употребляется в утвердительной форме.

Обратите внимание на место этих наречий в предложении:

1. I've **already** talked to my teacher.

Я уже поговорил с моим преподавателем.

2. We haven't thought of it **yet**.

Мы еще об этом не подумали.

3. Have you heard the news **yet**?

Вы уже слышали новости?

4. Have you heard the news **already**?

Как, вы уже слышали новости?

5. He's **just** called me.

Он только что мне позвонил.

6. Have you **ever** been to Spain?

Вы когда-нибудь бывали в Испании?

7. He's **never** been to England. (= He hasn't **ever** been to England.)

Он никогда не был в Англии.

8. She's **never** driven a car before.

Она никогда раньше не водила машину.

ПРИМЕЧАНИЯ.

1) Как и прочие наречия неопределенного времени, **ever** и **never** могут употребляться и с другими временами:

1. Does she **ever** ring you?

Она когда-нибудь звонит вам?

2. Do you **ever** use this dictionary?

Вы когда-нибудь пользуетесь этим словарем?

3. He **never** missed lectures when he went to college.

Он никогда не пропускал лекций, когда учился в институте.

4. I **never** talk to him about it. = I don't **ever** talk to him about it.

Я никогда с ним об этом не говорю.

2) Словосочетание **hardly ever** означает *почти никогда* и употребляется со сказуемым в утвердительной форме:

1. He **hardly ever** makes mistakes.

Он почти никогда не делает ошибок.

2. They **hardly ever** came in time.

Они почти никогда не приходили вовремя.

Урок-комплекс 10
УПРАЖНЕНИЯ

Повторите, употребляя подсказанные слова.

1. I've already **seen it**.
    • written it • prepared it • solved it • thought about it •
    • looked through it • been there • met him • tried that •
    done it • sent it off •
2. We haven't **talked about** it yet.
    • thought of it • heard of it • received it • tested it • paid for
    it • settled it • finished it • called them • found it out • sent
    it off •
3. He's just **called you**.
    • been here • said it • answered it • remembered it •
    • brought it back • given it back • taken it away • put it on
    your desk •
4. Have you ever **thought of it**?
    • heard of it • read it • seen it • discussed it • eaten
    Chinese food • tried that • been there • been to that
    restaurant •
5. I've never been to **Paris**.
    • France • Japan • China • India • Canada • England •

Употребите наречия неопределенного времени *already, just, yet, ever* там, где они подходят по смыслу, прочитайте вслух и переведите.

1. I've received an important fax. Have a look.
2. "Don't forget to call Jack." "I've called him."
3. "Sam hasn't found a new job." "Yes, he has."
4. "Are you hungry?" "No, I've had lunch."
5. Have you been to the United States?
6. "Have they given us an answer?" "Yes, I've received their
    letter. Here it is."
7. "I haven't thought of my holiday plans." "Neither have I."
8. "Could you talk to Mr Bennett again, please?" "I've talked to
    him twice."
9. I'm afraid Ms Ellis can't come to our meeting. She's called.

3

Измените высказывания, как показано в образце.

Дано: I haven't been to Paris.
Требуется: I've never been to Paris.

1. I haven't driven a car before.
2. She hasn't been outside her own country.
3. I haven't heard of it.
4. We haven't been to that restaurant.
5. He hasn't attended our conferences.
6. I haven't asked him about it.

4

Инсценируйте диалоги.

1

A. Have you ever been to Suzdahl, Mr Brown?
B. No, I'm afraid not, but I've heard a lot about it from a friend. He went there on his last trip to Russia.
A. I'm sorry to say I've never been there either. Let's go at the weekend, shall we? I can **arrange** it all very easily.
B. That's very kind of you! Thanks a lot.
A. Not at all.

___

arrange [ə'reɪndʒ]   договориться, устроить,
                                          организовать

Can you arrange **a visit** to the factory for Mr Brown?

2

A. Have you ever been to Japan?
B. Yes, I've been there several times.
A. Really? What about China or India? Have you ever been there?
B. Yes, I've visited both countries.
A. What other countries have you been to?
B. I've travelled a lot. I've been to eleven different countries.

Урок-комплекс 10

A. Oh, have you? And have you ever been to this country before?
B. No, this is my first visit to Russia.

Ответьте на следующие вопросы. Расскажите друг о друге на основании полученных ответов.

a. 1. Have you ever been abroad?
  2. When did you go?
  3. Did you go on business or for pleasure?
  4. How long did you stay there?
  5. How did you like it there?
  6. Did you travel by plane or by train?
  7. Which class did you travel?
b. 1. Which of you has ever been to any English-speaking countries?
  2. When was it?
  3. Did you go there on a tour or was it a business trip?
  4. How long did you stay there?
  5. What were you able to see during your stay there? Did you go sightseeing?
  6. Did you have any problems with your English?

Переведите на английский язык, обращая внимание на употребление времен.

1. — Вы уже получили письмо от г-на Адамса? — Да, я только что его прочитал. — Вы уже ответили на него? — Нет еще.

2. — Ты принес мою книгу? — Нет, извини, я оставил ее дома.

3. — Вы читали когда-нибудь книги этого писателя? — Да, читал некоторые.

4. — Какие у вас планы на лето? — Я еще об этом не подумал.

5. — Я никогда не видел этого памятника. А вы? — Я тоже.

6. Они никогда об этом не говорили, не правда ли?

7. Я никогда не слышал этого певца. А вы?

8. — Вы ведь уже получили наше письмо, не правда ли? — Да, мы получили его на прошлой неделе, и наши специалисты очень тщательно его изучили. — У вас есть какие-либо вопросы? — Да, мы составили список вопросов. — Разрешите взглянуть. — Вот, пожалуйста.

ГРАММАТИКА
(продолжение)

1.5. Употребление **Present Perfect** со словами, обозначающими еще не истекший отрезок времени.

Настоящее время группы **Perfect** может употребляться также с обстоятельственными словами, которые обозначают еще не истекший отрезок времени, например: **today, this week, this month, this year** и т.п. Эти слова, как правило, стоят в конце предложения.

С такими обстоятельственными словами могут употребляться и другие времена, в том числе и **Past Simple**, если смысл высказывания не соответствует общему значению **Present Perfect**.

Так, русскому предложению *Я не видел его сегодня утром* могут соответствовать:

"I **haven't seen** him this morning."   если разговор происходит утром;

"I **didn't see** him this morning."   если разговор происходит позже.

УПРАЖНЕНИЯ

Прочитайте вслух и переведите.

1. They've done a lot of work today.
2. Mr Green has seen a lot of people this week.
3. We've been to the theatre three times this month.
4. I've been to London twice this year.
5. Why haven't you had a holiday this year?
6. Which of you has seen Nelly today?
7. Have you received any letters from them this month?
8. "I haven't seen John this morning. Have you?" "I haven't either."

Урок-комплекс 10

2

Ответьте на вопросы о себе. Расскажите друг о друге на основании полученных ответов.

a. 1. How many times have you been to the theatre this month?
  2. When did you go? What did you see? How did you like it?
  3. Did you have good seats?
  4. Who did you go with?

b. 1. How often do you go to the country for the weekend?
  2. How many times have you been there this month?
  3. How long did you stay there? Did you have a good time?

c. 1. Have you seen any interesting films this week?
  2. When did you last see a good film?
  3. Did you go to the cinema or did you watch it on the telly?
  4. What was the film about?

d. 1. How many good books have you read this year?
  2. Which of them do you remember best?
  3. Which of them did you like best?
  4. Have you got enough time to read much?

e. 1. Have you read the paper today?
  2. Do you read the paper every day?
  3. Is there any important news in today's paper?
  4. Do you usually read the paper before you go to work (college) or when you get home?

f. 1. How many lectures have there been today?
  2. What were they about?
  3. How many of them were interesting?

3

Переведите на английский язык, употребляя Present Perfect.

1. У меня было много работы на этой неделе.
2. Он прочитал массу книг за этот месяц.
3. Я был очень занят на этой неделе.
4. Вы были на каких-либо выставках в этом месяце?
5. У нас было много интересных дискуссий в этом году.
6. У вас был отпуск в этом году? — Нет еще.
7. Я не видел его сегодня.
8. Мы не ходили в театр в этом месяце.
9. У вас были какие-нибудь собрания на этой неделе? — Да, было два.

ГРАММАТИКА

2. Глаголы и глагольные обороты, выражающие желание.

2.1. Менее категоричным выражением желания, чем глагол **want**, является сочетание **would like** [wud 'laɪk] + инфинитив с частицей **to**, соответствующее русскому *хотел бы, хотелось бы*.

1. Alan and Ann **would like to meet** your wife.	Алан и Энн хотели бы познакомиться с вашей женой.
2. Would you **like to go** to the theatre with us?	Вы хотели бы пойти с нами в театр? Вы не хотели бы пойти с нами в театр?
3. I **wouldn't like to** say "no", but...	Мне бы не хотелось сказать «нет», но ...

В утвердительном предложении после подлежащего-местоимения глагол **would** употребляется в редуцированной форме **'d**:

1. I'd [aɪd] **like to have** a rest.	Я хотел бы (мне бы хотелось) отдохнуть.
2. He'd [hid] **like to go** by plane.	Он бы хотел (ему бы хотелось) полететь самолетом.

ПРИМЕЧАНИЯ.

1) С глаголом **want** в значении *очень* часто употребляется слово **really**.

I **really want** to help.	Я очень хочу помочь.

2) Русским предложениям типа *я хочу (мне хочется) есть, пить, спать* соответствуют английские **I'm hungry, I'm thirsty** ['θəːstɪ], **I'm sleepy**.

Урок-комплекс 10

2.2. Возможные ответы на вопросы, начинающиеся с **would you like**.

1. "Would you like some tea?"	Хотите чаю?
"Yes, I'd ↘love some."	Да, с удовольствием.
"↘Yes, if I ↗may."	Да, если можно.
2. "Would you like to have a snack?"	Вам хотелось бы перекусить?
"No, ↗thank you! 'Not just ↗yet."	Спасибо, пока еще нет.
3. "Would you like to come to the country with us?"	Вам бы хотелось поехать с нами за город?
"Oh, ↘yes! I'd ↘love to!"	Да, с удовольствием! (*дословно*: Очень хотелось (бы)!)

В ответе **I'd love to** частица **to** является словом-заместителем и употребляется во избежание повторения инфинитивного оборота **to go to the country**.

2.3. Русским словосочетаниям *если(как, когда, где) хотите* соответствуют английские **if (as, when, where) you like**.

1. We can have breakfast now, if you ↗like.	Мы можем позавтракать сейчас, если хотите.
2. "Shall we discuss it now, or wait till tomorrow?"	Обсудим это сейчас или подождем до завтра?
"As you ↘like."	Как хотите.
3. "Where shall we meet?"	Где мы встретимся?
"Where you ↘like."	Где хотите.

2.4. Русскому словосочетанию *любой, какой хотите* соответствует английское **any ... you like**.

1. We can go to **any theatre you ↘like**.	Мы можем пойти в любой театр, какой захотите.
2. You can call me **any time you ↘like**.	Вы можете позвонить мне в любое время, когда хотите.

Урок-комплекс 10

УПРАЖНЕНИЯ

1 🔘🔘

Прочитайте вслух и переведите.

a. 1. I'd like to have another look at the catalogue.
   2. We'd like to thank you for the pleasant weekend.
   3. Mr Young would like to answer your questions tomorrow.
   4. "Would you like to go to a museum on Sunday morning?" "Yes, I'd love to."
   5. Where would you like to go?
   6. What would you like to see in Moscow?
   7. "They wouldn't like to come again, would they?" "Yes, I think they would."

b. 1. We can go to the ‿theatre if you like.
   2. We can discuss it some ‿other time if you like.
   3. You can come to see us when you ‿like.
   4. He can put his things where he ‿likes.
   5. Do as you ‿like.
   6. "Shall I come this evening?" "As you ‿like."

c. 1. You can take any book you ‿like.
   2. You can come any time you ‿like.
   3. We can see any film you ‿like.

d. 1. "Are you hungry?" "No, but I'm very thirsty!"

2 🔘🔘

а) Прочитайте тексты вслух, предварительно выучив новые слова.

1

    John Young is a British businessman. His company's got good business **contacts** with Russian companies, so he often comes to Russia on business. He's already been to Moscow three times. This is his fourth visit here. Mr Young **finds** that **trade** with Russia is very important for British business. "We very much want to **develop** our trade **relations**. Good trade relations help us to understand each other and live in **peace**, don't they?" he says.

    In this picture you can see Mr Young and Oleg Smirnov, one of his Russian counterparts. They have just signed a

Урок-комплекс 10

contract and are discussing a visit to a big factory in the suburbs of Moscow.

"When would you like to go?" Oleg asks. "Any day you say!" Mr Young answers.

"Then let me give the factory manager a ring and find out," Oleg says. He rings the **manager**, and they arrange to go the next day.

_____

contact ['kɒntækt]	контакт, связь
find	зд. находить, считать
relations [rɪ'leɪʃnz]	отношения
develop [dɪ'veləp]	развивать, развиваться
manager ['mænɪdʒə(r)]	директор, управляющий
trade	торговля
peace [piːs]	мир

2

This time Mr Young has brought his wife Judy to Moscow. It's her first visit here, she's never been to Russia before.
Oleg Smirnov and John Young have just finished discussing business and are talking about their plans for the weekend.

O. Would you like to go to the theatre on Saturday?
Y. Oh, I'd love to. Only my Russian isn't good enough to understand plays, I'm afraid. Nor is Judy's, of course.
O. I see no problem there. We can go to a ballet, if you like.
Y. That's a good idea! Judy loves ballet, and so do I.
O. Then let me see about the seats, shall I?
Y. Oh, that's very kind of you, thanks a lot.
O. That's all right. Till Saturday, then, bye!
Y. Bye!

б) Ответьте на вопросы по текстам.

1. What does Mr Young do?
2. Why does he often come to Russia?
3. How many times has he been here?
4. What does he think of Great Britain's relations with Russia?
5. What can we see in the picture?
6. Who is John Young talking to?
7. What are they talking about?

Урок-комплекс 10

8. Why does Oleg Smirnov ring the factory manager?
9. When do they arrange to go to the factory?
10. Has John Young come alone?
11. Has Judy been to Russia before?
12. Why do they want to go to a ballet, not to a play?

3

Прочитайте диалоги вслух и инсценируйте их.

1

After the Ballet

Oleg: How did you like the ballet?
Judy: It was just wonderful. I enjoyed every minute of it.
John: So did I.
Oleg: I'm glad you liked it. So what about tomorrow? Where would you like to go?
Judy: I'd like to go to the country and have a look at the Moscow **countryside** in the winter.
Oleg: That's a good idea! Would you like to have me as your guide?
Judy: We'd love to!
Oleg: Then let me **call for** you at your hotel tomorrow morning. Is nine o'clock too early?
Judy: Oh, no! It's quite all right!
Oleg: Till Sunday morning then. Bye!

---

the countryside ['kʌntrɪsaɪd]   сельская местность

call for ...   зайти, заехать за ...

2

At a Restaurant

(On the Way Back from the Countryside)

Oleg: Are you very tired?
Judy: Oh, no! We both enjoy taking long walks.
Oleg: Okay, let's have a very good meal. I'm sure we're all hungry. Have a look at the menu. It's got an English translation in it.
Judy: I'd like to have some Russian food, if I may.
John: So would I. Could you order for us, Oleg?
Oleg: Certainly. And what would you like to drink?
John: Some light wine for me.

— 503 —

Урок-комплекс 10

Oleg: And you, Judy?

Judy: No wine for me. I'd like some **mineral water**. It goes nicely with any food.

Oleg: Fine. Let me order the meal, then.

---

mineral ['mɪnərəl] **water**   минеральная вода

Переведите на английский язык.

1. — Можно я возьму эту книгу на несколько дней? — Конечно! Вы можете взять любую книгу, какую хотите. — Большое спасибо! — Пожалуйста.

2. — Мне бы хотелось обсудить с вами несколько вопросов, г-н Браун. Я могу повидаться с вами на этой неделе? — Конечно! Когда вы хотели бы прийти? — Во вторник утром, если можно.

3. — Вы хотите остаться в городе на уик-энд? — Нет, мне хотелось бы поехать за город.

4. — Нам хотелось бы обсудить еще несколько вопросов сегодня. — Вы совершенно правы. Давайте начнем! С чего бы вам хотелось начать?

5. — Вы хотите перекусить? — Нет, спасибо. Я еще не проголодался, но я хочу пить. Я могу выпить соку? — Конечно! Одну минуту!

6. — Хотите еще чашечку чаю? — Нет, спасибо!

7. — Давайте пойдем в театр как-нибудь в другой раз.
   — Как хочешь.

8. — Вы не хотите поехать с нами осматривать достопримечательности? — С удовольствием!

3. Слова **few, little, a few, a little**.

3.1. Слова **few** [fjuː] и **little** соответствуют по значению русскому слову *мало*.

Few употребляется с исчисляемыми существительными, **little** — с неисчисляемыми: **few = not many, little = not much**.

В разговорной речи **few** и **little** чаще употребляются с усилительными словами **so, too, very**:

1. There were **very few people** at the exhibition. (= There weren't many people...) | На выставке было очень мало народу.

2. "We've only received two faxes." "**So few**?" | — Мы получили только два факса. — Так мало?

3. We have **so little time** left! | У нас осталось так мало времени!

4. They had **too little money** to start their own business then. (= They didn't have enough money...) | Тогда у них было слишком мало денег, чтобы начать собственное дело.

5. **Few colleges** have such libraries ['laɪbrərɪz]. (= Not many colleges...) | Немногие институты располагают такими библиотеками.

6. **Little news** could come quickly from a place so far away. (= Not much news...) | Мало новостей могло быстро дойти из такого отдаленного места.

3.2. **A few** означает *несколько, небольшое число* и употребляется с исчисляемыми существительными.

A little означает *немного, небольшое количество* и употребляется с неисчисляемыми существительными.

1. They've gone to the country for **a few days**. | Они уехали за город на несколько дней.

2. Let me say **a few words** about it. | Разрешите мне сказать об этом несколько слов.

3. "How long have you been here?" "**A few months**." | — Сколько времени вы здесь находитесь? — Несколько месяцев.

4. "Have you got many English books at home?" "Not many, only **a few**." | — У тебя дома много английских книг? — Нет, только несколько.

5. We just need **a little time** to get all the documents ready. | Нам только нужно немного времени, чтобы подготовить все документы.

6. "Would you like some salad?" "Just **a little**, please." | — Хотите салату? — Только немного, пожалуйста.

Урок-комплекс 10

ПРИМЕЧАНИЯ.

1) К глаголу могут относиться только слова **little** и **a little**:

1. You read too little!
2. Could you wait a little, please? (= Could you wait a bit, please?)

2) A little также может относиться к прилагательным и наречиям:

1. That model's a little different. (= ...a bit different)
2. Could you call back a little later, please? (...= a bit later)

УПРАЖНЕНИЯ

1

Прочитайте вслух и переведите.

a. 1. a few steps, a few lines, in a few days, in a few weeks, with only a few examples, a few miles from here
2. a little time, a little money, a little coffee, with a little milk
3. Let me say a few words about it.
4. We were both very tired and decided to spend a few days out of town.
5. There were only a few students in class yesterday. Where were all the others?
6. We couldn't test all the children, because only a few of them could read.
7. John and I had very little money left.
8. I understood little of his speech.
9. "Is there any milk in the fridge?" "Only a little."

Урок-комплекс 10

b. 1. I've got a few questions to ask you. I've got just a few questions to ask you. I've got quite a few questions to ask you.

2. They've shown us only a few new models. They've shown us quite a few new models.

2 ✎

Выберите правильное слово: *a few, a little, few, little.*

1. "You were away last week, weren't you?" "Yes, we spent _____ days in the country."
2. We have too _____ money, I'm afraid.
3. "How many people have come to the conference?" "Oh, quite _____!"
4. She lived alone and had very _____ friends.
5. Come on! Be quick! There's very _____ time left.
6. "Can you speak French?" "Only _____."
7. To make this cake you need _____ eggs and _____ milk.
8. They can give you an answer in _____ days.
9. Is there a petrol station near here? There's too _____ petrol in the car.
10. We could only spend _____ time on that.
11. Jim has spent _____ weeks in hospital.
12. The hospital was _____ miles from there.

3

Инсценируйте диалог.

A. Have you been to the exhibition?
B. Yes, I went there last Friday.
A. Have they got any interesting exhibits?
B. Well, quite a few. I want to go there again. Would you like to go with me?
A. I'd love to. What about next Wednesday?
B. Wednesday? Let me see ... Yes, Wednesday's quite all right.

4 ✎

Переведите на английский язык.

1. — Многие из ваших помощников говорят по-немецки?
   — Нет, только несколько.
2. — У меня сегодня к вам очень мало вопросов.
   — Тогда я могу ответить на них сейчас же.

Урок-комплекс 10

3. — У вас есть какие-нибудь новости для нас сегодня?
— Да. Но только немного.

4. — Извините, я немного опоздал.
— Ничего, у нас еще есть немного времени.

5. — Вы не хотите немного пройтись пешком?
— С удовольствием.

6. У них довольно много новых моделей на этот раз.

7. Если идея вам не совсем ясна, я могу привести (give) вам несколько примеров.

8. Разрешите мне сказать об этом несколько слов.

4. Слово **like** и сочетания **be like, look like**, выражающие идею сходства.

4.1. Слово **like** может выражать идею сходства, наличия одинаковых признаков — внешних и иных.

1. I saw a dog **like ours** in the park this morning.	Сегодня в парке я видел *такую же* собаку, как наша.
2. Nick's a doctor **like his father**.	Ник врач, *как и* его отец.
3. Like other children he enjoys playing fast games.	*Как и* другие дети, он любит подвижные игры.

Ту же идею сходства выражает сочетание **be like**:

1. She's **like** her sister.	Она *похожа* на свою сестру. (*Она такая же, как и ее сестра.*)
2. His house **is like** mine.	Его дом *похож* на мой.

Запомните вопросы:

1. "What's he **like**?" "He's tall, handsome, an excellent doctor and a good athlete."	Что он за человек? (*Какой он? Что собой представляет?*)
2. "What's their house **like**?" "It isn't very big, but it's nice and convenient."	Какой у них дом?
3. "What's the weather **like** today?" "It's nice and warm."	Какая сегодня погода?

4.2. Выражение **look like*** означает *выглядеть как, быть похожим на* (только внешне).

1. She **looks like** a film star.	Она похожа на кинозвезду.
2. The house **looked like** a hotel.	Дом был похож на гостиницу.
3. What did he **look like**?	Как он выглядел? (*Опишите его внешность.*)

Внимание!

Не путайте сочетания **be like** и **look like** с глаголом **like** — *любить, нравиться*.

a. 1. He's **like** a little baby!	Он как маленький ребенок!
2. He speaks English **like** an Englishman.	Он говорит по-английски как англичанин.
3. He **looks like** a professor.	Он выглядит как профессор.
Но:	
1. He **likes** animals.	Он любит животных.
b. 1. What's she **like**?	Что она собой представляет? Какая она?
2. What does she **look like**?	Как она выглядит?
Но:	
1. What kind of books does she **like** best?	Какие книги ей больше всего нравятся?

ПРИМЕЧАНИЕ.

Обратите внимание на разницу в значении между **like** — *как, подобно* и **as** — *как, в качестве*.

He plays tennis **like** a professional.	Он играет в теннис как профессионал (*не являясь профессионалом на самом деле*).

---

* Здесь **look** является глаголом-связкой со значением *выглядеть*.

Урок-комплекс 10

Several years ago he played tennis **as** a professional.	Несколько лет назад он играл в теннис как профессионал (*т.е. являлся профессиональным теннисистом*).

УПРАЖНЕНИЯ

1

Прочитайте вслух и переведите, обращая внимание на употребление слов *like* и *as*.

1. "What does your son do?" "He's a teacher like me."
2. They were very close to each other, like sisters.
3. The boys weren't brothers, they only looked like brothers.
4. "Have you been to the conference?" "Yes, I have." "What was it like? Was it interesting?" "Not very."
5. My watch said four o'clock, but it looked like early evening outside.
6. A few years ago Bob worked as a taxi driver.
7. "How well does she drive?" "Oh, she drives like a taxi driver, and she likes to drive fast."
8. I like playing tennis. Do you?
9. Bell plays tennis like a professional.
10. A few years ago Amy worked as a nurse in a big hospital.
11. Mary did her job like a trained nurse.
12. "Would you like to listen to some jazz?" "I'd love to."

2

Прочитайте диалог вслух и инсценируйте его.

Meeting at the Airport

A. Hello, Mr Brown. I'm glad to see you in Moscow again. Did you have a good journey?
B. Oh, yes, thank you. The journey was very pleasant.
A. I'm glad to hear it. What was the weather like in London?
B. Oh, it was quite a fine day, like here in Moscow.
A. Yes, it's lovely today, isn't it? Well, let me help you with your things. My car's over there, round the corner.
B. Thank you. It's very kind of you.

ГРАММАТИКА

5. Модальный глагол **must.**

5.1. Утвердительное предложение.

Модальный глагол **must** [mʌst, məst, ms(t)] близок по смыслу русским словосочетаниям *обязательно (непременно) должен, обязательно (непременно) нужно.*

Must + инфинитив основного глагола без частицы **to** показывает, что говорящий считает действие о б я - з а т е л ь н ы м и хочет, чтобы оно было непременно выполнено.

1. You **must** discuss all these problems again.	Вы (обязательно) должны обсудить все эти проблемы еще раз.
2. He **must** work hard at his paper.	Он должен как следует поработать над своим докладом.
3. You **must** go and see that film.	Вы непременно должны посмотреть этот фильм.
4. I **must** see the dentist.	Я обязательно должен пойти к зубному врачу. *(Я это осознаю и считаю необходимым.)*

Модальный глагол **must** не изменяется по лицам и числам и имеет только одну форму — форму настоящего времени. В утвердительном предложении он безударен и поэтому употребляется в своих слабых, редуцированных формах [məst, ms(t)] *(в неэмоциональной речи).*

УПРАЖНЕНИЯ

1

Прочитайте вслух, подражая образцу, и переведите.

1. I must go now, I'm afraid.
2. I must write to thank them for all their help.
3. Excuse me for a moment. I must go and make a call.
4. You must come and see our new house.
5. You must listen to that singer. She is just marvellous.
6. You must think twice before making such an important decision.

7. You must do those exercises every morning.
8. You must come round for lunch some time.
9. He must give up smoking, even if it isn't easy.
10. If she wants to learn English well, she must work hard.

Повторите, употребляя подсказанные слова.

1. I must **leave at six today.**
   • go home at ten • find their new address • think about it again • talk to them about it •
2. You must **think of a holiday.**
   • have a holiday at the seaside • come and see us some time • come and tell us all about it • come and tell us all about your journey to Italy •
3. He must **have a look at those papers.**
   • take part in our conference • understand us • go and see a good doctor • come and see me about it • have a look at the Moscow countryside •

Переведите на английский язык.

1. Вы должны пойти (и) посмотреть этот великолепный балет.
2. Я должен позаботиться о билетах.
3. Я должен поехать проводить моих гостей.
4. Вы должны пойти покататься с нами на лыжах в воскресенье.
5. Вы должны бросить курить, если хотите хорошо себя чувствовать.
6. Вы обязательно должны выпить чашечку кофе с нами.
7. Я должен рано выйти из дому сегодня.
8. Извините, я должен пойти позвонить по телефону.

ГРАММАТИКА
(продолжение)

5.2. Отрицательное предложение с глаголом **must.**

В отрицательном предложении обычно используется краткая отрицательная форма глагола **must** — **mustn't** ['mʌsnt], имеющая фразовое ударение. Эта форма близка по значению русскому *нельзя* и во втором и третьем лице часто выражает *запрещение* совершать действие, о котором идет речь.

1. You **mustn't** smoke so much.	Вам нельзя столько курить. (= Вы не должны ...)
2. I **mustn't** forget about it.	Мне нельзя забывать об этом. (= Я не должен...)
3. She's still ill. She **mustn't** go swimming today.	Она все еще больна. Ей нельзя сегодня идти плавать.

УПРАЖНЕНИЯ

1

Прочитайте вслух, подражая образцу, и переведите. Следите за интонацией.

1. You mustn't do that!
2. You mustn't think about it.
3. You mustn't talk to him about it.
4. You mustn't drive without your driving licence.
5. Your husband mustn't smoke so much. It's bad for his health.
6. The children mustn't use the computer without the teacher.
7. We mustn't miss the ten o'clock train.
8. I mustn't be late for lectures.

2

Скажите вашему собеседнику, чего, по вашему мнению, ему нельзя делать или что вы запрещаете ему делать.

Дано: miss lessons
Требуется: You mustn't miss lessons!

1. smoke here **2.** be late again **3.** say that again **4.** forget it **5.** listen to them **6.** cross the road here **7.** lose your licence again

3

Выразите запрещение при помощи отрицательной формы глагола *must*, как показано в образце.

Дано: Don't let him say it again!
Требуется: He mustn't say it again!

Урок-комплекс 10

1. Don't let him use my computer. **2.** Don't let them smoke in the lab! **3.** Don't let them open these boxes without me. **4.** Don't let them go swimming today.

Переведите на английский язык.

1. Вам нельзя так мало спать!
2. Детям нельзя идти плавать сегодня!
3. Ему нельзя выходить на улицу, он еще болен.
4. Ей нельзя так много есть.
5. Мне нельзя опоздать на поезд.
6. Ему нельзя так много работать.
7. Детям нельзя смотреть телевизор так поздно.
8. Водителю нельзя оставлять свои права дома. Ему никогда нельзя об этом забывать.

ГРАММАТИКА
(продолжение)

5.3. <u>Общий вопрос с глаголом **must** и возможные ответы на него.</u>

Общий вопрос начинается с глагола **must**, который произносится с ударением в полной форме [mʌst]. Вопрос, начинающийся с **must**, задается для того, чтобы узнать, считает ли собеседник *обязательным* выполнение действия, о котором идет речь:

"**Must** I do it today?" Я обязательно должен сделать это сегодня?

"Yes, I'm afraid you **must**." Да, к сожалению, обязательно.

В том случае, когда собеседник не считает выполнение действия обязательным, в ответе употребляется краткая отрицательная форма модального глагола **need** — **needn't** ['niːdnt] — *не обязательно, можете не делать**.

"**Must** I come tomorrow?" Мне обязательно прийти завтра?

---

* Вам уже известен глагол **need** в ином употреблении (см. с. 283).

"No, you **needn't**. You can do it next week."	Нет, не обязательно. Вы можете сделать это на следующей неделе.

5.4. Сравнение вопроса, начинающегося с **must**, с вопросом, начинающимся с **shall**.

Как вам известно, обычный вопрос о р а с п о р я ж е - н и и начинается со слова **shall**:

1. "Shall I help you?"	Вам помочь?
"Yes, please, if it isn't difficult for you."	Да, пожалуйста, если вам не трудно.
2. "Shall I translate?"	(*Мне*) перевести?
"No, thank you."	Нет, спасибо. (*Нет, не надо.*)
3. "Shall we come tomorrow?"	Нам приехать завтра?
"No, you **needn't**. Just phone me."	Нет, не обязательно. Просто позвоните мне.
4. "Shall I open the window?"	Открыть окно?
"No, please don't."	Нет, пожалуйста, не надо.

Вопрос, начинающийся с глагола **must**, задается от первого лица в том случае, когда выполнение действия для говорящего *нежелательно*:

"**Must** I arrange it all today?"	Я обязательно должен обо всем этом договориться сегодня?
"Yes, I'm afraid you **must**."	Боюсь, что да.
("No, you **needn't**.")	(Нет, не обязательно.)

УПРАЖНЕНИЯ

Прочитайте вслух вопросы и ответы и объясните, в какой ситуации они были сказаны.

1. "Must I type all these papers today?" "Yes, I'm afraid you must."
2. "Must we do this exercise for the next lesson?" "No, you needn't."
3. "Must I find it out right now?" "No, you needn't. We can wait till tomorrow."

Урок-комплекс 10

4. "Shall I help you with the translation?" "Yes, please. It's too difficult for me, I'm afraid."
5. "Shall I stay with you?" "No, you needn't, I'm okay."
6. "Must you really go now?" "I'm afraid so."

2

Переведите на английский язык.

1. — Мы обязательно должны сделать все упражнения?
   — Нет, вы можете сделать первые три. Этого достаточно.

2. — Я обязательно должен позвонить всем этим людям сегодня? — К сожалению, да. Я плохо себя чувствую и не могу вам помочь.

3. — Мне обязательно пойти их провожать? — Нет, не обязательно.

4. — Мне приехать помочь вам? — Да, пожалуйста. У меня на завтра очень много работы.

5. — Мне подготовить все документы к завтрашнему дню? — Нет, не обязательно. Можете сделать это к среде.

ГРАММАТИКА

6. Модальный глагол **have** + инфинитив с частицей **to**.

6.1. Утвердительное предложение.

Модальный глагол **have** + инфинитив с частицей **to** употребляется в тех случаях, когда действие, о котором идет речь, приходится выполнять *в силу сложившихся внешних обстоятельств*.

Послушайте и посмотрите:

I **have to listen** to his music all day long!

Я вынуждена (должна) выслушивать его музыку целыми днями.

He **has to wait**.

Ему приходится ждать. (Он должен ждать.)

Урок-комплекс 10

Самыми близкими по значению русскими эквивалентами модального глагола **have** являются слова *приходится, вынужден, должен*.

Глагол **have** в утвердительном предложении стоит под ударением и произносится в своей полной форме [hæv].

6.2. Русским высказываниям типа *Я не люблю рано вставать, но мне приходится* соответствуют английские предложения типа: **I don't like to get up early, but I ⌐have to**, где частица **to** употребляется во избежание повторения полной формы ранее упомянутого глагола.

ПРИМЕЧАНИЕ.

В разговорном английском языке наряду с формой **have** в настоящем времени употребляется форма **have (has) got**, когда речь идет об отдельном, неповторяющемся случае долженствования: **I have to get up early tomorrow. = I've got to get up early tomorrow.**

УПРАЖНЕНИЯ

1

Прочитайте вслух, подражая образцу, и переведите, обращая особое внимание на перевод модального глагола *have*.

1. The line's always busy, and I have to ring several times to get through to you.
2. The weather's very bad, so the passengers have to wait at the airport.
3. It's inconvenient for Mr Brown to go to the factory tomorrow, so we have to arrange a visit for him for the day after tomorrow.
4. I love walking, but it's a long way to college from my house and I usually have to take a bus.
5. I have to get up very early in the morning to catch the 8 o'clock train.
6. I don't want to go to that conference, but I ⌐have to.
7. We have to work very quickly. We just ⌐have to.

Урок-комплекс 10

2

Переведите на английский язык.

1. Мой приятель потерял свой англо-русский словарь, поэтому ему приходится пользоваться моим.
2. Моему сыну плохо даются иностранные языки, и мне приходится помогать ему.
3. Он вынужден рано выходить из дому, потому что он живет далеко отсюда.
4. У меня всегда много работы по дому, и я должна ложиться спать поздно.
5. Я не люблю вставать рано, но мне приходится.

ГРАММАТИКА
(продолжение)

6.3. <u>Отрицательное предложение с глаголом **have**</u>.

Отрицательное предложение с модальным глаголом **have** употребляется для того, чтобы показать, что *нет таких внешних обстоятельств*, которые вынуждали бы выполнить действие.

1. I don't have to take the bus to work. The office is near my house.	Мне не приходится ездить на работу на автобусе. Мой офис рядом с домом.
2. She doesn't have to do it all today. We can wait.	Ей не обязательно делать это все сегодня. Мы можем подождать.

Как видно из примеров, отрицательная форма модального глагола **have** образуется так же, как отрицательная форма любого глагола в настоящем времени группы **Simple**. Возможные переводы на русский язык — *не приходится, не надо, не должен (в значении «ничто не заставляет»)*.

6.4. В отрицательном предложении особенно отчетливо видна разница в значении глаголов **must** и **have**:

You **mustn't** do that.	Вам нельзя этого делать (*запрещение*).
You **don't have to** do that.	Вам (и) не нужно этого делать (*нет необходимости себя затруднять*).

ПРИМЕЧАНИЕ.

Отрицательная форма модального глагола **have (to)** близка по значению отрицательной форме модального глагола **need (to)**:

You **don't have to** come again. = You **don't need to** come again.	Вам не надо приходить еще раз (*обстоятельства позволяют этого не делать*).

Форма **needn't** выражает разрешение не выполнять действие:

You **needn't** come again.	Вам не обязательно приходить еще раз (*можно, разрешается не приходить*).

УПРАЖНЕНИЯ

Прочитайте, подражая образцу, и переведите.

1. You don't have to cross the street. The house is on this side.
2. I don't have to do much housework. My husband helps me a lot.
3. She doesn't have to take the train to work. It's very close to her house and she can walk.
4. You needn't come again. You can ring me in the afternoon.
5. You needn't see about the tickets. ʹI can arrange it.
6. You don't need to put on warm things. It isn't cold.

Прочитайте текст вслух, обращая внимание на употребление модального глагола *have*, и перескажите его.

You remember Thomas Smith, don't you? He lives a healthy life and he never gets ill, so he doesn't have to see the doctor. He doesn't have to take medicine or stay in bed either. Isn't it marvellous to be so healthy!

ГРАММАТИКА
(продолжение)

6.5. Вопросительные предложения с глаголом **have**.

Вопросы, содержащие модальный глагол **have**, задаются в том случае, когда хотят выяснить, есть ли не-

Урок-комплекс 10

обходимость совершать действие, *приходится* ли его совершать в силу сложившихся внешних обстоятельств.

1. "**Do** you **have** to take the underground to work?"
   "**No**, I **don't**. I live very close to the office."
2. "**Does** she **have** to spend much time cooking?"
   "Yes, she **does**. She's got a big family."

Как видно из примеров, вопросительная форма модального глагола **have** образуется при помощи вспомогательного глагола **do (does)**, который стоит под ударением и произносится самым высоким тоном. Глагол **have** также стоит под ударением и произносится в своей полной форме [hæv]. Краткие ответы на общие вопросы даются так же, как на вопрос с любым глаголом в настоящем времени группы **Simple**.

В присоединенном вопросе повторяется глагол **do**:

1. You **have** to work hard, **don't** you?
2. She **doesn't have** to go out to work, **does** she?

Специальные вопросы строятся по общим правилам образования специальных вопросов в настоящем времени группы **Simple**:

1. **Why** does she **have** to get up so early?	Почему ей приходится вставать так рано?
2. **Which** of your family **has** to do the shopping?	Кто в вашей семье должен ходить за покупками?

УПРАЖНЕНИЯ

Прочитайте вслух и переведите.

a. 1. "Do you have to take your children to nursery school?" "Yes, I do."

2. "Do you have to fetch them home, too?" "No, I don't. My husband usually does that on his way from work."

3. "Do you have to stay in town at the weekend?" "No, I don't. I can go to the country if I like."

4. "Don't you have to get up early?" "Yes, I do, very early. I have to get up at half past six on weekdays."

b. 1. "You don't have to take the bus to work, do you?" "Yes, I do. It's too far to walk."

2. "Your colleague doesn't have to ring the factory manager again, does he?" "No, he doesn't."

3. "We don't have to answer all those letters at once, do we?" "No, of course not."

4. "She doesn't have to give up swimming, does she?" "Yes, she does, I'm afraid. The doctor says so."

c. 1. "Which days do you have to get up early?" "Wednesdays and Fridays."

2. "Why do they have to stay so late in the office? There's a lot of work to do today."

3. "Why does your wife have to spend so much time cooking?" "She doesn't. She simply loves cooking. It's her hobby."

2

Ответьте на вопросы о себе. Расскажите друг о друге на основании полученных ответов.

a. 1. Do you have to get up very early on weekdays?

2. Why do you? (don't you?)

3. Do you usually have to do a lot of work at college? (the office, etc.)

b. 1. Do you always have to use the dictionary when you read English books? Why do you? (don't you?)

2. Do you have to get English books from the library, or have you got enough good books to read at home?

c. 1. Do you have to help your wife with the housework? Why do you? (don't you?)

2. Do you sometimes have to help her when she goes shopping? When do you have to? Do you like it? Why do you? (don't you?)

3

Переведите на английский язык.

1. Мой брат живёт на окраине города, а работает в центре, поэтому ему приходится вставать очень рано.

2. — Вам приходится ездить на работу в час пик? — Нет. Работа начинается в одиннадцать часов.

3. — Вашей дочери приходится поздно ложиться спать, не правда ли? — Да, мы знаем, что это очень плохо, но у неё всегда много уроков, и ей приходится иногда работать до десяти часов вечера.

Урок-комплекс 10

4. Моему сыну трудно вставать в семь часов, и нам обычно приходится его будить.
5. Мне не хочется бросать курить, но надо. Так говорят врачи.

ГРАММАТИКА (продолжение)

6.6. <u>Модальный глагол **have** в прошедшем времени группы **Simple**.</u>

Модальный глагол **have** примерно соответствует в прошедшем времени русским глаголам *пришлось, был вынужден, должен был.*

Послушайте и посмотрите:

1. "The plane was late, and I **had** to wait."

Самолет опаздывал, и мне пришлось ждать.

"**Did** you **have** to wait long?"

Вам пришлось долго ждать?

"Yes, I **did**."

Да.

2. "**Did** you **have** to see about the tickets, Bill?"

Вам пришлось позаботиться о билетах, Билл?

"No, I **didn't**."

Нет.

УПРАЖНЕНИЯ

1

Прочитайте вслух и переведите.

1. The traffic was very heavy, and we had to drive slowly.
2. It was a long way to the underground station, so we had to take a bus.
3. You had to work hard before the exam, didn't you?
4. "Why did Peter have to give up playing football?" "He fell ill."
5. I had to ring several times before I got him on the phone.
6. "Did you have to miss many lectures when you were ill?" "No, not many, just a few. I wasn't ill long."
7. The guide didn't have to translate the play, because the tourists knew Russian.

2

**Какие вопросы нужно было задать, чтобы получить следую-
щие ответы?**

1. The driver had to pay a fine **because he went through the
red light.**
2. He had to ring the manager **three times**.
3. Mr Brown had to arrange another visit to the factory **last
week.**
4. We had to wait so long **because the flight was forty-five
minutes late.**

3 ◌◌

а) Прочитайте текст вслух.

How Alex Dale Met Deb Fennell

Alex spent his holiday at the seaside last summer. He
stayed in a small hotel in Brighton and really felt happy. He
didn't have to get up early, he didn't have to cook or **wash
up**, he didn't have to work at all for two weeks! The weather
was wonderful, the hotel was comfortable, and the other
people were very nice, too.

One day Alex **noticed** a young girl at breakfast. She
looked like a film star. She was tall and slim, with big blue eyes
and beautiful fair hair. She was about eighteen or nineteen.
Alex liked her at once, but he was too **shy** to talk to her.

The next day he saw her again and said hello to her, but
she didn't hear. Every day Alex looked for **a chance** to talk
to her, but he couldn't find one.

On the last day of his stay in Brighton Alex went up to the
girl and said: "Good morning," and then asked: "Are you
staying at this hotel too?" That was how he met Deb.

wash up	мыть посуду
one day	однажды
notice ['nəutɪs]	замечать
shy	застенчивый
be shy	стесняться, быть застен-
чивым
chance [tʃɑːns]	шанс, возможность

Урок-комплекс 10

б) Ответьте на вопросы по тексту.

1. Where did Alex spend his holiday last summer?
2. Did he have to get up early?
3. Did he have to cook or wash up?
4. What was the weather like that summer?
5. Where did Alex notice Deb for the first time?
6. What did she look like?
7. Did Alex talk to her at once? Why didn't he?

в) Перескажите текст от лица Алекса и Деб.

4

Переведите на английский язык.

1. Машинистка сделала несколько ошибок в тексте, и ей пришлось перепечатать его (type it out again).
2. Около театра было много машин, и мне пришлось поставить свою машину на другой улице.
3. Нам не пришлось за ними заезжать.
4. — Вам пришлось долго ждать? — Да, была плохая погода, и все самолеты опоздали.
5. — Вам пришлось остаться в городе в воскресенье?
   — Да, я плохо себя чувствовал и не мог поехать за город с моими друзьями.
6. У нас было мало времени, и мы должны были взять такси.
7. Я опоздал на лекцию вчера, потому что я должен был заехать за моим другом.
8. Я забыл сказать им о собрании, и мне пришлось всем им позвонить.

5

Выберите нужный по смыслу модальный глагол из данных в скобках и переведите получившиеся предложения на русский язык.

1. There are traffic jams in this road, so you (must, have to) stop very often, and for a long time, too!
2. "You (mustn't, needn't, don't have to) smoke so much!" said the doctor. "Oh," the man answered. "I know I (must, have to) give up smoking! You (mustn't, needn't, don't have to) explain that to me. I can feel it!"
3. I (don't have to, mustn't, needn't) forget to ring up my uncle. It's his birthday today.
4. You (must, have to) come and have a look at our garden. It's lovely now!

Урок-комплекс 10

ГРАММАТИКА

7. <u>Некоторые значения модальных глаголов **may (might), must, can (could).**</u>

Каждый из этих глаголов, помимо известных вам значений, может выражать *предположение, уверенность, сомнение, удивление* и т.п. Аналогичные значения имеют и соответствующие русские глаголы (*Все может случиться. Их агентство должно находиться где-то рядом. Этого не может быть!*).

7.1. Модальный глагол **may** и его форма сослагательного наклонения **might** могут показывать, что говорящий считает действие возможным, но не очень в этом уверен. Такое употребление **may (might)** характерно для *утвердительных и отрицательных* предложений. Между **may** и **might** в этом значении нет существенной разницы:

1. Let's wait. They **may** still come (They **might** still come).	Давайте подождем. Они все еще могут прийти (может быть, еще придут).
2. John **may (might)** be away on holiday, but I'm not sure.	Джон, возможно, в отпуске, но я не уверен.
3. She **may** not remember me.	Она, возможно, меня не помнит.
4. They **might** not listen to us, I'm afraid.	Боюсь, что они могут нас не послушать.

Аналогичное значение может быть выражено при помощи вводного слова **perhaps**:

1. He **may** know it. = **Perhaps** he knows it.	Он, возможно, это знает.
2. They **may (might)** not have my home telephone number. = **Perhaps** they don't have my home telephone number.	У них может не быть моего домашнего телефона. (У них, может быть, нет...)

Урок-комплекс 10

ПРИМЕЧАНИЕ.

Следует иметь в виду, что глагол **can** является синонимом **may** только в значении *разрешения:*

Can I use your telephone? = **May** I use your telephone?

Значения *возможности* **can** не передает.

Сравните:

He **can't** come.	Он *не может* прийти *(не в состоянии прийти по каким-то причинам).*
He **may** not come.	Он *может и не прийти. (Я допускаю такую возможность.)*

Однако форма сослагательного наклонения **could** может выражать *возможность* в утвердительных предложениях.

The plane **may be late.** = The plane **could be late.**	Самолет может опоздать (возможно, опоздает).

7.2. Модальный глагол **must** может показывать, что говорящий *достаточно уверен* в своем предположении:

1. They **must** be hungry.	Они, *должно быть (наверное),* проголодались.
2. You **must** remember me. We went to the same school.	Вы *должны* меня помнить. *(Вы, наверное, меня помните.)* Мы учились в одной школе.

В этом значении **must** употребляется только в утвердительных предложениях.

Аналогичное значение может быть выражено при помощи вводного слова **probably** ['prɔbəblɪ] — *вероятно, наверно* и выражения **in all probability** [ˌprɔbə'bɪlɪtɪ] — *по всей вероятности:*

Some of them must remember those events very well. = Some of them **probably** remember those events very well. (= **In all probability** some of them remember...)	Некоторые из них должны помнить эти события очень хорошо. (Некоторые из них, вероятно, помнят эти события очень хорошо. По всей вероятности, некоторые из них помнят...)

Урок-комплекс 10

7.3. Модальный глагол **can** и его форма сослагательного наклонения **could** может показывать, что говорящий *сомневается* в возможности действия или считает его *невозможным*. В этих значениях **can** и **could** употребляются *только в отрицательных и вопросительных* предложениях.

1. He **can't** think so! (He **couldn't** think so!)	Он не может так думать! (Не может быть, чтобы он так думал!)
2. You **can't** mean that! (I'm sure you don't really mean that.)	Вы не можете говорить это всерьез! (Не может быть, чтобы вы именно это имели в виду!)
3. Can it be a mistake?	Неужели это ошибка?
4. Who **can** it be? (Who **could** it be?)	Кто это может быть? (Кто бы это мог быть?)

УПРАЖНЕНИЯ

1

Прочитайте вслух и переведите.

1. Phone Bill at his office. He may still be there.
2. John may still be away in France. He might have a lot of work to do there.
3. Let me try to find his address. It could be in my old telephone book.
4. You must be tired after your journey. Have a good rest.
5. Betty must know a lot about life in the country. She was born on a farm.
6. A computer like this can't be so expensive!
7. Where can Alice be? I need her to get the documents ready.
8. Don't wait for me. I might be late home tonight.
9. You must remember this place. We've already been here.
10. Can he really think so?
11. "Your secretary must be very good at languages." "Oh, yes. She can even speak Japanese!"

Урок-комплекс 10

2

Переведите на английский язык, употребляя модальные глаголы.

1. — Вы, должно быть, Бетти, наша новая помощница.
   — Да, а вы, вероятно, Том. Я много о вас слышала.
2. Нашим партнерам могут понравиться эти идеи, но я не совсем уверен.
3. Этот номер телефона не может быть неправильным. Они, вероятно, все еще в отъезде.
4. Вы, может быть, меня не помните, но я вас помню очень хорошо. Мы учились в одном институте.
5. — Билл сегодня здесь? — Не знаю. Я его не видел. — Я тоже. Где бы он мог быть? Я должен с ним поговорить.

8. Особенности употребления слов **hundred** ['hʌndrɪd] — сто, **thousand** ['θauzənd] — тысяча и **million**['mɪljən] — миллион.

8.1. Числительные **hundred, thousand** и **million** не имеют окончания множественного числа: 👓

200	two hundred
500	five hundred
900	nine hundred
4 000	four thousand
17 000	seventeen thousand
25 000	twenty-five thousand
3 000 000	three million
12 000 000	twelve million
37 000 000	thirty-seven million

8.2. В сложных числительных перед разрядом десятков добавляется союз **and**:

550	five hundred and fifty
902	nine hundred and two
3501	three thousand, five hundred and one
448000	four hundred and forty-eight thousand

8.3. В разговорном языке перед словами **hundred, thousand, million** в единственном числе ставится неопределенный артикль, но только в том случае, если данное слово начинает число:

100	a hundred
153	a hundred and fifty-three
1000	a thousand
1 001	a thousand and one

Если слово **hundred** и т.д. стоит не первым, ему предшествует не артикль, а числительное **one**:

2 100	two thousand, one hundred
3 100 153	three million, one hundred thousand, one hundred and fifty-three

В финансовых и некоторых других документах всегда употребляется числительное **one,** а не артикль.

8.4. При цифровом обозначении чисел каждые три цифры справа отделяются интервалом или, чаще, запятой:

1,000	a thousand
2,809,462	two million, eight hundred and nine thousand, four hundred and sixty-two.

Точкой в англоязычных странах пользуются для обозначения *десятичных дробей*, напр. 6.023 ['sıks 'pɔınt 'nɔːt 'tuː 'θriː]* (шесть целых и двадцать три тысячных).

8.5. Крупные суммы денег (начиная с тысячи единиц) часто произносятся особым образом:

1,000	ten hundred (pounds, dollars, francs и т. д.)
1,100	eleven hundred (marks и т.д.)

---

* **nought** [nɔːtl — ноль (*в математических исчислениях*)
point — точка

Урок-комплекс 10

| 1,990 | nineteen hundred and ninety (dollars и т. д.) |

Такой способ выражения числа встречается и тогда, когда речь идет о людях:

Eighteen hundred people can watch matches at that stadium.

8.6. Порядковые числительные образуются по общему правилу:

hundredth, thousandth, millionth; hundred and thirty-first; eight thousand, three hundred and forty-second.

ПРИМЕЧАНИЕ.

В современном английском языке в значении *миллиард* обычно пользуются словом **billion** ['bɪljən].

УПРАЖНЕНИЯ

Прочитайте вслух следующие цифры и десятичные дроби.

a. 100; 101; 490; 909; 6,000; 6,194; 6,008; 6,080; 1,000,004; 1,000,014; 27,594,334; 9,000,213; 9,009,111

b. 0.563; 2.754; 3.697; 9.363

2

Перепишите словами следующие цифры.

1,000; 3,980; 2,010,000; 101; 7,064; 35,000,111; 133,123,100

9. Место прямого и косвенного дополнения в предложении.

После глаголов **give, lend, send, show, tell,** когда нет особой необходимости выделять лицо, к которому обращено действие, употребляется сначала косвенное дополнение *(кому?)*, а потом прямое *(кого? что?)*:

| Give Amy this book. | Дайте Эйми эту книгу. |
| Send them a letter. | Пошлите им письмо. |

Однако в двух случаях после указанных глаголов до- полнения располагаются иначе:

а) в том случае, когда прямое дополнение (*кого? что?*) выражено личным местоимением, а не существитель- ным:

Give **it** to me.	Дайте ее (*напр. книгу*) мне.
Send **them** to Thomas Lloyd.	Пошлите их (*напр. катало- ги*) Томасу Ллойду.

б) для того чтобы выделить лицо, к которому обращено действие:

Give the book **to Amy**.	Дайте эту книгу Эйми (*а не кому-либо другому*).
Send the letter **to them**.	Пошлите письмо им (*а не кому-либо другому*).

Как видно из примеров, в этом случае косвенное до- полнение заменяется дополнением с предлогом **to**, ко- торое стоит после прямого дополнения.

После глаголов **explain, say** косвенное дополнение всегда употребляется с предлогом **to**:

Let me **explain** the text **to the students**.
Let me **say** hello **to them**.

ОБЗОРНЫЕ УПРАЖНЕНИЯ

1

Ответьте на вопросы о себе. Расскажите друг о друге на основании полученных ответов.

a. 1. When were you born?
  2. Where were you born?
  3. How old were you when you went to school?
  4. Was the school far from your house or was it near it?
  5. Did you have to work hard at school?
  6. What time did you have to get up?
  7. Do you remember any of your teachers or have you forgotten them?
  8. How many students were there in your class?
  9. Did you have any good friends at school?
 10. Do you sometimes meet your school friends now?
 11. What are they doing?

b. 1. Are you married?
  2. When did you get married?
  3. Where did you meet your wife (husband)?
  4. What does she (he) do?
  5. How many children have you got?
  6. How old are they?
  7. How much time do you spend with your children?
  8. Do they go to school or are they too young?
  9. How long does it take you to get your son (daughter) to school?
 10. Which of your family has to fetch your son (daughter) back home from school?
 11. How do your children like it at school?

c. 1. Do your parents still go to work?
  2. How old are they?
  3. How often do you go to see them?
  4. Do your parents live far from you?
  5. When did you last visit them? When did they come to see you?
  6. Which of you has got any brothers or sisters? (cousins, aunts, uncles, nephews, nieces)
  7. Could you say a few words about one of them?

d. 1. What's your hobby? Say a few words about it.
  2. Do you like music?
  3. What kind of music do you like?
  4. Can you play any musical instruments?

5. Where did you learn to play the piano? (the violin, the guitar)
6. Did you have to work hard at your music?
7. Have you got a piano (a violin, a guitar) at home?
8. How often do you play it?
9. When did you last play the piano? (the violin, the guitar, etc.)
e. 1. What time do you usually get up?
2. Why do you have to get up so early?
3. Do you walk to college (to work) or do you have to go by bus, underground, etc.?
4. How long does it take you to get there?
5. What time did you leave the house this morning?
6. Did you have to go to college in the rush hour?
7. How many lectures (classes) do you usually have a day?
8. When do you usually get home?
9. When did you get home yesterday?
10. What did you do yesterday evening?
11. Does your wife have much housework to do?
12. How do you help her with her housework?
f. 1. What do you usually do at the weekend?
2. What did you do last weekend?
3. Did you go to the country or did you stay in town?
4. What was the weather like?
5. Have you got a summer cottage?
6. Is it far from town?
7. How do you get there?
8. How long does it take you to get there?
9. When did you last go there?
10. What did you do?
11. Did you have a good time?
12. The countryside's very beautiful, isn't it?
13. Do you go to the country in the winter?
14. Isn't it nice to go skiing on a fine winter day!
15. When did you last go skiing?
g. 1. How often do you watch television?
2. Which programmes do you watch?
3. What did you see on TV yesterday?
4. Do you usually watch hockey and football games on the telly, or do you go to the stadium?
5. When did you last go to the stadium?
6. What did you see?
7. Was it difficult to get tickets?
h. 1. How often do you go to the theatre (cinema)?
2. When did you go last?

3. Who did you go with?
4. Did you have good seats? Could you see and hear well from those seats?
5. What did you see?
6. How did you like the play?

i. 1. Have you ever been abroad?
2. Which countries have you been to?
3. How long did you stay there?
4. What did you do there?
5. When was it?
6. Did you travel by plane (train, boat)?
7. How long did the journey take you?
8. You like travelling, don't you?
9. Which parts of Russia have you been to?
10. Did you have enough time to go sightseeing on those trips?
11. What did you see?

j. 1. Which of you has got a car?
2. What make is it? (Which model is it?)
3. When did you buy it?
4. Are you a good driver? Do you drive carefully?
5. Have you ever gone through a red light?
6. Did you have to pay a fine?
7. Have you ever travelled in your car in the holidays?
8. Where did you go?
9. Was the journey difficult?
10. Was it pleasant?
11. Did you sometimes have to stop at hotels?
12. How long did the journey take?
13. You like driving, don't you?
14. How long did it take you to learn to drive?
15. Do you use your car in the winter?
16. Is there a car park near your place of work?

k. 1. How often do you give parties?
2. When did you last have a party at home?
3. How many people did you ask to your party?
4. How many of them came?
5. Did you have a good time?
6. What did you do?
7. Do you like giving parties?
8. When's your birthday?
9. Do you always give a birthday party?
10. Do you like dancing?
11. What's your idea of a good party?
12. Do you like to have parties at restaurants? Why? (Why not?)

Инсценируйте следующие ситуации (работа парами).

1. Вы находитесь в книжном магазине в Лондоне. Попросите продавца показать вам путеводитель по Лондону. Скажите продавцу, что путеводитель вам нравится, спросите, сколько он стоит. Продавец благодарит за покупку. Спросите его, как пройти к станции метро. Продавец объясняет. Поблагодарите и спросите, далеко ли идти.

2. Вы ведете машину в незнакомом месте. Спросите пешехода, правильно ли вы едете к бензозаправочной станции. Прохожий отвечает, что вы едете правильно. Вам надо ехать прямо. Станция с левой стороны. Вы ее обязательно заметите. Спросите, далеко ли это. Прохожий говорит, что это всего в нескольких минутах езды от того места, где вы находитесь. Поблагодарите.

3. Вы находитесь в незнакомом городе. Спросите у прохожего, как пройти к городской библиотеке. Прохожий объясняет, что надо идти прямо и повернуть налево у светофора. Поблагодарите.

4. Вы работаете в Москве с г-ном Янгом, приехавшим из США, чтобы принять участие в международной конференции врачей. Спросите г-на Янга, куда бы он хотел поехать в воскресенье. Г-н Янг говорит, что его жене хотелось бы поехать за город и взглянуть на Подмосковье зимой. Вам эта идея нравится. Спросите г-на Янга, хотелось ли бы ему, чтобы вы его сопровождали. Г-н Янг охотно принимает ваше предложение. Предложите заехать за ними в воскресенье утром. Спросите, не слишком ли рано приехать в девять часов. Г-на Янга это устраивает. Попрощайтесь до воскресенья.

5. Вы звоните в фирму «Саймонз и компания». Секретарь называет номер. Переспросите, туда ли вы попали. Вы хотите поговорить с г-ном Флойдом. Он берет трубку. Поздоровайтесь, назовите свое имя. Ответьте на вопрос Флойда о том, как вы себя чувствуете, спросите, как он себя чувствует. У вас есть к нему несколько вопросов. Договоритесь о встрече.

6. Побеседуйте с г-ном Беннетом о пьесе, которую он посмотрел в Малом театре. Спросите, понравилась ли ему пьеса, какие у него были места, хорошо ли было видно и слышно. Г-ну Беннету пьеса очень понравилась, и места были хорошие, он сожалеет, что вы были больны и не смогли пойти с ним. Спросите, трудно ли ему было понимать актеров. Г-н Беннет почти все понимал, он изучает русский язык. Спросите, хочет ли он пойти в театр еще

раз. Предложите пойти в следующую субботу и скажите, что вы позаботитесь о билетах.

7. Спросите г-на Паркера, бывал ли он когда-нибудь в Суздале. Он там не был, но много слышал об этом городе. Спросите, хотелось бы ему поехать туда на субботу и воскресенье. Ему очень бы хотелось посетить Суздаль. Скажите, что вы можете поехать вместе. Г-н Паркер вас благодарит. Договоритесь о встрече в субботу.

Тексты для чтения, обсуждения и пересказа.

1

What Makes a Family Happy?

When people discuss family problems, I always think of my brother, his wife and children.

My brother's forty-five now, and my **sister-in-law**'s forty-two. They aren't very old, are they? But they've already got a little **grandson** and are very happy about it.

My brother met his wife at college when they were both in their first year. He was twenty-one then, and she was eighteen.

When they got married, their life wasn't easy, of course. Their first child was born when they were still at college. It was so difficult for them to look after the baby and be good students at the same time! They did all the jobs in turn: one of them went to college and the other stayed with the baby. Their parents couldn't help them much, because they both went out to work. But isn't it funny — when their son was only two years old, they decided to have another baby! Now their **elder** son's already married and has a little son. Their daughter is finishing school this year, and wants to be a teacher. They are a happy family!

---

in-laws [ɪn'lɔːz]	родственники со стороны мужа (жены)
sister-in-law ['sɪstrɪn lɔː]	жена брата
brother-in-law ['brʌðrɪn lɔː]	муж сестры
mother-in-law ['mʌðərɪn lɔː]	теща, свекровь
father-in-law ['fɑːðrɪn lɔː]	тесть, свекор
son-in-law	зять
daughter-in-law	невестка

grandmother ['grænmʌðə] (*уменьш.* **grannie**)	бабушка
grandfather (*уменьш.* **granddad** ['grændæd])	дедушка
grandchild	внук, внучка;
мн. ч. **grandchildren**	внуки
grandson ['grænsʌn]	внук
granddaughter ['grændɔːtə]	внучка
elder	старший (*о братьях, сест- рах и детях*)

2

Is Life Dull Without a Hobby?

It's very pleasant to have an interesting job and learn to do it well. But so many people can't live without a hobby! Some take photos or make films and slides, and spend a lot of time with their cameras, others dance or sing...

One of my friends collects stamps. He's already got **over** three thousand stamps from different countries: Great Britain and the United States, **Holland and Denmark, Sweden and Switzerland**, China and Japan. Such a lot of lovely stamps of different sizes and colours! My friend keeps his stamps in albums, and is very careful with them. The stamps help him to learn a lot of interesting things about the countries of the world, their peoples, dates and events. When people ask him questions, he's ready to give answers and explanations, and it's always interesting to listen to him. Isn't it an excellent example of a useful hobby!

---

over ['əuvə(r)] (*предлог*)	**1.** над
	2. свыше

Ant. **under**

There was a lovely lamp over the table.

He spoke for over an hour.

> Не путайте названия следующих стран и соответствую-
> щие прилагательные!

Denmark ['denmɑːk]	Дания

Danish ['deɪnɪʃ]   датский; датский язык

   She's Danish. (= She's a Dane.)   Она датчанка.

Holland   Голландия

   (= the Netherlands ['neðələndz])   Нидерланды

Dutch   голландский; голландский язык

   He's Dutch, not Danish.

   (= He's a Dutchman, not a Dane.)   Он голландец, а не датчанин.

Sweden ['swi:dn]   Швеция

Swedish   шведский; шведский язык

   She's Swedish.   Она шведка.
   (= She's a Swede.)

   a Swedish hockey team

Switzerland ['swɪtsələnd]   Швейцария

   Swiss   швейцарский; швейцарец

   a Swiss watch; Swiss cheese

   The company is Swedish, not Swiss.   Эта компания шведская, а не швейцарская.

Запомните:

the north [nɔ:θ]   север

the south [sauθ]   юг

the west [west]   запад

the east [i:st]   восток

They live in the north of England.

That place is to the south of London.

В географических названиях эти слова пишутся с большой буквы, например:

the Middle East   Ближний Восток (от Египта до Ирана)

the Near East   (Турция, Афганистан и т.д.)

South America   Южная Америка

3

What Do you Know about International Organizations?

 As you know, **international organizations** do various kinds of work. They help their **member countries** to solve **economic** and **political** problems and settle international **conflicts** by **peaceful means**. The **role** of Russia in such organizations is very important.

Now a few words about me and my work.

I'm an economist with an international organization, and I'm the Russian **representative** here.

My first name's Pavel, but my colleagues usually call me Paul. We try to help the **developing** countries with their problems, and at the moment I'm collecting economic information on the subject. We all know this work's very important: let me tell you it's interesting, too.

We get a lot of mail every day. I like to look through it quickly first, then I read some of the letters again carefully, and answer them.

Very often people phone me, and I answer the calls. Here you can see me at work. I'm on the phone and I'm answering a question about some problems of industrial **development**.

---

international [ˌɪntəˈnæʃnəl]	международный
organize [ˈɔːgənaɪz]	организовать
organization [ˌɔːgənaɪˈzeɪʃn]	организация
member countries	страны-участницы
economic [ˌekəˈnɔmɪk]	экономический
political [pəˈlɪtɪkl]	политический
conflict [ˈkɔnflɪkt]	конфликт
peaceful [ˈpiːsful]	мирный
means	средство, средства
by peaceful means	мирными средствами
role	роль
representative [ˌreprɪˈzentətɪv]	представитель

develop [dɪ'veləp]	развивать, развиваться
developing	развивающийся
development	развитие
collect [kə'lekt]	собирать
information [ɪnfə'meɪʃn] (about, on)	*(неисчисл.)* информация, сведения

At a Pub

A pub is typically English. It is a place where an Englishman goes to **relax** after a day's work. You can see all kinds of people in a pub: men, women, factory workers, teachers, doctors and policemen.

What do all those people do? They drink beer, meet their friends and discuss the news of the day. They can also have a meal there.

Even in large cities every pub (or "**local**") has its **regular customers** (or "**regulars**") who go there every night. The barman knows them well, and they know each other. So they usually drink their beer and talk together. They sometimes play **dominoes** or a game called **darts**. There's a piano in many pubs, and on Saturday nights the customers occasionally stand round it and sing. The pianist is usually one of the customers. He plays, and the people who* sing to his music or listen usually pay for his drinks. That is the **custom**.

Pubs usually open at ten in the morning and are closed from two to six p.m. Before two a lot of people go to pubs for lunch. At six the pubs open again and stay open till ten thirty.

Many English pubs are very old, and have interesting names like "The White **Horse**", "The **Porridge Pot**", "The **Pig** and **Whistle**" and others. There is usually a sign over the pub door with a picture **illustrating** its name.

---

pub	паб — английская пивная, закусочная, своего рода клуб для местных жителей
relax [rɪ'læks]	отдохнуть, расслабиться
local ['ləukəl]	местный
regular ['regju:lə]	постоянный

---

* **who** — *который* (вводит определительное придаточное предложение, относящееся к одушевленному существительному в ед. или мн. числе)

customer [ˈkʌstəmə]	*зд.* посетитель, клиент
dominoes [ˈdɒmɪnəuz]	домино
darts	дротики *(игра)*
custom [ˈkʌstəm]	обычай
horse [hɔːs]	лошадь
porridge [ˈpɒrɪdʒ]	каша
pot	котелок, горшок
pig	свинья
whistle [ˈwɪsl]	свисток
sign [saɪn]	вывеска
illustrate [ˈɪləstreɪt]	иллюстрировать

5

Jumbo

Many years ago the London **Zoo** had a young **elephant** from Africa. His name was Jumbo. The elephant was very small, and lots of people went to the Zoo to see him. The elephant grew very quickly. Soon he learnt to **carry** children on his **back**.

One day a rich American saw Jumbo and decided to buy him and take him to America to show him in the **circus**. He paid the London Zoo two thousand dollars for Jumbo. When the people of London heard about it, they wrote letters to the newspapers and there were **protest meetings**. But neither letters nor meetings helped.

The day came when Jumbo slowly walked to London Port. There were a lot of people in the streets who came to say good-bye to their friend.

Jumbo went to America on a ship. In America he was a circus elephant. He learnt to carry things from one place to another and he danced. He was very popular and he lived a long life.

His name is still in the English language. We say "a jumbo-jet" when we speak of a big passenger plane and when we want to say tinat a thing is very big, we say it's "jumbo-sized".

Zoo [zuː]	зоопарк
elephant [ˈelɪfənt]	слон
carry	носить

circus ['sə:kəs]   цирк

back (*сущ.*)   спина

protest meeting   митинг протеста

jet   реактивный самолет

6

A Few Examples of English Humour

1.

A. Why do you **borrow** that guitar from the man next door? You can't play it!

B. I know, but **while** I have it, he can't play it either.

2.

A. Excuse me, sir. Who's that ugly woman near the window? Who could it be?

B. She's my aunt, sir.

A. Oh, it must be a mistake! Not the pleasant lady on the right! The unpleasant fat woman on the left!

B. That, sir, is my wife.

3.

The English know how to make tea, and what it does for you.

Seven cups of it wake you up in the morning, nine cups put you to sleep at night. If you are hot, tea makes you **cool**, and if you are cold, it makes you warm.

If you take it in the middle of the morning, it 'stimulates you for work; if you drink it in the afternoon, it helps you to relax. If a **spoon** stands up in the tea, it's good tea, if the spoon starts to fall, you cannot call it tea.

---

spoon [spu:n]   ложка

    a teaspoon; a tablespoon

borrow ['bɔrəw]   одалживать, брать взаймы

while [waɪl]   в то время как

humour ['hju:mə(r)]   юмор

cool [ku:l]   прохладный

A Letter from the Authors of this Book

Dear Students,

You've completed the initial stage of learning English. Congratulations! You've learnt all the English sounds and letters, a lot of English words and expressions and quite a lot of grammar rules. You can already ask and answer all kinds of questions in English, you can discuss important things such as your work, family, holidays and hobbies, and speak on many other subjects. Have you read any English books yet? If not, it's the right time to begin. You can't read all English books, of course, but if the book's easy enough, you can read it and enjoy it. If there are words which* you don't know, you can look them up in the dictionary. You have to learn to use the dictionary — you have to! It's a very useful thing to do, and it's interesting, too!

Sometimes students ask this question: "Can we learn to speak English fluently and without mistakes? Is it possible to think of the way to express our ideas, the grammar, pronunciation and intonation, all at the same time?" The answer is: "It's quite possible." Many of you can drive a car, can't you? When you drive a car you must do several things at the same time and do them very carefully, without mistakes: you drive your car, you watch the traffic lights, the road signs, the policemen controlling the traffic, the people crossing the road, and other cars, lorries and buses. You can't break the rules, and you can't stop your car in the middle of the road. How were you able to learn to do it all at the same time? If you were able to do that, you can certainly learn to speak English without mistakes. You have only just begun, but a good beginning is very important. An English proverb says, "Well begun is half done." There's a lot of work ahead, but we're sure you can manage. Good luck!

The Authors

---

*   **which** — *который* (вводит определительные придаточные предложения, относящиеся к неодушевленному существительному в ед. и мн. числе)

author ['ɔ:θə]	автор
complete [kəm'pli:t]	закончить
initial [ɪ'nɪʃəl]	начальный
stage [steɪdʒ]	стадия
Congratulations! [kən,grætju'leɪʃənz]	Поздравляем!
expression [ɪks'preʃən]	выражение
such as	такие как
fluently ['fluəntlɪ]	бегло
possible ['pɔsɪbl]	возможный
impossible [ɪm'pɔsɪbl]	невозможный
pronunciation [prə,nʌnsɪ'eɪʃn]	произношение
intonation [ɪntə'neɪʃn]	интонация
road sign [saɪn]	дорожный знак
break [breɪk]	*зд.* нарушать
proverb ['prɔvə:b]	пословица
Well begun is half done.	*досл.* Хорошо начато — наполовину сделано. (*ср. русск.* Доброе начало полдела откачало.)
ahead [ə'hed]	впереди
manage ['mænɪdʒ]	справиться

Алфавитный словарь-указатель

A

B

ДЛЯ ЗАМЕТОК

Бонк Наталья Александровна
Левина Изадора Ильинична
Бонк Ирина Анатольевна

АНГЛИЙСКИЙ ШАГ ЗА ШАГОМ
Том 1

*Издание подготовлено в компьютерном центре
издательства «РОСМЭН».*

Подписано к печати 16.04.09.
Формат 60x90$^1/_{16}$. Бум. газетная.
Печать офс. Усл. печ. л. 36,0. Тираж 5000 экз.
Заказ № 7628.

ЗАО «РОСМЭН-ПРЕСС».
Почтовый адрес: 125124, Москва, а/я 62.
Тел.: (495) 933-71-30.
Юридический адрес: 129301, Москва,
ул. Бориса Галушкина, д. 23, стр. 1.

*Наши клиенты и оптовые покупатели могут оформить заказ,
получить опережающую информацию о планах выхода изданий
и перспективных проектах в Интернете по адресу:*
www.rosman.ru

ОТДЕЛ ПРОДАЖ:
(495) 933-70-73; 933-71-30;
(495) 933-70-75 (факс).

Отпечатано с электронных носителей издательства.
ОАО "Тверской полиграфический комбинат". 170024, г. Тверь, пр-т Ленина, 5.
Телефон: (4822) 44-52-03, 44-50-34, Телефон/факс: (4822)44-42-15
Home page - www.tverpk.ru Электронная почта (E-mail) - sales@tverpk.ru

Бонк Н. А., Левина И. И., Бонк И. А.

Б81 Английский шаг за шагом: Курс для начинающих. В 2 т. Т. 1. — М.: ЗАО «РОСМЭН-ПРЕСС», 2009. — 576 с.

Учебник представляет собой начальный курс английского языка (1-я часть комплекса), в основу которого положен методически новый принцип обучения. Дозированное введение фонетико-орфоэпического материала с немедленным его закреплением служит базой для интенсивного накопления активной лексики, речевых стереотипов, грамматических структур и обеспечивает высокое качество усвоения. Тексты и упражнения построены на речевых образцах современного разговорного английского языка. Курс предназначен для широкого круга лиц, приступающих к изучению английского языка.

Учебник может быть использован в средних и высших учебных заведениях, на курсах, а также для самостоятельного изучения английского языка.

ISBN 978-5-353-00414-1

УДК 811.111
ББК 81.2 Англ